EL PESO DE LA VERDAD

DOMINGO CAVALLO

El peso de la verdad

Un impulso a la transparencia
en la Argentina de los 90

PLANETA
Espejo de la Argentina

Espejo de la Argentina

Diseño de cubierta: Mario Blanco
Diseño de interior: Alejandro Ulloa

© 1995, Domingo Cavallo

Derechos exclusivos de edición en castellano
reservados para todo el mundo:
© 1997, Editorial Planeta Argentina S.A.I.C.
Independencia 1668, Buenos Aires
Grupo Editorial Planeta

ISBN 950-742-828-3

Hecho el depósito que prevé la ley 11.723
Impreso en la Argentina

A Gustavo Parino, el más perseguido de los funcionarios
que lucharon contra la corrupción
durante los años en que fui ministro de Economía.

A la memoria del brigadier Rodolfo Echegoyen,
que ofrendó su vida por la misma causa sin que
sus superiores le brindaran el más mínimo apoyo.

Prólogo

A lo largo de mi vida siempre he tenido la suerte de que alguien organizara mis papeles personales. Durante mi niñez, en San Francisco, provincia de Córdoba, lo hacía mi madre. Ella aún conserva mis carpetas del jardín de infantes, mis libretas de calificaciones, las primeras composiciones escolares, los artículos periodísticos que publiqué en el diario local y los ejemplares de una revista que editamos en el colegio secundario.

De los años de estudiante en la universidad, de mis primeras actividades profesionales, de mis estudios en Harvard, del período en que estuve al frente del Instituto de Investigaciones Económicas de la Fundación Mediterránea y de los dos años que fui diputado nacional, se ocupó Sonia, mi esposa, a quien conocí cuando tenía diecisiete años. Durante toda esta época ella fue guardando cartas, discursos, publicaciones, artículos periodísticos, agendas de viaje y muchos otros materiales que me ayudan a recordar los principales episodios de mi vida en Córdoba y Cambridge.

Desde que nos trasladamos a Buenos Aires, en 1989, Sonita, mi hija, continuó la tarea de su madre y hoy tiene un archivo muy prolijo con documentación de mis actividades durante los siete últimos años. Además, José Luis Giménez y Tomás Ferrari han custodiado celosamente la mayor parte de mis escritos, publicaciones, conferencias, cartas, memorándums y agendas de viajes oficiales, relacionados con mi vida académica y política.

Gracias a los esfuerzos de estas personas, que tanto me han ayudado a lo largo de mi vida, me resultaría fácil escribir un trabajo autobiográfico. Pero esto, si Dios me da salud, es algo que haré dentro de mucho tiempo. Valga esta larga introducción para advertir al lector que éste no es el libro de mis memorias.

Las páginas que siguen son el relato que hice a mis hijos de las vivencias como canciller y ministro de Economía que me parecen relevantes para pensar sobre el futuro. Ellos querían entender qué era lo que estaba ocurriendo en la Argentina de estos años y en la vida de nuestra familia, en particular desde el día en que dejé de pertenecer al gobierno del presidente Menem. Querían saber por qué estoy sometido a un evidente acoso judicial. Me preguntaban por qué el mismo gobierno, al que había servido con tanta dedicación y lealtad, parecía empeñado en mandarme a la cárcel. Y querían entender por qué, a pesar de todo eso, yo seguía siendo tan optimista sobre el futuro de la Argentina.

Cada interrogante de ellos significaba para mí emprender una verdadera aventura de memoria y reflexión. Volvían a desfilar por mi mente imágenes de diferentes momentos vividos y de personajes de variada aptitud intelectual y talla moral.

Reaparecían, a la vez, los sentimientos contradictorios que muchas veces había tenido durante mis siete años junto a Menem. Yo sentía una enorme gratitud hacia el Presidente que apoyaba férreamente las reformas profundas que yo le proponía, pero me desconcertaba y preocupaba seriamente su tolerancia ante las conductas oscuras de varios de los amigos que lo rodeaban en el poder.

A principios de enero estábamos en la isla de San Salvador, caminando por las playas a las que arribó Colón cuando tocó por primera vez la tierra del Nuevo Mundo, y comencé a contestar las inquietudes de mis hijos. Tuvimos mucho tiempo porque llovió durante cinco días seguidos y nos entretuvimos conversando sobre mi experiencia. Era el lugar ideal. Junto a la playa sólo estaba el hotel donde nos hospedábamos, absolutamente aislado de cualquier otro centro de interés distinto del de la naturaleza misma.

Conté con un auditorio reducido pero exigente, concentrado en cada uno de los temas que iban surgiendo, silencioso la mayor parte del tiempo, aunque también, otras veces, exaltado, sobre todo cuando aquello a lo que me refería había tocado de un modo especial la vida de nuestra familia. Sonia y mis hijos, en efecto, compartieron conmigo demasiadas noches en vigilia y soportaron tantas alteraciones a la vida hogareña que merecían de mí respuestas que dieran valor a cada uno de los sacrificios personales y familiares con tanta generosidad por ellos ofrecidos durante estos años.

Les hablé, por ejemplo, de lo costoso que fue abandonar algunas malas ideas, como la producción de armamento, y lo difícil que había sido poner en práctica las ideas buenas, tales como el aliento a las exportaciones y la apertura comercial, que por mucho tiempo fueron resistidas por los que vivían de la protección y el contrabando.

Les conté cómo habíamos luchado contra los privilegios para crear la economía popular de mercado y cómo desmontamos la industria del juicio contra el Estado, principal causa del descontrol del gasto público. De ninguna manera pretendí explicarles cómo Argentina se había reinsertado en el mundo, ni darles una cátedra sobre la economía del país en los noventa, tal como la que podrían encontrar en el libro que Juan Llach está terminando de escribir en estos días. No pasaban por allí ni sus dudas ni mis deseos de comunicación.

Dediqué horas, en cambio, a contarles cómo descubrimos la operatoria de la mafia en los correos y la captura de los aeropuertos. Aproveché para hablarles de la protección que algunos jueces brindaban a los evasores.

Conversamos sobre la gran frustración que significó el plan de informatización del Banco de la Nación Argentina a causa de la corrupción en la cual se involucraron proveedores y directivos de la institución.

Les expliqué cómo encaramos la lucha contra la inflación y el origen y la solución de la crisis financiera de 1995. Hablamos de la vuelta al crecimiento y lo importante que fueron las privatizaciones para poner en marcha la revolución productiva que Menem había prometido.

Reflexioné con ellos acerca de por qué aumentó el desempleo y cómo la corrupción limitó la eficacia de las políticas sociales.

Les expuse, luego, mi visión sobre la expansión de la corrupción organizada y el peligro que ella significa para la economía y la sociedad.

Y también les di mi interpretación sobre la marcha del gobierno de Menem desde el 14 de mayo de 1995, cuando fue reelegido para un segundo mandato.

A lo largo de todas estas conversaciones traté de que entendieran cómo se adoptan las decisiones y cuánto cuesta llevarlas a la práctica, cómo aparecen los conflictos, por qué debí enfrentar problemas judiciales y, finalmente, por qué soy tan optimista sobre el futuro de nuestro país.

Varias veces pensé en dar por terminado mi relato pero percibí que el interés no decaía. Cuando ya llegábamos al final, Eduardo, el mayor de mis hijos varones, sugirió que escribiera todo lo que les acababa de contar: estaba convencido de que era fundamental que la gente conociera lo que ellos acababan de escuchar. Así, sentado frente a su computadora, insistió en que le dictara el primer capítulo. Ahí comenzó a tomar forma este libro.

Concluidas nuestras vacaciones familiares regresaríamos a Buenos Aires. Diez días después tenía que volver a viajar para dictar conferencias en Lyon y Davos. Alberto, mi hijo menor, que se había entusiasmado con la idea del libro, sugirió que viajáramos directamente a Europa para poder trabajar con la tranquilidad que seguramente no tendríamos en Buenos Aires. Sólo Sonita y Alberto pudieron acompañarme porque mi esposa y Eduardo tenían compromisos en la Argentina.

Durante los siguientes diez días gozamos de la hospitalidad de nuestros buenos amigos Julio y Corine Ecker, quienes poseen una acogedora hostería en Courchevel, un hermoso centro de esquí en la Saboya francesa. Allí mis hijos volcaron en la computadora los once primeros capítulos de este libro. Trabajábamos todas las tardes, apenas volvíamos de esquiar, alrededor de las tres. Lo hacíamos en los mullidos sillones del lobby del hotel, junto al hogar encendido, y ante la mirada sorprendida de varios compatriotas que, junto a turistas de diversos puntos del planeta, compartían con nosotros el mismo sitio de alojamiento. Yo les dictaba a Sonita y Alberto, pero sus muchas preguntas y observaciones oportunas ayudaron a darle claridad y relevancia a cada una de las páginas redactadas.

Ya de vuelta en la Argentina, los primeros días de febrero, le pedí a Jorge Srur que trabajara sobre el primer borrador, con la colaboración de los investigadores de la Fundación Mediterránea y de los ex integrantes de mi equipo económico que corroboraron nombres, fechas, cifras y episodios. Sería muy largo enumerar a quienes me brindaron su ayuda en esta tarea, y podría omitir injustamente a alguno, por lo cual los dejaré a todos en el anonimato, para que, de paso, no queden comprometidos con los posibles errores.

Durante febrero y marzo hice varios viajes al exterior. En esos viajes pude trabajar sobre los tres últimos capítulos y revisar los sucesivos borradores. Estoy escribiendo este prólogo en el avión que me lleva de regreso a la Argentina luego de haber dictado una conferencia en una reunión internacional de empresarios petroquímicos en San Antonio, Texas.

Antes de trasladarme al aeropuerto escuché una magnífica presentación del general Collin Powell sobre su experiencia como soldado y jefe del Estado Mayor de las Fuerzas Armadas de su país, volcadas en un libro que llamó *My American Journey*. Las palabras del general Powell trasuntaban un enorme orgullo porque un humilde hijo de inmigrantes del South Bronx de Nueva York pudo prestar a su país y al mundo los servicios de que dan cuenta los capítulos de su obra. Yo me sentí identificado con sus sentimientos.

Mi país, la Argentina, me dio muchas oportunidades para cultivar el intelecto y trabajar por la gente, y siento la obligación de transmitir a mis hijos y a todos mis conciudadanos que nuestra patria tiene un gran futuro y que los argentinos seremos capaces de afianzarlo.

Sólo nos falta organización y transparencia. En los últimos años hemos avanzado mucho en ambos terrenos. La organización vence al tiempo y la transparencia destruye el poder de los delincuentes y acrecienta el poder de los ciudadanos. Este es el mensaje que traté de transmitir a mis hijos en la isla de Colón y en Courchevel. Ojalá pueda transmitirlo también a quienes lean este libro.

DOMINGO CAVALLO
Buenos Aires, 25 de marzo de 1997

El negocio de las armas

Durante la campaña electoral de 1989, cuando le preguntaban cómo reactivaría la economía, Menem a menudo respondía que su gobierno promovería la producción de armamento. Este era uno de los argumentos que repetía no sólo en el país sino también en el exterior y, muchas veces, ante preguntas de periodistas extranjeros.

En Europa quienes lo escuchaban se sorprendían, porque la idea aparecía totalmente extemporánea. Mientras los políticos europeos hablaban de desarme y del final de la guerra fría, y era común escuchar opiniones sobre lo complicado que sería destruir los enormes arsenales que en el Este y en el Oeste se habían instaurado desde los años cincuenta y de la abundante oferta de armamento ruso, de todo tipo, que empezaba a aparecer en plena Perestroika, en la Argentina —todavía muy aislada del mundo— aún prendían las viejas ideas geopolíticas de las décadas anteriores. Desde entonces, nuestros militares, como los brasileños y los chilenos, habían levantado las banderas de la producción para la defensa. Se decía —en los tres países— que las Fuerzas Armadas mediante esta clase de proyectos, al mismo tiempo que se equipaban para defender mejor las fronteras, podían hacer una gran contribución al desarrollo económico.

En la inmediata posguerra, la cuestión había sido particularmente atractiva para el presidente Juan Perón, quien alentó el desarrollo de un complejo industrial militar expandido hasta actividades tales como la siderurgia, la química pesada y las construcciones mecánicas. La empresa Industrias Aeronáuticas y Mecánicas del Estado (IAME) llegó a producir en serie tanto aviones de entrenamiento (incluso logró diseñar el Pulqui, un caza a retropropulsión) como automóviles y vehículos utilitarios. A su regreso al país, en 1974, Perón aprobó con entusiasmo la producción del Tanque Argentino Mediano (TAM), un equipo cuya tecnología era superior a la que por esa época utilizaban la mayor parte de los ejércitos de la región.

La idea de la producción para la defensa tomó más vigor durante el último gobierno militar, dando lugar a proyectos ambiciosos. Mientras el Ejército seguía con el TAM, la Armada se embarcó en la producción de submarinos a partir de un contrato con la empresa alemana Thyssen. Por su parte, en la Fábrica Militar de Aviones de Córdoba —donde ya se producía el avión Pucará— se iniciaba el diseño del Pampa.

El Pucará era un avión de patrulla y apoyo en combate, cuyas características —tecnología media y bajo costo de mantenimiento— facilitaban su colocación en los mercados internacionales. El Pampa (IA63), en cambio, era un avión de entrenamiento de caracteres más sofisticados que, tanto por sus costos como por los requerimientos técnicos (por ejemplo, la calificación del personal necesaria), se constituía en un producto de dificultosa comercialización: no era adecuado, al menos, para el mercado de países en desarrollo, hacia donde nuestra oferta podía razonablemente orientarse con mejores posibilidades.

Casi todos estos proyectos entraron en crisis con el advenimiento de la democracia, porque el presidente Alfonsín concretó fuertes recortes al presupuesto militar: ya en el primer año de su gestión bajó su participación dentro del total del gasto público desde el 10,4% de 1983 —último de los militares en el poder— al 8,6%, lo que significó que el gasto en defensa en términos reales —esto es, corregido por inflación— cayera casi a la mitad. El mercado interno, que hasta entonces había sido fundamental para el desarrollo de esta industria, empezaba a contraerse, en una tendencia que se acentuaría en los años siguientes.

La Fuerza Aérea, sin embargo, se las ingeniaría para conseguir apoyo para la más audaz de las iniciativas en la materia: el misil Cóndor. Hay una razón de política interna que explica el apoyo del gobierno a esta iniciativa. La Aeronáutica había salido de la guerra de las Malvinas con cierto prestigio y su nuevo jefe del Estado Mayor, el brigadier Ernesto Crespo, se presentaba ante el gobierno como el líder de la única fuerza auténticamente democrática. Alfonsín creía, efectivamente, que la Fuerza Aérea estaría siempre lista para defender el orden constitucional en caso de que los aún díscolos hombres del Ejército o de la Armada intentaran un golpe de Estado. Este marco de situación fue, según mi punto de vista, lo que favoreció la aprobación del Cóndor por parte de un gobierno poco proclive a aventuras armamentistas.

El proyecto Cóndor se origina en el interés de un grupo empresario alemán que disponía de la tecnología de los misiles de mediano alcance pero no podía exportarla desde su país de origen porque su gobierno imponía fuertes restricciones y controles a la venta al exterior de este tipo de productos.

Estos empresarios alemanes habían conseguido un cliente interesado en la tecnología, dispuesto a pagar 600 millones de dólares por ella. Se trataba de Irak, país que por entonces estaba recibiendo fuerte apoyo internacional para enfrentar su conflicto con Irán, cuyo gobierno, en manos del fundamentalismo islámico, era percibido como una amenaza para la seguridad de la región.

Los proveedores de la tecnología consideraban que, para construir una planta de misiles en Irak, previamente había que hacer el desarrollo en un país que tuviera mejor nivel técnico y desde el cual, en la práctica, se exportaran las partes más complejas de los misiles, aunque éstos terminaran de ensamblarse en el país de destino. Por otro lado, la compra de Irak debía ser secreta ya que los misiles de mediano alcance eran armas prohibidas por los acuerdos internacionales entre las grandes potencias.

Los empresarios salieron a buscar un lugar donde instalar una planta que sirviera para la fase de producción de las partes críticas del misil. La base de operaciones financieras del grupo era Montecarlo, pero el Principado de Mónaco no parecía un lugar apropiado para ese fin. Rápidamente consiguieron su objetivo. Con los atractivos números del negocio en mano, los empresarios lograron entusiasmar con su idea a militares egipcios y a la Fuerza Aérea argentina.

Debido a que el desarrollo del proyecto tenía que ser disfrazado, los proveedores de la tecnología concibieron la idea de presentarlo no como lo que era —un misil— sino como un proyecto de lanzador satelital en el cual cooperarían dos países interesados en este tipo de desarrollo, Egipto y la Argentina. En el caso de nuestro país, un decreto secreto firmado por Alfonsín aprobó el plan, y a su amparo se puso en marcha una planta de misiles en la localidad de Falda del Carmen, en medio de las sierras cordobesas.

Durante un período de cinco años de desarrollo del proyecto, entraron en forma secreta al país expertos alemanes y técnicos y militares iraquíes. De igual modo, sin que quede registro alguno, salieron con destino a Irak, en numerosas oportunidades, técnicos y militares argentinos. También ingresaron maquinarias sofisticadas, planos y materiales sensibles, y se enviaron a la tierra de Saddam Hussein diversas partes de misiles. En Falda del Carmen, dentro de la montaña, se construyeron instalaciones impresionantes en las cuales trabajaron centenares de personas. Se movió mucho dinero. Todo esto se hizo en el más absoluto secreto y sin que quedara ningún tipo de rastro.

Mientras yo fui canciller, durante un año y medio, traté de encontrar documentación y registros de movimientos relacionados con el proyecto. Nunca pude conseguir nada. Lo único visible era la planta de Falda del Carmen y el decreto secreto que había autorizado el proyecto del lanzador satelital ("un inyector satelital para satélites livianos en órbita baja", según la definición de sus técnicos). Sólo se conocía públicamente que la Fuerza Aérea continuaba con las investigaciones que años antes se habían iniciado en Chamical, con pequeños cohetes útiles para las investigaciones meteorológicas. Se sostenía que ahora podría llegarse a colocar satélites en órbita: incluso el brigadier Crespo había logrado que Menem presenciara un lanzamiento experimental para interesarlo en el proyecto. Pero la verdad, obviamente, era otra.

En el entorno de Menem, durante la campaña electoral, varios militares retirados y en actividad bregaban por la idea de la producción para la defensa. Ya habían estado vinculados a este tipo de proyectos y pensaban que se podía abrir una nueva etapa de producción de armamentos para el mercado externo. Algunos de ellos inclusive habían participado sin éxito en intentos anteriores de exportación de tanques, aviones y armas livianas.

Dos allegados al candidato planeaban usar sus contactos internacionales para facilitar este tipo de negocios. Uno era Mario Rotundo, quien viajaba por el mundo hablando del "hermanamiento de las religiones" y había logrado relacionarse con el régimen libio. Y el otro era un hombre que desde largo tiempo atrás, desde la primera gobernación de Menem en la provincia de La Rioja, venía acompañándolo: Alberto Kohan.

Kohan jugaba el papel de una suerte de "canciller en las sombras". Estaba siempre preparado para mantener conversaciones secretas e informales cada vez que su jefe se contactaba con líderes extranjeros. Su misión era detectar qué tipo de negocio oculto podía emerger de las relaciones que el candidato a presidente iba desarrollando, particularmente con personalidades políticas y gubernamentales del exterior.

La idea de la producción para la defensa fue una de las primeras en entrar en una crisis irreversible apenas Menem asumió como presidente. Fue causa, sin embargo, de conflictos, errores, corrupción y costos políticos. Y, así como con tantas otras malas ideas, fui yo quien tuvo que alertar a Menem sobre los riesgos que significaba su implementación. Debí dedicar mucho esfuerzo, incluidas confrontaciones muy desgastantes, para conseguir que fuera abandonada.

Cuando Menem me designó ministro de Relaciones Exteriores, estableció cuatro prioridades para la política exterior.

Primero, acentuar el acercamiento, que ya se había iniciado durante la gestión de Alfonsín, con nuestros vecinos, particularmente con el Brasil y Chile, y avanzar en el proyecto de integración económica subregional. En el plano estratégico, esto significaba cancelar definitivamente la carrera nuclear con Brasil y resolver los problemas pendientes de límites con Chile.

Segundo, desarrollar una relación muy estrecha con los Estados Unidos, hasta llegar a ser considerados por ellos el principal aliado de América del Sur.

Tercero, restablecer el vínculo de estrecha cooperación con Europa, que, si bien era un capítulo con cierta continuidad en nuestra política internacional, se había visto severamente afectado por la guerra de las Malvinas.

Cuarto, crear una relación especial con el Medio Oriente que, al mismo tiempo que aprovechase los orígenes sirios del Presidente para constituirnos en socios confiables de los árabes, revirtiera la política exterior antiisraelí que, en línea con el Movimiento de los No Alineados, había sido adoptada por nuestro país.

En el primer viaje que hice a los Estados Unidos como canciller de la Argentina mantuve una larga reunión con el secretario de Estado James Baker, a quien describí las intenciones, tanto económicas como de relaciones exteriores, del nuevo presidente. Baker me escuchaba con cierto escepticismo. Con cortesía, pero sin disimular su preocupación, Baker tomó la palabra y comenzó a leer un memorándum que sus ayudantes le habían preparado sobre el proyecto Cóndor. Me dijo que sus servicios de Inteligencia habían detectado que en la Argentina se estaba desarrollando y produciendo un misil de mediano alcance, que era financiado por Irak, uno de los destinos finales de esa producción. Me dio nombres de las empresas de origen alemán involucradas y me explicó que, a través de este proyecto, la Argentina estaba ayudando a la proliferación de armamentos prohibidos por acuerdos internacionales.

También me explicó que el tema era seguido por los servicios de Inteligencia británicos e israelíes. Los primeros, preocupados por una eventual reedición del conflicto por las islas Malvinas, y los segundos, porque semejantes misiles emplazados en Irak significaban una amenaza para la seguridad del Estado de Israel. Esto suponía que los Estados Unidos no podrían ayudar a la Argentina a restablecer relaciones diplomáticas con el Reino Unido y a ganarse la confianza del Estado de Israel si no se cancelaba el proyecto Cóndor.

El mensaje del secretario de Estado había sido suficientemente claro, pero por cualquier duda, en Buenos Aires, el nuevo embajador norteamericano, Terence Todman, nos precisaría luego los términos de la posición de su país. La cancelación del proyecto Cóndor era esencial para que la nueva política exterior argentina fuera creída en los Estados Unidos, en Europa y en Israel.

A mi regreso de la entrevista con James Baker —a la que asistí acompañado por el entonces embajador argentino en Washington, Guido Di Tella, y el subsecretario de Relaciones Latinoamericanas, José Luis Fernández Valoni— concentré mis esfuerzos en explicarle al presidente Menem y al en ese momento ministro de Defensa, Italo Luder, la importancia del tema Cóndor y la necesidad de definir una línea de acción al respecto.

Los dos entendieron de inmediato la relevancia del tema, pero prácticamente ninguno de los tres conocíamos en profundidad cuál era la dimensión y el verdadero significado del proyecto. Lo primero que necesitábamos era tener información, y hasta ese momento lo único que conocíamos era lo que nos había transmitido el secretario de Estado norteamericano.

Menem decidió citar al brigadier José Antonio Juliá, nuevo jefe del Estado Mayor de la Fuerza Aérea, y éste nos expuso lo que de ahí en más fue la versión oficial y reiterativa de esa institución. Según su exposición, se trataba del desarrollo de un misil de mediano alcance; pero en la práctica sólo se había logrado producir una "cañita voladora", porque se carecía del equipo de dirección.

La Aeronáutica se sentía orgullosa —según sus jefes— de que la Inteligencia norteamericana creyera que ellos estaban exportando a Irak un misil realmente peligroso, ya que estimaba posible sacar provecho de ese equívoco. En el concepto de su cúpula, el supuesto error de información de los Estados Unidos posibilitaría negociar la cancelación del proyecto Cóndor a cambio de algún apoyo especial norteamericano a la Fuerza Aérea argentina. Por ejemplo, la selección del Pampa como nuevo avión de entrenamiento para la Armada norteamericana, que había iniciado por entonces un proceso para elegir el modelo más apropiado. La compra planeada era —según me dijeron— de novecientos aviones, lo que suponía un negocio varias veces millonario.

El brigadier Juliá insistía en la negociación porque, desde su punto de vista, la cancelación produciría costos a la Fuerza Aérea. En su opinión, ni los alemanes proveedores de tecnología ni el gobierno de Irak se darían por satisfechos con una simple decisión unilateral de la Argentina.

En la reunión formal, Menem dio la orden de hacer todo lo necesario para cancelar el proyecto y satisfacer la demanda norteamericana. Sin embargo, en varias conversaciones posteriores con el brigadier Juliá, quedé con la impresión de que, por separado, el Presidente le había prometido que la cancelación sólo se haría si los norteamericanos brindaban una compensación suficiente. Con el objeto de dar tiempo a esa negociación, la Fuerza Aérea permanentemente buscó excusas para postergar la cancelación del proyecto.

A los pocos días de la reunión con el brigadier Juliá, el presidente Menem y yo viajamos a Belgrado para participar en la cumbre del Movimiento de Países No Alineados. Como siempre, Alberto Kohan formaba parte de la delegación, presumiblemente para ocuparse de las conversaciones informales.

Entre una actividad y otra —varias reuniones con jefes de Estado inclusive— pude observar al secretario privado de Menem, Ramón Hernández, y a Alberto Kohan muy preocupados en susurrar algo al oído del Presidente. Yo quedé intrigado, hasta que, finalmente, Menem me llamó y me comunicó que había aceptado ir a la embajada libia para entrevistarse con el jefe de gobierno de ese país, el general Muhammar Khadafi, y que había decidido que yo debía acompañarlo. Alberto Kohan festejaba aliviado la decisión del Presidente, quien, durante algunas horas, había dudado en aceptar la entrevista.

Llegamos a la embajada de Libia, en un barrio residencial de Belgrado, y luego de pasar por amplios salones de típica decoración árabe, fuimos acompañados a los jardines, donde, para nuestra sorpresa, nos encontramos frente a una carpa rodeada de camellos. Khadafi acostumbraba recrear su hábitat del desierto, cualquiera fuera el lugar del mundo donde se alojara. Nos recibió acompañado de una traductora y escoltado por una mujer guardaespaldas, vestida con ropas militares. Luego de los saludos de rigor, en los que Menem agotó su vocabulario árabe, nos sentamos a saborear la leche de camello y los dátiles con que nos homenajearon.

El diálogo entre Khadafi y Menem transcurría aburrido, con claros síntomas de que ninguno de los dos se interesaba por las opiniones del otro, hasta que el jefe libio reaccionó molesto frente a la insistencia de Menem sobre la importancia de recibir apoyo de los Estados Unidos. Khadafi sostuvo que a los norteamericanos sólo se les podía sacar ventaja si se disponía de poderío militar, y que por eso él había mostrado tanto interés por el misil Cóndor. Dejó en claro que había apoyado la campaña electoral de Menem como contrapartida de la promesa de entrar en negociaciones para la exportación del misil argentino a Libia.

Menem contestó con evasivas y reprodujo la teoría juliana de que en realidad se trataba de una "cañita voladora". Khadafi le dijo que lo importante era lo que los norteamericanos creyeran, y que a Libia le resultaba suficiente tener aquello que tanto preocupaba a los Estados Unidos, aun cuando fuera un misil sin dirección. Menem apuró el final de la reunión recurriendo a su inevitable invitación a visitar la Argentina. Khadafi nos acompañó hasta fuera de la carpa y saludó a Menem con el típico beso árabe.

Ya de regreso en el auto, Menem demostró preocupación. Me miró y dijo:

—Parece que los muchachos le vendieron el Cóndor a Khadafi por una contribución a la campaña electoral. ¡Qué irresponsables! Ahora estoy definitivamente convencido de que tenemos que cancelar ese proyecto cuanto antes.

Yo no entendí a quién se refería con la expresión "los muchachos", hasta que recordé que en el viaje a Europa, en noviembre de 1988, me había enterado de una reunión de Menem con visitantes libios en el hotel Excelsior de Roma, organizada por Alberto Kohan y Mario Rotundo. A la luz de lo que el Presidente me decía, me surgió la sospecha acerca de cuán explícitos habrían sido "los muchachos" que acompañaron allí a Menem con sus interlocutores. Quedé con la impresión de que los detalles habían sido conversados no en la entrevista de los enviados libios con el candidato, sino en las reuniones menos formales en las cuales participaron Kohan y Rotundo.

Por mi parte, como canciller, estaba satisfecho por la conclusión a la que había arribado el Presidente. Los que quedaron desilusionados fueron "los muchachos". A sólo dos meses de gobierno ya se había desmoronado la conexión libia, y una línea de negocios paralelos quedaba definitivamente cancelada.

Para la reunión con el presidente norteamericano George Bush, en septiembre del '89, Menem ya estaba preparado. Apenas Bush terminó de plantearle el tema Cóndor, prácticamente en los mismos términos que lo había hecho Baker, Menem contestó sin dudar:

—Ya he dado instrucciones al ministro de Defensa y al jefe del Estado Mayor de la Fuerza Aérea para cancelar el proyecto Cóndor. El canciller se va a encargar de informarles acerca de los pasos que iremos dando en esa dirección, de tal forma que ustedes dispongan de todas las seguridades al respecto. Les garantizo que la Argentina no contribuirá a la proliferación de armas prohibidas.

Bush demostró admiración por la velocidad y firmeza en la toma de decisiones del presidente Menem. Bernie Aronson, el subsecretario de Asuntos Latinoamericanos —quien también había presenciado mi reunión con Baker—, tomaba nota con precisión. Pocas horas después, Terence Todman tendría todos los detalles de la conversación entre los presidentes y asumiría con gran dedicación el control del cumplimiento del compromiso argentino.

Aunque a la distancia todo parece simple y una muestra más de la sensatez del Presidente, en la realidad mis relaciones con el jefe de la Fuerza Aérea y con algunos de sus colaboradores fueron muy tensas, y los conflictos en los cuales me vi involucrado a causa de la decisión presidencial de cancelar el proyecto Cóndor continuaron cuando yo ya había dejado la Cancillería y me desempeñaba como ministro de Economía.

Por entonces, Guido Di Tella, el nuevo ministro de Relaciones Exteriores, enfrentaba no sólo la resistencia del brigadier Juliá para proceder a la disposición final de lo que quedaba del proyecto Cóndor, sino también la del menos frontal, pero más sagaz, ministro de Defensa Erman González.

González, quien —al igual que Kohan— acompañaba a Menem desde sus tiempos de gobernador de La Rioja, había desarrollado una relación muy estrecha con la Fuerza Aérea por el negocio de los aeropuertos —al cual me referiré más adelante— y se sentía muy comprometido en la defensa del bagaje de conocimientos tecnológicos que, en su opinión, había generado el proyecto Cóndor. Además argumentaba que los Estados Unidos no estaban dando ninguna compensación como la que habían requerido los jefes aeronáuticos. En realidad, la posibilidad de que se eligiera el Pampa como avión de entrenamiento de la Armada norteamericana parecía cada vez más lejana.

El cumplimiento del compromiso asumido por el presidente Menem ante los Estados Unidos era esencial para conseguir el pleno apoyo de esa nación en la reestructuración de nuestra deuda externa y, dada la importancia que este aspecto tenía para nosotros, en varias oportunidades debí argumentar frente al Presidente en contra de las opiniones de Erman González y en apoyo de la posición del canciller Guido Di Tella. Mis enfrentamientos con González y la Fuerza Aérea por lo que quedaba del proyecto Cóndor trascendían menos a la prensa que los fuertes choques que manteníamos por los servicios aeroportuarios, pero de todas maneras constituyeron uno de los tantos episodios por los cuales me gané fama de ministro conflictivo.

Data precisamente de esa época la primera querella por calumnias e injurias de las muchas que coleccioné durante mi gestión. Fue iniciada por el recaudador de campaña Mario Rotundo, porque en el contexto de un reportaje que me hiciera el periodista Marcelo Bonelli para *Clarín* aparecí calificándolo como "delincuente". No recuerdo haber utilizado esa expresión, pero seguramente critiqué con dureza los reclamos que, por entonces, Rotundo le hacía al gobierno por "acuerdos incumplidos": aludía a ciertos aportes a la campaña electoral de Menem, que, aparentemente, habrían estado condicionados a contraprestaciones que luego no se cumplieron, la más importante de las cuales era, precisamente, la transferencia de la tecnología del misil Cóndor a Libia.

Yo estaba (y estoy) convencido de que no podía arriesgarse el crédito internacional del país, su seguridad y sus posibilidades de crecimiento económico por la irresponsabilidad de ciertos "operadores" que privilegian su bolsillo por sobre cualquier interés de la nación.

No fueron éstas las únicas discusiones en las que me vi enfrascado a causa de la decisión presidencial de cancelar el proyecto del misil. Cuando, en 1990, los radicales criticaban la decisión de enviar naves al Golfo para integrar la fuerza multinacional que procuraba expulsar a los iraquíes de Kuwait, yo asumí la responsabilidad de defender ante el Congreso la sanción de la ley destinada a aprobar la participación argentina en aquella guerra.

Para contrarrestar la crítica de los radicales, argumenté que la Argentina debía adoptar una posición muy clara en contra de Irak, por cuanto, hasta poco tiempo atrás, habíamos contribuido a que esa nación consiguiera misiles de mediano alcance y no debíamos dejar ninguna duda, hacia el futuro, de que el país nunca más dejaría de respetar las normas internacionales relacionadas con la paz y la seguridad internacionales. Argumenté también —quizá con un poco de exageración— que la decisión de cancelar el proyecto Cóndor había sido no sólo fruto de la presión norteamericana, sino también de la clara percepción del presidente Menem sobre la evolución de los acontecimientos internacionales.

Pocas semanas antes, en una larga conversación que yo había mantenido en el Cairo con Boutros Ghali —por entonces todavía ministro de Relaciones Exteriores de Egipto—, habíamos terminado de cerrar el frente diplomático respecto de este tema que involucraba a ambos países. La complacencia mutua tenía un fundamento cierto: hacía pocos meses, más precisamente en mayo de 1990, funcionarios egipcios y de la Fuerza Aérea argentina habían encontrado la forma de saldar los compromisos recíprocos y con las otras partes involucradas, que habían emergido del proyecto Cóndor.

Tras mi presencia en el Congreso, Alfonsín y el brigadier Crespo contestaron mis argumentos a través de los diarios con gran dureza. Insistían en que el proyecto Cóndor era un desarrollo tecnológico autónomo de la Argentina, que estaba siendo insensatamente desmantelado por el gobierno de Menem, y que nada tenía que ver con la proliferación de armas peligrosas en favor de Irak.

Esta fuerte discusión con los radicales y con el brigadier Crespo se diluyó porque, justo en esos días, fui designado ministro de Economía. Había reaparecido el fantasma de un tercer golpe hiperinflacionario y en la semana siguiente la opinión pública concentró su atención en los temas económicos.

A fines de 1992, los restos del misil Cóndor se embarcaban con destino a España, cuyo gobierno había ofrecido colaboración para la disposición final de estos elementos. Guido Di Tella y Terence Todman vigilaban la operación con expresiones de triunfo y alivio. Una recién creada Comisión de Investigaciones Aeroespaciales, dependiente de la Secretaría de Ciencia y Técnica y no de la Fuerza Aérea, tomaba posesión de las instalaciones de Falda del Carmen. Di Tella ya había conversado con las autoridades norteamericanas y las de otros países avanzados acerca de la posibilidad de firmar convenios de colaboración, para que no existieran dudas de que, de aquí en más, las investigaciones aeroespaciales de la Argentina tendrían sólo fines pacíficos. El proyecto que se había constituido en símbolo de la estrategia argentina de la producción para la defensa había desaparecido.

Sin embargo, las malas ideas nunca terminan de morir. No muy lejos de la Casa Rosada, sobre el final de la Costanera Sur, existen unas instalaciones impresionantes. Se trata de los astilleros Domecq García, que fueron construidos durante el último gobierno militar para la producción de submarinos. Las actividades del astillero estuvieron virtualmente paralizadas desde 1984, pero la Armada se encargó, desde entonces, de custodiar las grandes moles de acero y las varias toneladas de piezas y partes útiles para el armado de futuros submarinos.

La mayor parte de esos componentes, almacenados aún en sus containers originales tal como fueron bajados del barco, conforma la provisión tecnológica que la compañía alemana Thyssen acordó aportar a la Armada argentina, a un precio de varios centenares de millones de dólares, financiable con créditos oficiales de Alemania. La discusión sobre qué se hará con estos submarinos en proceso de construcción reaparece cada vez que se dan negociaciones con el gobierno alemán en el contexto del Club de París, o se discuten las condiciones del crédito Hermes, porque la empresa Thyssen vuelve a plantear sus reclamos por lo que considera incumplimiento del contrato por parte de la Argentina.

En el transcurso de los últimos siete años aparecieron dos propuestas de "solución" al problema de los submarinos. Una era insistentemente empujada por empresarios ligados a Taiwan, y en algún momento llegó a entusiasmar a la Armada argentina. Según estos empresarios, de gran influencia en el entorno presidencial, el gobierno de Taiwan estaría dispuesto a comprar los submarinos en proceso de producción y aportaría el dinero no sólo para terminarlos sino también para compensar parte de los gastos ocasionados con anterioridad. Era necesario "apenas" un paso previo para poder concretar la operación: conseguir la autorización del gobierno alemán para posibilitar la exportación de los submarinos a Taiwan.

Cualquier experto en política exterior sabe que nunca Alemania pondría en peligro su relación con la República Popular China —en disputa desde hace cuarenta años con la isla de Taiwan, que se desprendió de ella tras el acceso de los comunistas al poder— a través de una operación semejante. Por lo tanto, era claramente insensato que el gobierno argentino intentara conseguir esa decisión, a sabiendas de que fracasaría, con el agravante de tener que pagar el costo adicional de un conflicto con China. Estos razonamientos, que parecen tan claros como elementales, insumieron sin embargo muchas horas de reunión y discusión, porque los promotores del negocio, y de vez en cuando también algunos hombres de la Armada, reiteraban ante Menem el planteo de que la Cancillería argentina estaba impidiendo que se concretara un excelente negocio, esta vez con Taiwan.

La segunda propuesta de solución al tema de los submarinos había surgido de los propios proveedores de la tecnología y las partes. La empresa alemana proponía terminar los submarinos en astilleros alemanes con un costo equivalente a la mitad de lo que insumiría hacerlo en los astilleros Domecq García. Para ello sólo se necesitaría disponer, a lo largo de tres años, de aproximadamente 600 millones de dólares. De ese modo, la Armada contaría finalmente con ese equipamiento de avanzada tecnología.

Esa iniciativa se produjo con motivo de la preparación de uno de los presupuestos de la Armada, y fue la que motivó la última discusión sobre el asunto, a la cual tuve que dedicar muchas horas. Por supuesto, en el Ministerio de Economía no encontrábamos forma de hacer lugar para semejante gasto adicional.

Esto agregaba más tensión a la ya creada a causa del bloqueo que, a lo largo de los últimos años, habíamos impuesto a un préstamo italiano que se ofrecía para repotenciar el portaaviones *25 de Mayo* de la misma fuerza, el cual no funcionaba desde 1985. En realidad, la disponibilidad o no de este tipo de naves no es —en las condiciones actuales— un factor determinante para la defensa nacional: cuentan con portaaviones poco más de una decena de armadas en el mundo y, en América latina, sólo Brasil dispone de uno.

Las discusiones con la Armada se sumaban a las que manteníamos con la Fuerza Aérea, y acentuaban la imagen de dos ministerios, la Cancillería y Economía, confabulados en contra de toda posibilidad de reequipamiento de las Fuerzas Armadas. Nuestras posiciones tenían que ver, en todo caso, no sólo con una visión realista desde lo económico, sino también con la poca adecuación de estos megaproyectos con la política que el gobierno democrático quería desarrollar en el marco del nuevo contexto internacional.

Si bien, por su dimensión económica y tecnológica, el proyecto Cóndor y el astillero Domecq García eran las iniciativas más impresionantes en materia de producción para la defensa, también se habían puesto en marcha otros planes de Fabricaciones Militares que eran más adecuados respecto de las posibilidades reales de la Argentina. Esa dependencia del Ejército venía fabricando explosivos, municiones, armas livianas, e incluso cañones y armas pesadas, desde bastante tiempo atrás. A través de esa producción había contribuido al equipamiento, tanto de esas fuerzas armadas como de las fuerzas de seguridad.

Si bien el Ejército no había escapado a la tendencia de los proyectos ambiciosos de los 70 y los 80, las dificultades para vender el Tanque Argentino Mediano —su último gran proyecto— en el mercado mundial habían terminado de convencer a sus autoridades de la conveniencia de concluir con su producción, por lo cual la venta de la planta industrial no fue un proceso traumático. Fabricaciones Militares ocupaba a varios miles de personas en plantas industriales instaladas en diferentes puntos del país y el Ministerio de Defensa no disponía de las partidas para hacer frente al pago de los sueldos.

Las ventas en el mercado interno eran cada vez más escasas porque las fuerzas de seguridad y las propias Fuerzas Armadas preferían importar armamento y a veces hasta municiones. El aliento a estas importaciones era uno de los tantos absurdos que a lo largo del tiempo se había dado en la Argentina. Los encargados de comprar armas y municiones en ambas instituciones preferían negociar con proveedores extranjeros y no con Fabricaciones Militares. Los desconfiados argumentan que los vendedores de armas del exterior estaban siempre dispuestos a pagar comisiones que Fabricaciones Militares no podía afrontar.

Cualesquiera que fueran las razones, varios decretos secretos habían extendido la exención del arancel de importación y del IVA en las compras de armamento y equipamiento a todas las fuerzas armadas y de seguridad. Sólo se necesitaban autorizaciones de los ministerios de Defensa y del Interior, que siempre eran acordadas con facilidad.

Ante esta virtual desaparición del mercado interno, cuando Erman González llegó al Ministerio de Defensa decidió aplicar una "solución empresaria", cuya esencia consistía en quitar las trabas que impedían participar más activamente del negocio internacional de las armas.

La idea de González se acomodaba con su vocación industrialista y con la experiencia acumulada de los traficantes argentinos de armas, y era compatible con el tipo de oportunidades que descubría Alberto Kohan en sus reuniones paralelas a las de los jefes de Estado. Lo que Kohan había detectado era que, con frecuencia, aparecía alguna nación interesada en reequiparse con premura para enfrentar un conflicto y que, en general, nuestro país se mostraba incapaz de responder a esa clase de demandas.

Los vendedores de armas más experimentados decían que la Argentina no podía entrar en esos negocios a causa de las demoras burocráticas que normalmente imponían los ministerios de Relaciones Exteriores y de Economía como integrantes de una comisión que, junto con el Ministerio de Defensa, debía aprobar por decreto cada operación. Sostenían también que, aun cuando se vencieran estas trabas burocráticas, normalmente aparecía otra complicación: la lentitud de Fabricaciones Militares para producir el material que el mercado demandaba. Era necesario, por lo tanto, resolver tanto los problemas de ritmo burocrático como los de producción para constituirse en un eficiente proveedor de armas.

La experiencia empresaria de Erman González, conjugada con sus conocimientos económicos, dio lugar a la solución ideal:

• Se gestionarían los decretos aprobatorios de grandes ventas de material bélico, que podría luego embarcarse en etapas sucesivas.

• Los productos a vender serían idénticos a los que estaba utilizando el Ejército.

• Éste debería comprometerse a poner a disposición de Fabricaciones Militares el material de sus propios arsenales para cumplir sin demoras los embarques.

• A su vez, Fabricaciones Militares se comprometería a reponer ese material con elementos de nueva producción en los plazos que le permitiera su capacidad instalada.

La única dificultad remanente era conseguir el país dispuesto a firmar los certificados de destino del armamento, es decir, a aparecer como comprador. En opinión de Kohan, si el verdadero destinatario de las armas —la nación en conflicto bélico— era un país diferente de aquel que formalmente figuraba como comprador, siempre aparecería en el país de destino contractual una empresa privada dispuesta a asumir la responsabilidad de la triangulación, sin que se arriesgara el prestigio argentino. Después de todo —sostenían— este tipo de operaciones era algo muy común en el negocio internacional de las armas: durante los 70 y los 80 las propias Fuerzas Armadas argentinas se habían prestado para aparecer como destinatarias de armas que iban finalmente a Sudáfrica. Por eso, en las estadísticas que elabora un instituto sueco de estudios estratégicos, la Argentina aparecía comprando armas por miles de millones de dólares, cuando en realidad los presupuestos disponibles eran mucho menores.

Para concretar esta operatoria, Erman González decidió nombrar a un empresario de su confianza al frente de Fabricaciones Militares, el farmacéutico riojano Luis Sarlenga, a quien se sumaron los contactos internacionales no sólo de Alberto Kohan sino también del hasta entonces poco conocido Esteban Caselli.

Como fruto de todo este bagaje de conexiones fueron apareciendo contratos con Bolivia, Panamá y Venezuela. Cuando el Ministerio de Defensa presentó a la Cancillería el primero de estos contratos ómnibus, el Director de Asuntos Estratégicos embajador Enrique Candioti advirtió al vicecanciller Juan Carlos Olima que se trataba de una modalidad nueva, que dejaba abierta la entrega de material bélico a un país por un tiempo prácticamente indefinido.

Eso creaba un serio riesgo: el país de destino podría pasar a involucrarse en un conflicto que hiciera desaconsejable la operación de exportación, pero en ese caso el embarque no podría ser frenado por la Cancillería, porque habría sido aprobado con anterioridad por el decreto ómnibus.

Basado en este riesgo, la Cancillería devolvió el proyecto de decreto al Ministerio de Defensa. Los funcionarios encargados de lograr su aprobación decidieron esperar el momento oportuno para insistir ante el Ministerio de Relaciones Exteriores y Culto. Y ese momento llegó cuando renunció el vicecanciller. En los días del cambio de funcionarios apareció de nuevo el decreto en la Cancillería y el nuevo secretario de Relaciones Exteriores le dio curso sin advertir los peligros sobre los que había alertado su antecesor.

Así llegó el decreto a la firma del Presidente y salió aprobado, sentando un precedente que facilitaría la sanción de otros decretos en los meses siguientes. A mediados de 1993, Erman González había dejado el Ministerio —lo reemplazó Oscar Camilión— pero la estructura jurídica y operativa de este tipo de ventas había quedado instalada. A lo largo de los años '93 y '94 se hicieron varios embarques con destino a Panamá y Venezuela, hasta que en febrero del '95 se produjeron los envíos que, también triangulados, terminaron en Ecuador, en aquel momento en guerra con Perú. En los meses siguientes, la investigación periodística puso en evidencia que en realidad los embarques argentinos no habían ido ni a Panamá ni a Venezuela, sino a Croacia y más recientemente al Ecuador.

A pesar de que había estado alejado de toda esta temática, me alarmé cuando leí en los diarios que la Argentina estaba vendiendo armas a Ecuador, en pleno conflicto con un país vecino. Además de ser un gravísimo error de política exterior, estábamos contribuyendo al agravamiento de una crisis que se superponía a la del *Tequila* para provocar desconfianza hacia las economías emergentes de América latina en los mercados mundiales.

Apenas enterado de los rumores sobre la triangulación de armas hacia Ecuador, hablé con el ministro de Defensa, Oscar Camilión, a quien encontré preocupado y confundido porque no conocía nada sobre la operación. Ésta había sido conducida por funcionarios de la gestión de Erman González a los cuales Camilión no había podido remover. Sólo recordaba una vaga e imprecisa advertencia que le había hecho por teléfono el jefe de la Fuerza Aérea, brigadier Juan Paulik, pero que al ministro no le había sonado como importante porque el propio jefe aeronáutico había decidido no detener el embarque sospechoso.

Luego de hablar con el ministro de Defensa visité al Presidente, que casualmente estaba en su despacho con Alberto Kohan. Le manifesté que si era cierto que se estaba triangulando armamento hacia Ecuador se debía llevar adelante una investigación muy seria para detectar a los responsables, y aplicarles sanciones ejemplificadoras. El Presidente me dijo que él entendía que, si existía, la triangulación era responsabilidad de las empresas privadas que habían intervenido y no del gobierno argentino. Kohan agregó con picardía:

—Si a esas armas no las vendíamos nosotros, las hubiera vendido otro. La triangulación es algo muy común en el mercado internacional de armamento y no deberíamos preocuparnos por ello.

Nos trenzamos en una fuerte discusión que terminó con la entrada del edecán anunciando la presencia de las personas que debían participar en una audiencia. Cuando dejé la sala, me encontré con Esteban Caselli que caminaba por los pasillos. Me preguntó sobre las razones de mi inquietud. Cuando le expuse mis argumentos, me respondió con prácticamente las mismas palabras que Alberto Kohan. Ahí quedé convencido de que el respaldo a la gestión Sarlenga provenía de Kohan y Caselli y no del ministro de Defensa.

A pesar de que mi principal preocupación en los meses siguientes se relacionó con la superación del impacto de la crisis del *Tequila*, tuve fuertes discusiones con el entonces secretario de Justicia Elías Jassán y el secretario legal y técnico Carlos Corach sobre cómo proceder frente a la denuncia judicial por la exportación de armas a Ecuador. Era evidente que a esos dos funcionarios les interesaba más la excarcelación de Sarlenga —procesado por su intervención en la operación— que la determinación de las responsabilidades de los funcionarios intervinientes.

Su preocupación dio resultado: Sarlenga goza de excarcelación; ni Erman González, ni Alberto Kohan, ni Esteban Caselli aparecen involucrados a pesar de ser los inspiradores del negocio; y el ministro de Defensa, que —como el canciller y yo— fue engañado por quienes redactaron y tramitaron los decretos aprobatorios de las operaciones, ha sido procesado por el juez federal Jorge Urso.

A la triangulación de armas a Ecuador como problema emergente de la operatoria de Fabricaciones Militares se sumó el terrible accidente en los polvorines de la Fábrica Militar de Río Tercero. Los habitantes de esa tranquila ciudad cordobesa vivieron horas de zozobra y espanto cuando una explosión en cadena del arsenal guardado en sus depósitos, además de ocasionar cuantiosos daños materiales, terminó con numerosas vidas humanas, generando sobre la población sobreviviente un grado de angustia e inseguridad que se proyecta hasta el presente.

Ese desgraciado acontecimiento incidió para acelerar la toma de decisiones respecto de la fábrica. El ministro de Defensa, Oscar Camilión, insistió en transferir la responsabilidad de Fabricaciones Militares para su liquidación o privatización al Ministerio de Economía, responsabilidad que finalmente acepté, como forma de terminar de sepultar aquella mala idea de la época de la campaña electoral. Sólo alcancé a lograr la derogación de los decretos secretos que habían liberado de arancel de importación y de pago de IVA a las compras de equipamiento externo por parte de las Fuerzas Armadas y de Seguridad. De esa manera se recrearía el mercado interno para la producción de Fabricaciones Militares y se abriría el camino para su venta a inversores privados.

La producción para la defensa, tantas veces pregonada por Menem durante la primera campaña electoral, fue una mala idea, no sólo porque era incapaz de contribuir a la reactivación económica del país, sino porque resultaba inadecuada para el nuevo marco internacional.

Por un lado, el desarrollo de armamento convencional sofisticado choca con problemas de comercialización, derivados de la reducción de los conflictos de este tipo entre las naciones y la consiguiente caída en los precios de estos productos: Chile acaba de comprar tanques Leopard de origen alemán y tecnología avanzada a un valor casi nueve veces más bajo que el del Tanque Argentino Mediano.

Y, por otro lado, para la producción de armas de alta tecnología existen numerosas restricciones políticas, cuyo desconocimiento genera para el país elevados costos políticos, tales como los que debimos pagar en el caso Cóndor. En efecto, este proyecto mostró a la Argentina como un país que no cumple con las normas internacionales en materia de producción de armamentos, y que, además, permite la entrada y salida del país sin registro alguno de personas, bienes y dinero, lo cual la hace muy poco confiable en el combate contra el terrorismo y el narcotráfico.

El hecho de que datos tan básicos de la realidad del mercado mundial de armas y de la nueva escena política internacional fueran desconocidos —creo yo que sin inocencia— por miembros importantes del gobierno, dio lugar a discusiones, conflictos, errores y un extenuante desgaste de energías.

Para evaluar los resultados de esta gestión, así como para precisar los riesgos aún latentes, se necesita no sólo analizar los esfuerzos que requirieron las buenas transformaciones de la política exterior y de la organización económica, sino también el enorme sacrificio demandado por el abandono de esas propuestas, que algunos personajes no sólo contribuyeron a alojar en la mente del Presidente antes del inicio de su gestión, sino que después defendieron con un empeño digno de mejor causa.

Desafortunadamente, algunos de estos perseverantes consejeros del desacierto siguen merodeando los pasillos del poder, por lo cual no debería sorprender que algunas de esas malas ideas reaparezcan con nuevos disfraces en los próximos tres años.

El aliento a las exportaciones

Durante la primera campaña electoral, Menem había prometido un fuerte aliento a las exportaciones, como parte de lo que denominaba la "revolución productiva". Era sin duda una buena idea, aunque —como en casi todos los temas— Menem no había explicado qué instrumentos utilizaría para lograr las metas que anunciaba. Era obvio que no cualquier medio era útil para ese fin: las iniciativas exportadoras basadas en el negocio de las armas, por ejemplo, además de peligrosas y descabelladas eran más una fuente de oportunidades de corrupción que una forma genuina de atraer divisas y crear empleo.

El estancamiento de las exportaciones, que había sido un problema a lo largo de varias décadas, se agudizó particularmente durante los 80. Pese a las frecuentes devaluaciones de la moneda, y a que el precio del dólar permaneció muy alto durante toda la década, las exportaciones se estancaron entre 1980 y 1988 en valores anuales que oscilaban entre los 7 y los 9 mil millones de dólares.

En los dos primeros años del gobierno de Menem —1989 y 1990— el aliento a las exportaciones resultó de una fuerte devaluación de la moneda acompañada con una gran caída de la demanda interna. Esta combinación de fenómenos, característica de los momentos de crisis de la balanza de pagos, además de generar fuertes saldos exportables en casi todos los rubros, inducía a las empresas a vender en el exterior a cualquier precio, porque se contraía notablemente el mercado interno. Así, durante ese primer bienio, la Argentina logró subir sus exportaciones hasta un valor del orden de los 12 mil millones de dólares al año. Obviamente, esta forma de promover las exportaciones no era compatible con la estabilidad monetaria y el crecimiento. De hecho, en ese período se vivió un clima de hiperinflación y recesión.

Cuando a principios de 1991 asumimos la cartera de Economía y decidimos lanzar el Plan de Convertibilidad, era nuestra convicción que el aliento a las exportaciones debía hacerse con instrumentos muy diferentes, dado que la moneda no se depreciaría más. Además, si la estabilización era exitosa, podía augurarse una fuerte expansión de la demanda interna, lo que, luego, efectivamente sucedió.

Vimos también que la clave para esa estrategia debía ser la completa eliminación de los impuestos que habían afectado a las exportaciones en el pasado. No sólo los impuestos explícitos, como las retenciones agropecuarias, sino también los tributos que las gravaban de manera indirecta, entre los que estaban los aranceles de importación.

Más que una idea original (los economistas profesionales venían argumentando desde mucho tiempo atrás que para alentar las exportaciones era necesario abrir la economía), lo realmente novedoso fue nuestra decisión de poner en marcha esas medidas: fin de las retenciones a las exportaciones, eliminación de las trabas cuantitativas al comercio exterior y baja general de los aranceles de importación. Se trataba de una política que, a pesar de su racionalidad reconocida por la gran mayoría de los expertos, había sido permanentemente postergada por la presión de *lobbies* e intereses muy poderosos.

Para llevar a cabo esta estrategia, fue necesario vencer dos resistencias iniciales, una externa al país y otra interna.

Por un lado, nos topamos con una enorme resistencia por parte de los funcionarios del Fondo Monetario Internacional, quienes, preocupados por la magnitud del déficit fiscal, no veían con buenos ojos que prescindiéramos de los ingresos provenientes de los impuestos a la exportación. Nuestra insistencia en eliminar las retenciones agropecuarias desde el 1° de abril de 1991 fue una de las razones principales por lo cual el lanzamiento del Plan de Convertibilidad no fue apoyado desde el inicio con un préstamo *Stand By* del FMI.

La otra fuerte oposición provino de algunos dirigentes del sector industrial, que no veían con buenos ojos el proceso de apertura económica. Durante muchos años la protección era la regla y la competencia la excepción en el desarrollo de la mayoría de las actividades empresariales. Al no estar nuestros industriales acostumbrados a competir con los productos importados, el consumidor argentino era un cliente cautivo al que se le podía vender caro productos de escasa calidad.

Para vencer las resistencias de estos grupos fue muy importante organizar un régimen de devolución del IVA que los productores de bienes exportables pagaban a través de la compra de insumos, a la vez que intentábamos reintegrar también en forma ágil otros impuestos indirectos pagados sobre bienes incorporados a la producción exportable.

Muchos empresarios honestos utilizaron estas herramientas compensadoras para fortalecerse y poder participar de un modo más eficiente y competitivo en el nuevo escenario. El esquema implantado no fue un negocio para pocos: mientras en 1988 las firmas que exportaban eran alrededor de 5.700, hacia 1995 habíamos logrado elevar ese número a 10.000. En 1991, el monto de las exportaciones de manufacturas de origen industrial era todavía levemente inferior al de exportaciones de productos primarios; en 1995, ya de cada diez bienes exportados tres eran manufacturas de origen industrial y dos productos primarios, sin contar el boom exportador en materia de combustibles, al cual me referiré en un próximo capítulo.

Pero no todo fue color de rosa. Junto a esos miles de productores serios y creativos que cooperaron con su iniciativa y entusiasmo a ese impactante crecimiento de las exportaciones, también aparecieron aventureros y embusteros que buscaron la ganancia fácil, en asociación con las viejas redes de corrupción que durante años se habían apoltronado en la estructura aduanera.

El contrabando, que a veces tomaba la forma de entrada o salida ilegal de bienes al país y otras veces de sub o sobrefacturación de importaciones o exportaciones, era muy frecuente y casi imposible de detectar, porque el régimen comercial era extremadamente complicado y nadie tenía acceso a información desagregada sobre el comercio exterior argentino.

Un caso típico de contrabando, posibilitado por el régimen comercial externo anterior, se detectó en 1991, cuando comenzaron a aparecer en poder de ricos y famosos autos muy valiosos que habían sido importados sin pagar aranceles, dentro de un régimen especial para inválidos. La acción eficaz de algunos funcionarios de la Aduana y del juez federal Enrique Lotero permitió detectar cientos de casos similares. Por esos días, los argentinos no terminábamos de sorprendernos por los titulares de los diarios que daban cuenta de los nombres de los poseedores de los automóviles contrabandeados.

El principal responsable de la operatoria ilegal era José "Cacho" Steimberg —ex manager del campeón mundial de boxeo Carlos Monzón— quien, seguramente en búsqueda de impunidad y valiéndose de su amistad con algunas personas del entorno del Presidente, había logrado que Carlos Menem Jr. preparara sus autos de carrera en sus instalaciones comerciales. Cacho Steimberg fue procesado y detenido por Lotero. Fue una medida ejemplar, desgraciadamente no imitada por otros jueces a cargo de las múltiples denuncias por contrabando que con el ex administrador general de Aduanas, Gustavo Parino, nos tocó promover.

Las páginas que siguen darán cuenta de la lucha a brazo partido que mantuvimos frente a estas organizaciones delictivas, así como del desamparo que sentimos frente al trato complaciente (¿cómplice?) de ciertos jueces para con estas asociaciones ilícitas.

Una de las piezas clave de todo este proceso fue la desregulación del comercio exterior, que se condujo desde la Secretaría de Comercio e Inversiones y la Administración Nacional de Aduanas. Hasta 1991, un trámite típico de importación o exportación implicaba un gran movimiento de papeles y muchos procedimientos bancarios y aduaneros previos y posteriores al embarque o desembarque de la mercadería.

Todos esos trámites no suponían sólo demoras y costos burocráticos, sino que obligaban al pago de comisiones, a veces formales, como las que cargaban los bancos, y otras informales, como las que cobraban los funcionarios aduaneros. Cuando en una sola aduana, día tras día, debían tramitarse manualmente alrededor de mil operaciones de importación en un lapso útil de unas seis o siete horas, era inevitable que apareciera el "peaje" (propinas casi institucionalizadas que el personal cobraba por cada despacho). Cuando llegamos al Ministerio de Economía, se calculaba que unos 30 millones de pesos anuales eran recaudados en concepto de "peajes/propinas" por parte de una red muy bien organizada que incluía a algunos empleados, sindicalistas y despachantes aduaneros.

Frente a este panorama, la estrategia para luchar contra el contrabando y la corrupción en la Aduana incluyó varias medidas. Al mismo tiempo que dispusimos una extrema simplificación de los trámites de exportaciones e importaciones, decidimos publicar de manera regular los despachos a plaza de todas las importaciones, de tal manera que cualquier persona pudiera examinar los precios declarados por el importador y denunciar presuntos casos de subfacturación si tenía elementos de juicio para argumentar su existencia.

Además, fueron necesarios fuertes cambios organizativos en la Administración Nacional de Aduanas. Parino, que condujo este proceso, debió despedir a funcionarios demasiado apegados a los viejos procedimientos; dispuso la incorporación de nuevo personal, joven y con preparación específica, e impulsó un agresivo plan de capacitación y entrenamiento especialmente diseñado para profesionalizar a los cuadros aduaneros.

Otro paso adelante fue la implementación del control selectivo que había sido dispuesto por el decreto general de desregulación económica de 1991. Al establecer mecanismos aleatorios e inteligentes para determinar qué contenedores iban a estar sujetos a un control minucioso, sin que se conociera de antemano qué funcionario aduanero estaría encargado de revisarlos, se mejoró significativamente la vigilancia de la frontera y se redujeron a un mínimo las oportunidades de corrupción.

Con el viejo sistema, cada importación debía, en teoría, ser minuciosamente controlada, aunque ello fuera materialmente imposible. El importador sabía de antemano quién era el funcionario aduanero encargado de ese control, con quien en la práctica debía negociar la comisión de entrada de la mercadería. Por consiguiente cada despacho a plaza era una nueva oportunidad para la coima.

El cambio de sistema era, sin embargo, insuficiente. Teníamos una Aduana que ignoraba más de lo que conocía. Su principal déficit era la información. Por ello, cada funcionario que, debido a sus funciones específicas, accedía a alguna parcela del activo informativo del organismo (quien estuviera a cargo de un registro, de una certificación, de un control particular) se transformaba, por obra de esa deficiencia estructural, en el propietario de una piedra preciosa que podía ser negociada al mejor postor.

Valga un ejemplo para mostrar las oportunidades de fraude que surgían de las viejas regulaciones y el manejo manual de la información, en las épocas de fuertes devaluaciones diarias. Hasta 1991 existía una legislación que permitía que una mercadería fuera despachada a plaza (nacionalizada) pagando sus tributos a la importación dentro de los ocho días subsiguientes. A su vez, el tipo de cambio se congelaba por esos ocho días. Cuando el gobierno devaluaba la moneda, era común que el empleado que llevaba manualmente el cuaderno de registros hiciera ingresar operaciones con fecha del día anterior a la devaluación (era posible porque mientras no anotara un despacho del día siguiente, podía seguir haciendo registros con fecha del día previo). El "costo" para obtener esa "atención" llegó a valer en la Aduana de Buenos Aires hasta un 50% de lo que el importador se ahorraba con esa trampa.

Por eso los nuevos procedimientos de control requerían un sistema eficaz de comunicación e informática que interrelacionara, en tiempo real, a todas las aduanas y depósitos fiscales. Con este último objetivo, en 1991 se adquirió un sistema informático, que se denominó María, el cual recogía la experiencia de la Aduana de Francia, y cuya contratación se había estado negociando con las autoridades francesas desde muchos años antes.

Para superar dificultades burocráticas, la Secretaría de Coordinación Administrativa del Ministerio de Economía, dirigida por Héctor Domenicone, que estaba encargada de impulsar la reforma del Estado, sugirió a la Aduana contratar la implementación del sistema informático a través del Centro de Despachantes de Aduana. Esta contratación se financiaría con una tasa por servicios que importadores y exportadores pagarían a través de una estampilla. La propuesta agradó a los miembros de dicho Centro y, en general, fue recibida con beneplácito por los sectores empresarios, cansados de los costos ocultos derivados de la falta de transparencia en la operatoria aduanera.

El sistema informático comenzó a desarrollarse con entusiasmo en el año 1992 y entró en operación efectiva a partir de 1993; pero muy pronto, a partir de una denuncia formulada por un grupo minoritario de despachantes de Aduana, comenzaron los problemas. Algunos jueces y fiscales hicieron todo lo posible por trabar la informatización, hasta el punto de llegar a disponer, a mediados de 1994, el embargo de los fondos con los cuales el Centro de Despachantes de Aduana debía pagar a los proveedores franceses de los equipos y sistemas.

A causa de todas estas trabas, el proceso de informatización no pudo continuar con el mismo ritmo inicial. Sin embargo, el solo hecho de que el sistema comenzara a funcionar en Ezeiza y en el puerto de Buenos Aires permitió que, por ejemplo, desde 1993 en adelante, una operación que antes demoraba diez días se pudiera concluir en dos o tres horas.

Otro logro de la informatización fue la conformación de una base unificada de datos de precios para miles de productos, la cual, junto con la publicación de los despachos a plaza, facilitó grandemente la detección de los casos de subfacturación de importaciones. Aunque la Aduana no podía impedir el despacho a plaza de la mercadería sospechada de estar subfacturada, porque por las normas del GATT (acuerdo internacional sobre comercio y aranceles) debía aceptar la información contenida en la factura emitida por el vendedor extranjero, se estableció un procedimiento ágil de determinación posterior de las diferencias de valor y el consiguiente reclamo al importador de los aranceles adeudados.

También se comenzó a tener información sobre el movimiento de contenedores en tránsito. Sin embargo, al no haberse podido completar la informatización, el cotejo de la información de los tránsitos iniciados en las aduanas de ingreso con la información de las demás aduanas, o los depósitos fiscales de destino, se siguió haciendo con los procedimientos manuales que se utilizaban tradicionalmente, ocasionando demoras en el cierre contable de esas operaciones.

De este déficit derivado de la informatización *a medias* —detenida por la medida judicial que hizo lugar al reclamo de grupos que sacaban provecho de la falta de transparencia de la vieja operatoria aduanera— se valió el juez Guillermo Tiscornia para procesar y detener, show televisivo mediante, a Parino. Lo hizo bajo la ingeniosa figura de "contrabandista *mediato*": sugería que, al no haber evitado el presunto contrabando de mercaderías, Parino, en realidad, era un delincuente. Sus argumentos —luego revocados por la Cámara Federal—, de haber sido válidos (obviamente eran una aberración jurídica), deberían ser aplicados primero a él mismo, ya que —tal como veremos más adelante— pocos jueces hicieron la *vista gorda* al contrabando con mayor descaro que el propio Tiscornia.

El conjunto de estas medidas redujo significativamente el contrabando. Las reformas implementadas desde la Secretaría de Comercio e Inversiones y la Aduana produjeron mejores resultados en términos de recaudación que las reformas a la administración tributaria implementadas desde la DGI.

Así, en 1996, la recaudación por derechos de importación fue más de cinco veces la del promedio de la década de los 80. También el año pasado, a través de la Aduana, se recaudó casi el 40% del impuesto al valor agregado, a pesar de que las importaciones representan hoy menos del 10% del producto bruto interno del país. La impericia de algunos legisladores, engañados con el *megabluff* de los "contenedores en tránsito" —al cual me referiré luego—, llevó a que, en una reciente visita al Congreso del ex administrador de Aduanas Gustavo Parino, imputaran a un presunto descontrol suyo el hecho de que, entre el comienzo y el final de su gestión, la recaudación aduanera hubiera aumentado menos que el comercio, sin tomar en cuenta la importante baja —eliminación y/o reducción según el caso— de aranceles que promovimos durante ese tiempo desde el Ministerio de Economía.

Obviamente estos avances no significaron la total eliminación del contrabando y, de hecho, la policía aduanera detectó entre 1991 y 1996 más de cien casos importantes que fueron denunciados a la Justicia. Una de las denuncias formuladas por Parino, con mi aprobación y apoyo, fue la vinculada a presuntas importaciones ilegales de televisores, equipos de audio y otros artículos electrónicos por parte de la compañía Musimundo, cuya difusión por los medios de comunicación estuvo por demás restringida —según nos dijeron *off the record*— a causa del peso de esta compañía por ser un importante anunciante.

La investigación realizada por el Grupo de Investigaciones Especiales (GITE) creado por Parino en la Aduana había permitido reunir evidencias suficientes como para efectuar la denuncia por subfacturación de importaciones y, eventualmente, por contrabando documentado. El Juzgado en lo Penal Económico de primera instancia consideró suficientes las pruebas reunidas y ordenó el allanamiento de la casa principal de Musimundo y, luego, de veinte sucursales en todo el país. Después, la causa fue pasando de juzgado en juzgado, para finalmente, al cabo de tres años, terminar con el sobreseimiento de los directivos de la firma, sin ningún tipo de penalidades para nadie. En enero de 1997, los diarios —nuevamente en un pequeño recuadro— informaron que el director de la DGI y Aduanas, Carlos Silvani, volvió a denunciar a Musimundo por un motivo similar: subfacturación de importaciones.

Sucede que, lamentablemente, la actuación de los jueces en los últimos años fue muy diferente de la del juez Lotero en aquella investigación sobre la importación de autos para inválidos. En la práctica, varios jueces federales se transformaron en verdaderos protectores de contrabandistas.

Este comportamiento fue promovido desde la Secretaría de Justicia por Elías Jassán —luego ministro de la misma cartera— y desde la Secretaría Legal y Técnica por el ahora ministro del Interior Carlos Corach. Estos dos funcionarios eran los encargados de mantener la relación con los jueces y fiscales en los temas que fueran del interés del Poder Ejecutivo Nacional. Lamentablemente, la lucha contra el contrabando nunca fue una de sus prioridades, sino todo lo contrario.

En enero de 1993 tuvimos la primera evidencia de que algunos funcionarios judiciales eran alentados desde el gobierno para proteger a contrabandistas. El juez Carlos Acuña y el secretario Guillermo Tiscornia habían omitido tomarse vacaciones en enero con el fin de satisfacer un pedido de Jassán para que se dispusiera la excarcelación de Cacho Steimberg. Una vez ordenada la libertad del contrabandista, consiguieron que el fiscal Carlos Liporaci no apelara la decisión a pesar de que su jefe, el Dr. Rodríguez Bosch, le había dado expresas instrucciones de que sí lo hiciera.

Elías Jassán citó a Gustavo Parino a su despacho para pedirle que la Aduana, en su rol de querellante, tampoco apelara la decisión del juez Acuña. Los abogados de la Aduana tenían instrucciones generales de apelar todas las decisiones de excarcelación de contrabandistas. Por eso, ante tal requerimiento, Gustavo Parino consultó a su superior, el secretario de Ingresos Públicos, Carlos Tacchi, y procedió conforme a las instrucciones que éste le impartió: hacer exactamente lo opuesto a lo solicitado por el secretario de Justicia.

Ante la apelación de la Aduana, la Cámara en lo Penal Económico revocó la decisión del juez Acuña en una resolución que contiene severas críticas a los funcionarios judiciales intervinientes. A pesar de que dos diputados radicales, Miguel Ortiz Pellegrini y Angel D'Ambrosio, solicitaron el juicio político del juez Acuña —pedido que terminó archivado—, Acuña, Tiscornia y Liporaci fueron premiados con ascensos que gestionó personalmente Elías Jassán.

Quien no recibió premios ni honores fue Gustavo Parino. Por el contrario, fue castigado de una manera muy original. El 30 de diciembre de 1993, pocos días después de haber declarado en una causa originada en una denuncia del diputado Raúl Baglini por una supuesta subfacturación de importaciones por parte de IBM (que según los comentarios del todavía secretario Tiscornia era un simple trámite rutinario), Gustavo Parino fue procesado. La decisión fue adoptada por el juez Julio Speroni a través de una resolución que refleja claramente la pluma del secretario Tiscornia.

Cabe aclarar que IBM venía realizando esta operatoria desde el año 1974 y nunca se había acusado a ningún funcionario: ahora la responsabilidad "por encubrimiento" era de Parino. Pero ésa no fue toda la sorpresa. Cuando Parino trató de averiguar el origen de un procesamiento tan arbitrario, recibió una clara respuesta: se trataba de la represalia por haber desoído la instrucción del secretario de Justicia, Elías Jassán, en relación con el caso Steimberg.

Finalmente la Cámara en lo Penal Económico revocó la decisión del juez Speroni durante la feria judicial de enero, pero el administrador de Aduanas ya estaba advertido: no iba a ser gratuito ir contra la corriente protectora de contrabandistas, impulsada por el secretario de Justicia de la Nación a través de algunos jueces de primera instancia. Para ese entonces, Gustavo Parino ya enfrentaba numerosas demandas judiciales iniciadas por los funcionarios aduaneros que él había despedido al comienzo de su gestión y también conocía de los ataques judiciales al sistema informático María. Había comenzado a ser uno de los funcionarios del equipo económico perseguidos por la "justicia" de Jassán y Corach.

La obstinación de Jassán por contar con jueces que le permitieran actuar de esta forma lo llevó a proponer como juez en lo Penal Económico a uno de los funcionarios de la Aduana que habían sido despedidos por Parino, el Dr. Jorge Kolom. Yo me enteré del asunto cuando la propuesta para su designación estaba en el Senado. Hice un planteo en el gabinete nacional y hablé del tema públicamente en un programa de televisión. El presidente Menem ordenó entonces el retiro de la propuesta que había impulsado Jassán. Conseguí evitar una mala designación pero ello me valió una querella por calumnias e injurias iniciada por el Dr. Kolom, que aún está sustanciándose en la Justicia federal.

Todos los esfuerzos dirigidos a abrir la economía tenían como propósito fundamental el aliento a la exportaciones. Para lograrlo, en octubre del '92 anunciamos un nuevo sistema de reintegros de impuestos internos al que denominamos *espejo* porque consistía en la igualación de los reintegros a las exportaciones y los aranceles de importación para cada tipo de bien. Como medida complementaria, dispusimos que la Aduana y la DGI automatizaran al máximo el pago de los reintegros y la devolución del IVA a los exportadores.

Los resultados de todas estas medidas fueron muy buenos en términos generales. Entre 1990 y 1996, las exportaciones aumentaron casi un 90%. Las de manufacturas de origen industrial fueron las que más crecieron: de 3.000 millones de dólares en 1991 se fueron a 6.500 millones en 1995, pasando en su participación dentro del total de exportaciones del 25 al 31%.

Sin embargo, unos pocos, pero lamentablemente significativos intentos de defraudación al fisco que se produjeron al amparo de las nuevas normas arancelarias y de reintegros, fueron motivo de problemas para los funcionarios que implementamos esta exitosa política exportadora. Uno de esos casos —a la postre paradigmático en vistas a que nos alertó acerca del comportamiento que le cabría a la Justicia en una serie de hechos similares— tuvo lugar a partir de una extraña operación efectuada a fines de 1993.

En vísperas de la Navidad de ese año se embarcaron por la aduana de Campana contenedores supuestamente repletos de bombas hidráulicas, por valor de 400 millones de dólares, con destino a la República Dominicana. A pesar de lo inusual de la operación (el monto equivalía a la exportación de un año por esa aduana) tanto por su valor como por su destino, a ninguno de los funcionarios de la aduana de Campana se le ocurrió verificar el contenido de los contenedores, contrariando expresas disposiciones vigentes en materia de control aduanero. A su vez, con gran velocidad, el jefe de la aduana de Campana, el señor Jorge Cantero, firmó el 20 de diciembre de 1993 veinte cheques de 3 millones de pesos cada uno para pagar un reintegro de 60 millones (a la exportación de equipos hidráulicos le correspondía una tasa de reintegro del 15%).

El 26 de diciembre se presentó —para su cobro por ventanilla— en la casa central del Banco de la Nación Argentina un primer cheque por 3 millones de pesos. El cheque fue pagado en efectivo. Pero cuando entró el segundo cheque, al funcionario del banco que debía autorizar su pago le llamó la atención que se tratara de la repetición de un pago similar al anterior y por un monto tan importante y decidió llamar por teléfono al administrador nacional de Aduanas para consultarlo.

Gustavo Parino advirtió de inmediato que se trataba de una devolución de reintegros muy sospechosa y ordenó al banco que el segundo cheque y cualquier otro que se presentara no fueran pagados. De inmediato, el banco y la Aduana hicieron la correspondiente denuncia judicial, y Parino envió funcionarios aduaneros de su confianza a interceptar el desembarque de la mercadería en República Dominicana. Con apoyo de la Aduana de ese país constataron que los contenedores no portaban equipos hidráulicos sino bolsas de cemento. Obviamente, si los exportadores hubieran declarado que estaban enviando cemento, los reintegros habrían significado una cifra infinitamente menor. La eficaz gestión del Banco de la Nación Argentina y de Gustavo Parino impidió que los delincuentes cobraran 57 millones de dólares de reintegros indebidos.

El juez Juan José Galeano, quien originariamente recibió la denuncia, procesó e hizo detener al personal de la aduana de Campana que había omitido realizar los controles dispuestos por las normas, e inició las investigaciones para determinar quiénes habían organizado el intento de defraudación. Allí pudo saberse que dos de los detenidos y procesados (de apellidos Spinelli y Botvinicoff) eran ex funcionarios de la Aduana que habían sido despedidos por Parino al inicio de su gestión. Además, el abogado patrocinante de uno de los detenidos era el Dr. Jorge Kolom, aquel aspirante a juez propuesto por el secretario de Justicia Elías Jassán, contra cuyo nombramiento bregué —con éxito— públicamente.

A pesar de que este intento frustrado podría haber servido para la aplicación de penas ejemplificadoras a los delincuentes involucrados, el juez Adolfo Bagnasco, en cuyas manos cayó finalmente la causa, no demostró mayor interés en la investigación, excepto para descubrir que, en su opinión, Gustavo Parino había incumplido los deberes de funcionario público al no advertir a tiempo que los funcionarios de la aduana de Campana no respetaban las disposiciones en vigencia. Parino fue nuevamente procesado. Una vez más la Cámara Federal hizo justicia, revocando la decisión del juez.

El administrador nacional de Aduanas ya no tenía dudas: los jueces adictos al gobierno no lo dejarían en paz. La actuación del juez Bagnasco ahora, y de Speroni antes, no eran, por supuesto, las únicas razones para llegar a semejante conclusión.

Más o menos por la misma época del intento de defraudación en la aduana de Campana, Parino tomó conocimiento, a través de informes preparados por el personal de su dependencia, de un sensible aumento de las exportaciones de oro, que se había operado desde 1993 y que estaba dando lugar al pago de fuertes reintegros. Las investigaciones preliminares de la Aduana no detectaban irregularidades, pero de todas maneras el aumento de la exportación reflejaba una distorsión en el esquema de reintegros. Obviamente, se estaban exportando manufacturas de oro previamente importado. Se sabía que la producción local de ese mineral era muy reducida.

A fines de diciembre de 1993, Gustavo Parino envió sendas notas a su superior jerárquico, el secretario de Ingresos Públicos, Carlos Tacchi, y al secretario de Comercio e Inversiones, Carlos Sánchez. El primero escribió a su vez otra nota dirigida a Sánchez sugiriendo la eliminación de los reintegros a la exportación de oro para evitar lo que aparecía como una costosa distorsión. La responsabilidad de proyectar cambios en las normas sobre aranceles y reintegros correspondía a la Secretaría de Comercio e Inversiones, a través de su Subsecretaría de Comercio Exterior, y por eso tanto Parino como Tacchi coincidieron en remitir su información y opinión a esa dependencia.

La Secretaría de Comercio e Inversiones, así como la de Minería, estaban naturalmente más preocupadas por el aliento a las inversiones y exportaciones que por el costo fiscal de la promoción. Como por entonces ya se habían implementado los cambios en la legislación minera y se esperaban fuertes inversiones en el sector (incluso en minería del oro), a los funcionarios de estas secretarías no les pareció tan obvia la conveniencia de introducir una excepción a la política *espejo* de reintegros, tal como lo había propuesto Tacchi.

A fin de terminar con una eventual fuente de corrupción, pero sin entorpecer las inversiones industriales en marcha ni el importante número de operaciones comerciales lícitas que se venían dando bajo ese régimen, las secretarías de Comercio e Inversiones y la de Minería decidieron realizar una serie de análisis y consultas con productores y exportadores del sector. Estos grupos empresarios coincidieron en que el régimen debía ser modificado, pero de manera gradual, para no desalentar el proceso de expansión productiva que vivía el sector.

En realidad, el elevado costo fiscal del sistema *espejo* aplicado al caso del oro tenía su origen en la circunstancia muy especial de que nada prohibía utilizar como insumo el oro monetario. Este último, a diferencia del mineral materia prima para manufacturas —que tenía un impuesto del 10%—, ingresaba sin pagar aranceles ni IVA.

Cuando la Subsecretaría de Comercio Exterior detectó que la causa específica del alto costo fiscal de la promoción de estas exportaciones estaba en la utilización del oro monetario como materia prima, decidió proponer que, para gozar del reintegro *espejo,* las manufacturas de oro exportadas pudieran admitir, en etapas sucesivas, una proporción cada vez menor de oro monetario. Es decir, a medida que transcurriera el tiempo, se requeriría una utilización creciente de producción local de oro. Esa resolución fue finalmente firmada el 8 de agosto de 1995 y provocó la virtual desaparición de las exportaciones de oro a través de las posiciones arancelarias que incluían manufacturas a partir de ese mineral.

Los contrabandistas, sin embargo, no se quedaron con los brazos cruzados y aprovecharon para sus maniobras un resquicio de la nueva normativa. Lo que la Subsecretaría de Comercio Exterior y la Secretaría de Comercio e Inversiones no habían previsto era que los exportadores seguirían enviando al exterior manufacturas de oro a través de otras posiciones arancelarias: carcazas de reloj, objetos de arte, etcétera.

Esa operatoria fue advertida en los meses siguientes por la Aduana, que observó cómo se seguían pagando reintegros a exportaciones que burlaban la resolución de agosto a través del mecanismo mencionado. Una vez más, Parino elevó su preocupación con respecto al funcionamiento de este sistema. No sólo eso: la Aduana, al detectar algunas operaciones que le sugerían dudas sobre su autenticidad, decidió suspender el pago de reintegros y recurrir a la Justicia.

La presentación de Parino caería, lamentablemente, en manos del juez Guillermo Tiscornia. El accionar del juez frente a la causa por presunto contrabando de oro iniciada por la Aduana superó todos los límites del asombro. Tras un trámite sumarísimo, el juez comunicó a la Aduana, casi simultáneamente, dos resoluciones. Por un lado, Tiscornia disponía el archivo de las actuaciones en relación con algunas empresas exportadoras de oro, de forma que la Aduana no pudiera omitir el pago de reintegros. Y por el otro, el mismo Tiscornia presentaba frente al juez Norberto Oyharbide una denuncia por "incumplimiento de deberes de funcionario público" contra Parino y el ministro de Economía, por considerarnos responsables de la legislación que había alentado las exportaciones de oro.

Gustavo Parino —que estaba angustiado por la demora de la Secretaría de Comercio e Inversiones en eliminar todo vestigio de reintegro a cualquier forma de exportación de oro— me trajo un proyecto de resolución ministerial que ponía punto final a este problema. Simultáneamente, me presentó la renuncia, totalmente agotado por la persecución judicial sobre la cual ya no quedaba duda alguna. Firmé la resolución que me propuso y pude convencerlo de que se mantuviera en el cargo algunos meses más. Pero en julio de 1995 dejó definitivamente esa función.

A pesar del gran éxito que tuvo la política de apertura comercial y aliento a las exportaciones, los industriales que añoraban el viejo proteccionismo comenzaron a hablar más y más de contrabando y subfacturación, liderados por un empresario más conocido por su aptitud de lobbista que por su calidad de industrial: el ex presidente de la Unión Industrial Argentina, Jorge Blanco Villegas.

La mayor transparencia provocada por la simplificación normativa y la publicación de la información antes indisponible, además de reducir objetivamente las oportunidades de contrabando y subfacturación, permitía que se conocieran y pudieran difundirse las irregularidades que continuaban existiendo. Esa información proporcionada por el propio sistema implantado era, paradójicamente, utilizada como base para la crítica al conjunto del proceso de apertura comercial.

Esta prédica, claramente retrógrada, encontró ambiente propicio a partir de agosto de 1996 cuando dejé el cargo de ministro de Economía. Por un lado, el discurso proteccionista de Jorge Blanco Villegas tenía eco en el diputado Humberto Roggero, presidente de la Comisión de Industria, siempre preparado para atacarme, cualquiera fuera el argumento. Por otro lado, el creativo doctor Tiscornia estaba dispuesto a transformarse de protector de contrabandistas en el campeón de "la lucha contra la corrupción en la Aduana", que —según él—– había sido organizada por Parino y sus asesores para contrabandear mediante el supuesto negocio de las mercaderías en tránsito. Así nació una de las más grandes patrañas destinadas a desviar la atención sobre las verdaderas mafias instaladas en el poder: la (mal) llamada "aduana paralela".

Jassán y Corach se entusiasmaron con la idea, en la cual los tres poderes del Estado unirían fuerzas para demostrar a los argentinos y al mundo que Parino y Cavallo éramos los verdaderos corruptos y mafiosos de la Argentina. Después de ponerle números a lo que presentarían como el mayor escándalo de corrupción de la historia argentina, también denominado "contrabando del siglo", convencieron al presidente Menem para que pronunciara un discurso, por cadena oficial, poniéndose al frente de la lucha contra la corrupción y las mafias.

Las cifras eran impactantes. Tiscornia sostenía que, entre 1993 y 1996, 20.000 contenedores en tránsito se habían transformado en contrabando. Valuaba cada contenedor en 500.000 dólares, por lo cual el contrabando ascendía a nada menos que 10.000 millones de dólares en un período de sólo cuatro años. Como entre aranceles e IVA se estimaba una omisión de pago de impuestos del 30%, la pérdida para el fisco ascendía a la escalofriante cifra de 3.000 millones de dólares.

Con dosificados allanamientos a lugares donde supuestamente había mercadería de contrabando —que el juez nunca pudo relacionar con el sistema de los contenedores en tránsito—, la historia de la "aduana paralela" se mantuvo en los noticiarios de radio y televisión, diariamente, desde octubre a diciembre del '96, y alcanzó su punto cumbre con la espectacular detención de Gustavo Parino el 16 de diciembre. Recién el último día del año, cuando la Cámara en lo Penal Económico revocó el auto de detención que había dictado Tiscornia, los argentinos comenzaron a advertir, aunque todavía de manera muy incipiente, que toda esta historia de la "aduana paralela" no era otra cosa que la más alevosa manipulación de la opinión pública planeada por el gobierno de Menem. Se trataba, por lo demás, de una cortina de humo que pretendía tapar tanto la situación de la verdadera aduana paralela de los depósitos fiscales de Ezeiza —a la cual me referiré más adelante— como la existencia de una serie de situaciones poco claras en temas tales como la privatización del Correo o la impresión de los nuevos documentos de identidad, que venía siendo advertida tanto por mí como por diversos dirigentes de la oposición como Juan Pablo Cafiero o Franco Caviglia.

Todas y cada una de las afirmaciones de Tiscornia sobre la "aduana paralela" que habría organizado Parino son falsas, y los números por él aportados, una grosera exageración. Los contenedores en tránsito que él valuó en 500.000 dólares, valen en promedio 50.000 dólares. Esto lo sabe cualquier despachante de aduana o importador con un mínimo de experiencia. Por consiguiente, ese solo error reduciría de 10.000 a 1.000 millones el supuesto contrabando. Pero, además, los 20.000 contenedores en tránsito que, según un precario informe de la Administración Nacional de Aduanas de septiembre del '96, estaban sin cancelar no eran operaciones irregulares sino que sufrían una demora administrativa de la propia Aduana.

Cuando se conoció la información real, se detectó que sólo unas pocas operaciones no estaban regularizadas y ese número probablemente será cercano a cero tan pronto como las aduanas de Buenos Aires y Ezeiza completen la introducción en el sistema de computación de los informes emitidos en forma manual por las aduanas y depósitos fiscales de destino. La demora tiene una única razón: al no haberse completado la informatización —debido a las trabas puestas por aquel minoritario grupo de despachantes a la instalación total del sistema informático María que habíamos incorporado para dar mayor transparencia y eficiencia al accionar aduanero—, la información sobre los tránsitos camina en forma muy lenta y burocrática.

La inconsistencia de los argumentos de Tiscornia salta a la vista. Sería absolutamente ilógico que los contrabandistas ingresaran su mercadería al país en contenedores que al salir en tránsito desde el puerto de Buenos Aires o desde Ezeiza dejaran claramente registrados todos los datos sobre el importador y los transportistas responsables, como para que en cualquier momento la Administración Nacional de Aduanas pudiera perseguirlos con toda la información necesaria.

La realidad es que la mercadería de contrabando que ingresa al país lo hace a través de Ezeiza y otros puntos de la frontera todavía no suficientemente controlados, precisamente porque jueces como Tiscornia nunca investigaron las denuncias de contrabando hechas por la propia Administración Nacional de Aduanas, o la denuncia sobre la verdadera "aduana paralela" instalada en Ezeiza que hiciera el entonces diputado Franco Caviglia, en 1991, y que ponía blanco sobre negro las operaciones del grupo de empresas a cargo de los servicios de depósitos fiscales, rampa y *duty free shops* en el aeropuerto internacional. Esa falta de voluntad para investigar no parece nacer ni de la desidia ni de la ignorancia, sino de una consciente decisión de "dejar hacer, dejar pasar".

Es curioso que en la publicidad que se ha hecho de todo el tema de la "aduana paralela" inventada por Tiscornia no se haya destacado suficientemente la tarea del juez Jorge Brugo, quien, a través de una serie de allanamientos e investigaciones que condujo en Ezeiza, pudo constatar cómo entraban aviones y descargaban mercaderías que salían por puertas laterales.

Ese movimiento de mercaderías, detectado por Brugo, que o no pasan por el depósito fiscal —ante la sospechosa inacción de la compañía a cargo del mismo y del sistema de seguridad aeroportuario— o, pasando por él, encuentran la forma de eludir los controles aduaneros, es la verdadera "aduana paralela", de la que la Justicia tiene conocimiento desde 1991 a partir de la presentación de Caviglia. Este sistema de contrabando se acentuó todavía más a partir de la gestión de Erman González en el Ministerio de Defensa, en especial desde el momento en que se dispuso sacar a la Gendarmería y encomendar a la Policía Aeronáutica Nacional el control de la seguridad en el aeropuerto internacional.

Resulta llamativo entonces que la investigación que dice hacer el juez Tiscornia sea tan reticente a dedicarse al tema de Ezeiza. En efecto, su juzgado ha allanado una terminal marítima con un gran despliegue periodístico pero ha obviado realizar procedimientos similares o cualquier otra clase de investigación *in situ* en los depósitos fiscales del aeropuerto, a pesar de que de los tránsitos de mercaderías —que este magistrado dice serían la prueba del contrabando— sólo tres mil son marítimos mientras que otros treinta y dos mil tienen origen en transportes aéreos.

La cámara oculta de televisión que —en el momento en que termino de escribir este libro— muestra al juez federal Carlos Branca participando de un sistema de protección de contrabandistas demuestra que el camino para desactivar las redes mafiosas no es la persecución de funcionarios honestos y transformadores como Parino sino la de aquellos que efectivamente contrabandean y de quienes los amparan.

El invento de la "aduana paralela" basado en el tránsito de contenedores demuestra en definitiva la existencia de un déficit institucional muy grave para la democracia: el de la Justicia. La actuación del juez Tiscornia pone de manifiesto cómo la mejor intención por desarrollar políticas útiles para el país —tales como nuestras ideas de desregulación y apertura del comercio exterior o de informatización de la aduana— pueden ser frenadas por la impericia, la parcialidad y la corrupción de los jueces. Poco es lo que se puede hacer si los argentinos no logramos desmontar este sistema protector de contrabandistas.

Los estudios más modernos en materia de economía de la corrupción han demostrado la correlación que existe entre el crecimiento económico y la independencia del Poder Judicial. La experiencia que nos tocó vivir frente a los contrabandistas nos dio pruebas en carne propia de lo atinado de ese enfoque teórico. Descubrimos que para crear más empleos, aumentar la producción y alentar las exportaciones, uno de los problemas principales a superar es la "justicia paralela" que existe en la Argentina: esa (in)justicia que cae sobre todos aquellos que se deciden a enfrentar las mafias y la corrupción instaladas en el poder, mientras garantiza la impunidad de los verdaderos delincuentes.

La guerra contra los privilegios

La contracara de la política de protección del mercado interno fue siempre la regulación de las actividades económicas domésticas, aunque estuvieran a cargo del sector privado. Las normas financieras y cambiarias pretendían determinar las condiciones y el destino del crédito, así como el control de los cambios y cotizaciones múltiples para las monedas extranjeras. También eran importantes los controles de precios, las prohibiciones para importar y, por supuesto, toda clase de impuestos y subsidios indirectos con gran incidencia sobre los costos de producción.

Otras regulaciones limitaban la utilización de los recursos naturales y la entrada a los mercados. El gobierno se ocupaba de fijar a qué hora debían abrir y cerrar los comercios, cuántas farmacias podía haber en cada zona, cuántas y cuáles compañías podían prestar servicios de transporte entre una ciudad y otra. Algunas normas que encarecían los productos no gozaban de la más mínima racionalidad: se establecía, por ejemplo, que los camioneros que transportaban cargas de una provincia a otra debían volver con su unidad vacía, lo cual subía el precio de los fletes e impactaba, finalmente, sobre el bolsillo del consumidor.

En todos los casos, un alto grado de discrecionalidad quedaba en manos de los funcionarios, dando lugar a amplias oportunidades de corrupción. Saber la noche anterior el valor que tendría el dólar al día siguiente, por ejemplo, era un activo que permitía apropiarse de riqueza sin que mediara trabajo productivo alguno. Lo que en otro tiempo se denominó la *patria financiera* no fue sino el desarrollo de un mecanismo perverso de asignación de recursos al amparo de la Argentina sobrerregulada, con un sector público desequilibrado.

Las regulaciones internas eran una consecuencia natural del encerramiento de la economía, porque quienes apoyaban la protección brindada a los industriales demandaban además coparticipar en los beneficios generados por la posibilidad de abastecer el mercado interno con productos de escasa calidad y altos precios. Era el caso de las asociaciones profesionales, fueran éstas corporaciones de abogados, escribanos, ingenieros o contadores, entre otras.

Existía, en efecto, una gran cantidad de regulaciones corporativas, que ponía el interés de unos pocos prestadores por sobre el de la sociedad en su conjunto. Nos habíamos acostumbrado a normas absurdas como los límites a la cantidad de escribanos, el carácter hereditario de los registros para ejercer la actividad, o la fijación de honorarios por parte de los diversos colegios profesionales, en los cuales, además, los egresados universitarios debían matricularse obligatoriamente.

Al contar con un Estado predispuesto a aceptar cuanta presión sectorial existiese en búsqueda de que se le protegieran sus mercados o se le aseguraran sus precios o ganancias, la competencia iba desapareciendo en todos los ámbitos. Campos donde no había regulaciones de derecho, las tenían de hecho, incluso con componentes delictivos, que se acentuaban bajo la pasividad de un Estado para el cual los "derechos del consumidor" no existían. Eran comunes, por ejemplo, los atentados intimidatorios contra los comercios que vendían el pan a valores inferiores al "sugerido" por la corporación de panaderos.

El resultado de todo este sistema era una economía donde no sólo ser eficiente o ineficiente era lo mismo sino también donde ser honesto y no serlo era indiferente. Es más: el elevado poder de los funcionarios sobre la actividad económica fomentó la capacidad de lobby sobre ellos antes que la voluntad por perfeccionar la calidad de los productos, bajar costos y, en general, ser más competitivos.

Era absolutamente verosímil una frase del sindicalista Luis Barrionuevo, que en su momento adquirió gran "popularidad": "En este país nadie hace la plata trabajando". El problema, en realidad, no se circunscribía a la mayor o menor decencia personal de los empresarios: era el propio contexto económico el que llevaba a ese tipo de prácticas (coimas, tráfico de influencias, etc.) para sobrevivir.

Barrionuevo conocía muy bien el tema, porque dirigentes como él, lejos de ayudar para que la economía funcionara mejor, presionaron para introducir en sus convenios colectivos un enjambre normativo que fue la base de una escandalosa industria del juicio laboral. Este negocio no sólo impidió la creación de más fuentes de trabajo y elevó el "costo argentino" sino que fue uno de los principales canales a través de los cuales también algunos dirigentes gremiales hicieron fortunas sin trabajar.

En el origen de esa industria del juicio aparecen las muchas regulaciones inútiles que afectaban el funcionamiento del mercado laboral. Algunas rigideces llegaban al absurdo. La Ley de Contrato de Trabajo establecía —establece todavía, lamentablemente, a causa de la pasividad del Congreso por avanzar en la modernización de la ley— que si un empleador le cambia la tarea a un trabajador (pasar de cajero a vendedor, por ejemplo), éste dispone sólo de dos opciones: aceptar o considerarse despedido, sin ninguna opción intermedia para negociar. Esta clase de normas sólo conoce una beneficiaria: la asociación entre algunos abogados y dirigentes gremiales que ven en estos casos una oportunidad para el enriquecimiento mediante el camino judicial.

En esta sobrejudicialización de las relaciones laborales mucho tuvo que ver la normativa vigente respecto de los accidentes de trabajo. Las normas y su lábil interpretación por parte de los jueces dio lugar a que se tratara de igual manera enfermedades reales y directamente relacionadas con el trabajo y otras "preparadas" para la querella en tribunales.

Aun en los casos reales, bajo la vieja legislación, la escena que precedía a cualquier clase de accidente laboral mostraba una absoluta ausencia de prevención, mientras que la imagen que le sucedía era la de una reparación que llegaba tarde y mal, litigio judicial mediante. El resultado era patético: trabajadores que sufrían el peor momento (el que sigue de inmediato al accidente) en el máximo desamparo económico y que luego no tenían ninguna ayuda para su reinserción en el mercado del trabajo, empresarios que preferían no contratar personas con enfermedades leves por miedo a que luego les apareciera un juicio laboral, juzgados sobrepasados en causas y expedientes y, como contrapartida, abogados haciendo fortunas a partir de su "defensa del débil".

La cantidad de accidentes superaba ampliamente a la media internacional y los costos para la economía llegaban, según la metodología de cálculo que se utilice, a un valor que oscilaba entre el 7 y el 17% de la masa salarial, cuando los países con mejor cobertura (Estados Unidos, España, Francia, Chile) funcionan con cifras inferiores al 3% de su nómina de salarios. Esto no era casual, y —como veremos más adelante— se interconectaba con otros ámbitos sobrerregulados —los honorarios profesionales de los peritos en juicio y el monopolio público de los reaseguros— a través de los cuales se perjudicaba no sólo a los productores sino también a toda la sociedad.

Pudimos acabar con gran parte de ese negocio a partir de la creación del régimen de aseguradoras de riesgos del trabajo, con el cual no sólo garantizamos plenamente los derechos del trabajador frente a estos infortunios (con prevención y reparación adecuadas), sino que también ayudamos a una baja en los costos de producción surgidos de esta clase de siniestros a niveles similares a los del resto del mundo, impidiendo a la vez que quien sufriera el accidente terminara como rehén de profesionales inescrupulosos.

Este paso, por el que tanto bregamos con el ministro de Trabajo y Seguridad Social, Armando Caro Figueroa, y su secretario de Empleo y Formación Profesional, Osvaldo Giordano, fue una de las pocas reformas de fondo que logramos realizar en relación con las normas laborales.

Para valorar la importancia del cambio que impulsamos entre 1991 y 1995 deberíamos entender la naturaleza política del escenario con el cual nos encontramos. El proteccionismo industrial para el mercado interno y toda la maraña de regulaciones (muy interrelacionadas unas con otras) no eran nuevos: se habían introducido en la economía a partir de 1930, paralelamente a la gran recesión iniciada por la crisis de Wall Street de octubre de 1929 y sus efectos sobre el comercio internacional.

El creciente escepticismo sobre la evolución de la economía y la política mundial dio lugar a una reorganización de la economía argentina muy diferente de la que se había conformado desde que Alberdi inspirara la Constitución Nacional hasta finales de los años 20. En aquel período, la Argentina se había valido de las finanzas y el comercio mundial para atraer capitales e inmigrantes, desarrollar su infraestructura, explotar sus recursos naturales y aumentar la producción y los ingresos. Lo había logrado otorgando un amplio margen de libertad a los agentes económicos y sin cerrar prácticamente ninguna oportunidad de inversión a la iniciativa privada.

El replanteo del sistema económico de la Constitución Nacional coincidió con las primeras interrupciones del orden constitucional originadas en golpes militares y se consolidó a lo largo de todas las décadas en las que predominó la inestabilidad política y la precariedad institucional.

A pesar de que desde los años 50 la economía mundial comenzó a articularse y a crecer vigorosamente, y de que las sucesivas rondas del GATT fueron impulsando un proceso multilateral de apertura comercial, el subcontinente latinoamericano, como todo lo que entonces comenzó a conocerse como *el Tercer Mundo*, mantuvo la estrategia de crecimiento denominada de *sustitución de importaciones*. Ya desde los 60, economistas académicos y organismos internacionales comenzaron a argumentar que dicha estrategia daría lugar a un crecimiento empobrecedor de los países. Aludían a que, aunque creciera la inversión y el empleo y se contabilizaran aumentos de producción, el deterioro de la productividad generado por el desmedido intervencionismo estatal provocaría pérdidas de bienestar en la población, a causa de la escasa calidad y los altos precios de los bienes y servicios que los consumidores estarían obligados a comprar.

Estas ideas, sin embargo, eran menospreciadas en la Argentina, que no escapó a la tendencia general del tercer mundo —proteccionismo, estatismo, sobrerregulación—, la que, además, encontró fuerte respaldo en los intereses de corporaciones empresarias, profesionales y sindicales que se habían visto reforzadas por la fiebre regulatoria de las dos décadas anteriores.

Las ineficiencias y la corrupción que germinaron en el caldo de cultivo creado por el encerramiento comercial y las regulaciones internas, provocaron el estancamiento e incluso el retroceso de la productividad. El aumento del gasto público, el creciente deterioro de la recaudación tributaria, los altos déficit fiscales, el endeudamiento creciente y la emisión monetaria desenfrenada fueron el correlato en el ámbito del sector público de las deficientes reglas de juego que enmarcaban la acción del sector privado.

Este sistema económico, que en mi libro *Volver a crecer*, escrito en 1984, por sugerencia de Adolfo Sturzenegger, caractericé como "socialismo sin plan y capitalismo sin mercado", entró en una crisis terminal en la década de los 80. En ese período, el producto bruto interno cayó el 10%, los índices de pobreza llegaron al nivel alarmante del 38% de los hogares del Gran Buenos Aires en octubre de 1989, y la inflación superó el 20 mil por ciento anual entre marzo de 1989 y marzo de 1990, logrando el récord mundial de crecimiento de los precios en el mundo de posguerra.

Aunque el peronismo había compartido con el radicalismo y con los militares la ideología en que se había apoyado la organización económica en crisis, Menem, con el pragmatismo y desprejuicio que siempre caracterizó a su actividad política, captó de inmediato que se necesitaba un gran cambio en la organización de la economía.

Si bien en el fragor de la campaña electoral de 1989 no había tenido tiempo de madurar y estructurar las nuevas ideas —apertura, desregulación, orden fiscal—, ya había comenzado a incluir en sus discursos, a sugerencia mía, la promesa de nuevas reglas de juego económicas, que se caracterizarían por su claridad, simpleza y automaticidad. Ya elegido presidente, comenzaría a resumirlas en la expresión "economía popular de mercado".

La definición guardaba gran similitud con la que había acuñado en Alemania cuarenta años antes la administración liderada por Konrad Adenauer: "Economía social de mercado". Su significado histórico era importante: esa reforma había permitido levantar a la nación alemana después de la dolorosa experiencia de la guerra y asegurar cinco décadas de estabilidad y crecimiento sostenido.

Pero el contenido de fondo era aún más importante. Suponía el retiro del Estado de las actividades empresarias, la concentración en sus funciones específicas (seguridad, justicia, salud, educación, cobro de impuestos, fiscalización de los servicios públicos privatizados, protección del medio ambiente, política social), la eliminación del déficit fiscal, la recuperación de la moneda y el crédito y, fundamentalmente, el planteo de reglas de juego simples y transparentes que alentaran la iniciativa privada y la competencia.

El primer equipo económico, integrado por ejecutivos de la firma Bunge y Born, logró la sanción de la Ley de Reforma del Estado, muy importante para permitir el proceso de privatización de empresas públicas que encaramos desde 1991 en adelante. Pero avanzó poco en cuestiones de desregulación económica, porque consideró que para frenar la inflación debía mantener los controles de cambio y de precios. Esta política entró en crisis muy pronto, cuando, en diciembre de 1989, la cotización del dólar en el mercado paralelo comenzó a alejarse de la que habían fijado las autoridades económicas en el mercado oficial.

Recuerdo una reunión, en la cual estábamos los ministros, y uno de los integrantes del equipo económico intentaba explicar cómo ayudarían los controles de cambio y de precios a bajar la inflación. Menem, demostrando escepticismo, dijo :

—Yo desciendo de los fenicios, y ellos hace ya varios miles de años habían descubierto que los controles de precios no funcionaban.

Por entonces, yo prácticamente no hablaba de estos temas con Menem, porque advertía un fuerte recelo de mi colega de Economía. Mi opinión, por lo demás, era ampliamente conocida por el Presidente, no sólo por mi desempeño académico previo sino también porque yo percibía, ya desde tiempos en que era candidato, que prestaba gran atención a mis sugerencias y que, al menos en privado, mostraba poco entusiasmo por las propuestas de los economistas "históricos" del justicialismo.

Cuando Erman González fue designado nuevo ministro de Economía a mediados de diciembre del '89, la primera decisión que tomó fue unificar el mercado cambiario, eliminar los controles y dejar que el precio de la divisa se fijara libremente en el mercado. Simultáneamente, eliminó los controles de precios para bienes y servicios, al tiempo que liberalizó totalmente la tasa de interés.

A lo largo de 1990, el equipo de Erman González se ocupó de los temas fiscales y monetarios más urgentes, pero no avanzó hacia un proceso completo de cambio de las reglas de juego para crear la economía popular de mercado a la que tanto aludía el Presidente. En realidad era difícil que ocurriera otra cosa, porque la inflación continuaba a un ritmo de 1500% anual, y con semejante variación de los precios era imposible avanzar en la reorganización integral de la economía.

Hubo, sin embargo, un sector para el cual se impulsaron importantes reformas: el de combustibles. Carlos Givogri, el investigador jefe de la Fundación Mediterránea, que durante más de diez años había estudiado los temas de desregulación y privatizaciones, venía proponiendo la creación inmediata de mercados libres, es decir sin ninguna barrera al comercio interno e internacional, tanto para el petróleo crudo como para los derivados.

Desde el gobierno, Luis Prol, como secretario de Energía, y José Estenssoro, como presidente de YPF, prepararon decretos que iniciaron la implementación de aquella propuesta de Givogri. La contribución político-práctica de Prol y de Estenssoro fue enorme, sólo comparable con la que haría, a partir de unos pocos meses después, Carlos Bastos —el discípulo de Givogri— como integrante de mi equipo económico.

El día que el presidente Menem me designó ministro de Economía sentí que había llegado la oportunidad para la cual me había preparado durante años. Tanto yo como el equipo de economistas que había dirigido en la Fundación Mediterránea teníamos claro que, más allá de cualquier medida coyuntural, teníamos una responsabilidad superior: darle una nueva organización a la economía basada en reglas de juego sencillas, transparentes, de aplicación automática. La desregulación —así como la privatización— por lo tanto no era un punto más en un discurso por cadena nacional de un ministro de turno, sino un concepto de fondo por el que venía bregando en el campo académico y profesional y que, ahora, tenía la ocasión de poner en marcha desde el gobierno.

El momento para examinar con detenimiento cada una de las restricciones dispuestas por leyes u otras decisiones de menor jerarquía sobre el funcionamiento de los mercados de bienes y servicios, se daría luego de que el Plan de Convertibilidad redujera drásticamente la inflación.

La ley de Reforma del Estado otorgaba al Poder Ejecutivo facultades para modificar la legislación que restringiera la competencia y desalentara la productividad en los sectores que se habían declarado sujetos a privatizaciones por la misma ley. Estas atribuciones fueron intensamente utilizadas, a partir de 1991, para eliminar o modificar muchas normas que, a lo largo del tiempo, habían creado monopolios socialmente costosos y económicamente ineficientes, en todos aquellos sectores en los cuales operaban las empresas públicas.

Cada secretario de Estado con responsabilidad específica sobre un sector, se abocó a examinar en detalle cómo deberían modificarse las normas vigentes para crear la economía popular de mercado. Contaron con el apoyo de la Subsecretaría de Desregulación a cargo, primero, de Pablo Rojo, y después, de Jorge Ingaramo.

En muchos casos no bastaron las delegaciones de facultades legislativas en el Poder Ejecutivo de la Ley de Reforma del Estado, y fue necesario proyectar y lograr que se sancionaran por el Congreso nacional leyes tan importantes como las de privatización de Yacimientos Petrolíferos Fiscales, de Gas del Estado, de Agua y Energía y de los Servicios Eléctricos del Gran Buenos Aires (Segba).

Para sorpresa de muchos, los sindicatos fueron disminuyendo gradualmente el papel de opositores para terminar apoyando, con entusiasmo, los procesos de transformación. En este cambio de actitud influyeron tanto los regímenes de retiros voluntarios que se fueron aprobando, como el sistema de propiedad participada, por el cual los trabajadores de las compañías que se privatizaban recibieron parte de su paquete accionario. En algunos casos, las propias organizaciones de los trabajadores se asociaron con empresas privadas para invertir en procesos de privatización, como por ejemplo Luz y Fuerza, que participó en concesiones del sector energético.

Las regulaciones que afectaban a mercados de bienes y servicios, cuya producción nunca había sido estatizada, eran también numerosas y distorsivas. En estos casos, como no había privatizaciones de por medio, no alcanzaban las facultades legislativas delegadas por la Ley de Reforma del Estado, y la discusión de cada una de las normas en el Congreso nacional prometía ser una batalla campal.

Los sectores que a lo largo de décadas se habían beneficiado del intervencionismo estatal eran económicamente poderosos y estaban muy aglutinados para defender esa normativa. En todos los casos, existía una fuerte corporación encargada de hacer lobby para el mantenimiento de los sistemas distorsivos, cosa que no ocurría con los consumidores, usuarios y clientes que sufrían las consecuencias de aquellas malas normas.

Esto había empezado a cambiar gracias a la labor de entidades tales como ADELCO, la Asociación de los Consumidores, liderada por Ana María Luro, y la Liga de Amas de Casa, conducida por Lita de Lazzari. Se trata de instituciones que vienen cumpliendo una labor crecientemente importante en apoyo de la economía familiar, ADELCO con una tarea más técnica y la Liga de Amas de Casa con una actitud más militante, que ya ha contagiado a casi un millón de mujeres argentinas. Pero ciertamente ninguna de estas instituciones era suficientemente fuerte en 1991 para neutralizar el lobby de las poderosas corporaciones enriquecidas al amparo de los regímenes de privilegios.

Existía una complicación adicional. Muchas de las normas que debían modificarse para crear una eficiente economía de mercado habían sido dictadas como decretos-leyes en los distintos regímenes de facto que gobernaron a la Argentina entre 1930 y 1983. Al tener esa naturaleza, incluían disposiciones reglamentarias que podrían haber sido dispuestas por decretos normales del Poder Ejecutivo, a partir de leyes simples y no tan detalladas. Lamentablemente, la circunstancia de que esas normas no hubieran tenido que pasar por el debate en el Congreso había dado rienda suelta a los impulsos de sus redactores, que incluyeron en el texto de lo que luego serían normas con jerarquía de ley muchos detalles típicamente reglamentarios.

Frente a este panorama, recomendamos al presidente Menem actuar con firmeza y rapidez, de modo de impedir que los cientos de grupos que se beneficiaban con algún privilegio particular operaran obstaculizando el proceso desregulatorio: ésa fue la razón de la utilización de decretos para esta fase de la reforma. Asimismo pensamos que era necesario no repetir el método casuístico que había dado lugar a la maraña de normas de protección o ventajas sectoriales. Si adoptábamos ese camino, íbamos a dar lugar a la sospecha: algún malintencionado podría sugerir que lo que estábamos haciendo no era una reforma integral de la organización económica sino algún tipo de "ajuste de cuentas" para con grupos poco afines al gobierno.

Así fue como, con gran reserva, elaboramos lo que sería uno de los principales pilares de la reforma económica, y, dado las consecuencias de las regulaciones previas existentes, también uno de los principales instrumentos anticorrupción: el llamado "decreto de desregulación", que lleva el número 2284 del año 1991, una norma de carácter global que procedía a derogar una enorme cantidad de restricciones a la competencia y la transparencia en el funcionamiento de los mercados.

Las medidas desregulatorias de este decreto abarcaban cinco grandes campos: el mercado interior de bienes y servicios, el comercio exterior, las economías regionales, los regímenes promocionales para industrias capital-intensivas y el mercado de capitales.

Respecto del primero de estos ámbitos, suprimimos el monopolio de los grandes mercados concentradores de frutas y hortalizas, autorizando la apertura de nuevos mercados mayoristas; eliminamos restricciones en cuanto al horario de atención del comercio minorista y la instalación de locales (el caso de las farmacias, que antes tenían un perímetro protegido en el cual nadie podía abrir otro establecimiento similar), y terminamos con las regulaciones corporativas a nivel de servicios profesionales, como limitaciones a la cantidad (el caso de los escribanos) o la fijación de honorarios para todos los miembros por parte de un colegio profesional determinado.

Por el mismo decreto terminamos con numerosos organismos de intervención, tales como la Junta Nacional de Granos y la de Carnes, y una serie de oficinas estatales que regulaban actividades forestales, pesqueras, azucareras, hípicas y yerbateras, entre otras. Al mismo tiempo, suprimimos impuestos que distorsionaban precios y afectaban la producción y que, en muchos casos, se aplicaban al financiamiento de esos organismos.

Finalmente, acabamos con todas las preferencias en materia de contrataciones públicas y la totalidad de regímenes de promoción y franquicias a industrias intensivas en capital (como la siderurgia, la aeronáutica o las construcciones navales); y simplificamos las reglas para el acceso y la emisión de papeles en el mercado bursátil para que un mayor número de empresas pudieran aprovechar esa vía de financiamiento.

Fue este decreto el que comenzó a hacer realidad en la Argentina la soberanía del consumidor, es decir, que comenzó a darle verdadera libertad de elección a millones de familias y cientos de miles de medianas y pequeñas empresas en el momento de utilizar sus ingresos. Antes debían aceptar la calidad y el precio que normalmente imponía el oferente. A partir de 1991, la combinación de estabilidad con recreación de la competencia, les dio la oportunidad de comparar entre productos para finalmente adoptar la decisión más conveniente.

La ciudadanía política alcanzada por los argentinos en 1983 con el retorno de la democracia empezaba a tomar forma de ciudadanía económica: cada argentino comenzaba a sentirse un ciudadano no sólo a la hora de votar a sus autoridades sino también a la de administrar su dinero.

Ese decreto y otros que dictamos posteriormente (en materia de transportes, minería, puertos o seguros) fueron muy criticados por la oposición, particularmente por los dirigentes radicales y por las corporaciones beneficiarias de los regímenes de privilegios. Su principal argumento era que, al ser muchos de ellos decretos "de necesidad y urgencia" con los cuales se derogaban disposiciones de leyes, se creaba un estado de inseguridad jurídica que no contribuiría al aliento de la inversión.

Paradójicamente, los que sostenían esto eran los mismos que habían alentado y todavía defendían la "industria del juicio al Estado" que, de la mano con los litigios laborales, tanto había encarecido la administración de justicia, y que constituía la principal fuente de inseguridad jurídica en la Argentina. Recuerdo que me tocó contestar estos argumentos en una de las reuniones anuales del Instituto de Ejecutivos de la Argentina (IDEA) que se realizó en Pinamar. Fui muy criticado por el énfasis que puse en ese discurso, pero hoy volvería a hacerlo en prácticamente los mismos términos.

Afortunadamente, la población en general y los inversores en particular compartieron nuestro criterio. Las encuestas de opinión tomadas en los días subsiguientes al dictado del decreto de desregulación daban cuenta del apoyo de nueve de cada diez ciudadanos consultados, y el incremento de la inversión, a partir de 1991, fue mucho mayor al que habíamos previsto los más optimistas.

Los beneficios del proceso de desregulación y de recreación de la competencia fueron espectaculares. Hoy se lo puede apreciar en la transformación que ha experimentado el sector comercial con la aparición de los hipermercados (y su importante aporte a la baja general de precios en los productos de primera necesidad); en el abaratamiento del costo de la electricidad en el mercado mayorista, donde bajó de 5 a 2 centavos el kwt/hora; en los menores costos de escrituración de propiedades —que se redujo entre el 9 y el 21% según el distrito—; en la mejora del ingreso para los productores que comercian a través de los puertos; en la atención de las farmacias que hoy brindan servicios de remedios a domicilio, venden a crédito y han agregado numerosos rubros en su oferta de servicios; así como en muchísimas otras mejoras que cotidianamente disfrutamos ahora los argentinos.

En el caso de las provincias y municipios que, siguiendo el criterio que veníamos marcando desde la nación, adoptaron medidas similares, los efectos fueron también muy favorables. Por ejemplo, en ciudades medianas del interior como Cipolleti o General Roca, la desregulación en el servicio de taxis aumentó la oferta de vehículos y redujo el precio (entre el 70 y el 80%). Gracias a estos cambios, las familias de menores recursos que viven en barrios más alejados del centro ahora pueden hacer sus compras en supermercados, lo que a la vez ha obligado a los almacenes barriales a bajar sus precios y mejorar la atención.

Mi amigo y vecino, Juan Carlos de Pablo, me contó una experiencia suya que evidencia cómo se encarnaron en la población las nuevas reglas de juego. En un viaje hacia el interior del país, paró en una estación de servicio en que solía hacerlo habitualmente. Se asombró al verla totalmente cambiada: nueva estética, empleados con uniformes impecables, sanitarios modernos con la máxima limpieza, bar y minimercado con aire acondicionado. Entonces, encaró al joven que lo atendía y le preguntó:

—Decíme, ¿qué pasa que veo tantos cambios?

—Sabe qué sucede, señor —le respondió—. Hay una diferencia. Antes, nosotros sólo "expendíamos" nafta. Ahora, tenemos que "ven-der-la".

Quizá uno de los cambios más sentidos por la población fue el de los transportes. Al suprimir la reserva de corredores para un cupo determinado de firmas y simplificar trámites y requisitos, se produjo un fabuloso aumento en la competencia, que benefició a la comunidad en todos los sentidos: más servicios, más opciones, mejores precios, mejor calidad en la atención. La gente viaja mejor, tiene mayor comunicación y paga lo mismo o, incluso, menos.

En el transporte automotor de pasajeros, el aumento de empresas del rubro fue espectacular. Entre 1991 y 1995 las firmas dedicadas a la actividad en Córdoba crecieron en un 300%, los servicios diarios entre Neuquén y Buenos Aires se duplicaron (Buenos Aires-Rosario, 63% más) y mejoró la conexión entre provincias sin tener que pasar por Buenos Aires: entre Salta y San Juan, por ejemplo, la oferta de servicios del '95 era el doble de la que había antes de la desregulación.

La competencia trajo una muy sentida mejora en la calidad de atención. Antes la azafata, el coche cama o la comida a bordo eran beneficios para pocos. Hoy, esta clase de servicios se ha popularizado: ya el aire acondicionado, los baños en buenas condiciones, la música funcional o el televisor son elementos tan comunes que la ausencia de tan sólo uno de esos factores en su oferta puede mandar a la ruina a una compañía.

El servicio de comida a bordo, sumado al mejoramiento general de la red caminera (a lo cual nos referiremos más adelante), ha permitido una ventaja adicional: la reducción del tiempo de viaje. La cantidad de horas de duración de viajes de más de 500 kilómetros bajó entre un 15 y un 30%. Unir Neuquén y Catamarca, por ejemplo, antes insumía veinticinco horas y hoy dieciocho, es decir, siete horas menos.

El menor tiempo en los recorridos es un producto de la competencia entre empresas similares; pero también, del nacimiento de muchas microempresas que brindan —por ejemplo, a través de combis— servicios alternativos, y de la competencia con otros sistemas de transporte, fundamentalmente el aéreo, el cual empezó a atraer a una amplia franja del público que tradicionalmente —a causa de los precios— no accedía al avión.

La desregulación en el transporte aéreo de pasajeros tuvo efectos muy notables tanto en relación con viajes dentro del país como con el turismo receptivo (el proveniente del resto del mundo). La llevamos adelante no sin complicaciones, sobre todo por las ventajas monopólicas que quienes me precedieron habían concedido al operador que ganó la privatización de Aerolíneas Argentinas.

Hoy, los precios de los pasajes han bajado en un 45% promedio y se ha dado un aumento en el número de empresas operadoras y en la frecuencia de vuelos, y una expansión de las coberturas entre puntos del interior del país sin necesidad de pasar por la Capital Federal. A nivel del turismo, la desregulación de los vuelos *charter*, a través de los cuales se mueve un amplio sector del mercado en todo el mundo, ha ayudado al *boom* turístico de los últimos años.

El mercado postal fue uno de los que experimentó una transformación muy positiva gracias al proceso de desregulación. Hacia 1992, las consecuencias de las malas regulaciones y de una seudoprivatización que se había iniciado a fines de la década de los 70 eran harto evidentes.

Los envíos postales en 1972, cuando aún operaba con exclusividad el correo oficial, ascendían a alrededor de 1.000 millones de unidades al año. El crecimiento normal de la población y de la economía, de no haber desmejorado la oferta de los servicios, tendría que haber elevado ese número a más de 1.200 millones de unidades en 1992. Sin embargo, en ese año, sólo se registraron 600 millones de envíos, de los cuales 300 mil se canalizaban por el correo oficial y otros 300 mil por los correos privados que habían nacido en los 80.

La explicación de semejante caída en el nivel de utilización de un servicio tan fundamental como el de correos sólo se puede explicar por la combinación de un deterioro extremo de la calidad de los servicios del correo oficial con un precio muy elevado para los servicios ofrecidos por los correos privados. Esto era exactamente lo que había ocurrido a lo largo de esos veinte años.

El correo oficial funcionaba cada vez peor, por lo que aparecía como una acción deliberada para desorganizarlo y hacerlo cada vez menos confiable. Los correos privados se habían cartelizado y vendían el servicio de carta a 3,50 pesos la unidad y la denominada carta factura entre 1,5 a 2 pesos cada una. En otros países, esos servicios costaban entre 30 centavos y 1 peso la carta individual, y entre 10 y 30 centavos la carta factura.

La desregulación de los servicios postales consistió en un decreto —a partir de las facultades dadas por la Ley de Reforma del Estado— que el Presidente firmó en mayo de 1993. En el mismo se permitió que cualquier persona distribuyera su propia correspondencia —la "autoprestación"—, lo que antes estaba prohibido. Paralelamente se establecieron requisitos claros, pero no exagerados, para que una empresa pudiera prestar servicios de correos en competencia, tras lo cual apareció gran cantidad de firmas de todo tamaño ofreciendo servicios a precios muy inferiores a los que se venían cobrando. El correo oficial, por su parte, mantuvo la obligación de prestar el servicio de carta simple en todo el territorio de la nación, siguió siendo corresponsal de los correos oficiales de todo el resto del mundo, y conservó la exclusividad para la carta documento.

La calidad y diversidad de los servicios postales mejoró en forma impresionante y los precios se desmoronaron. Hoy, la carta simple cuesta de 75 centavos a 1 peso y la carta factura alrededor de 20 centavos. El número de envíos postales ha comenzado a aumentar rápidamente, y el correo oficial ha recuperado su prestigio como prestador de servicios confiable.

La organización de una economía popular de mercado, caracterizada por la amplia competencia, enfrentó, y enfrenta aún hoy, muchas limitaciones. Algunas de ellas se originaron en el lobby de las corporaciones beneficiarias del viejo régimen. Este es el caso de las regulaciones que afectan el funcionamiento de los mercados laborales y de las agencias del seguro de salud, las denominadas obras sociales. Hasta ahora, los sindicatos lograron resistir la modificación sustantiva de estas normas, y ello ha contribuido, sin duda, tanto al creciente desempleo como a la mala calidad del servicio de salud que reciben los trabajadores.

También los prestadores de servicios aeroportuarios lograron frenar la desmonopolización. En otros sectores, la desregulación quedó postergada por decisión de los encargados de la privatización. En el transporte aéreo internacional y en las telecomunicaciones, la introducción de competencia va a terminar demorándose prácticamente diez años, porque así lo dispusieron los pliegos de condiciones para las privatizaciones encaradas en 1989 y 1990, antes de que asumiéramos el Ministerio de Economía y Obras y Servicios Públicos.

Es interesante el caso de estos dos sectores, porque hay evidencias muy claras de los beneficios emergentes de las desregulaciones parciales que lograron encararse. Así, en telecomunicaciones, la competencia admitida para la transmisión de datos dentro del país llevó a un sensible abaratamiento de estos servicios. Lo mismo ocurrió con el transporte aéreo de cabotaje, en el que existe amplia competencia. Esto sirve para evidenciar los grandes beneficios que podrán obtenerse cuando la competencia se extienda a todos los servicios telefónicos, de transmisión internacional de datos y a las comunicaciones en general, y también al transporte aéreo internacional.

Una tercera fuente de limitaciones al proceso de desregulación surgió de la demora de algunos gobiernos provinciales y municipales en acompañar las decisiones del gobierno nacional. Cuando la materia sujeta a regulación estaba entre las no delegadas por las provincias, a partir del carácter federal de nuestra organización nacional, la desregulación dictada por el gobierno nacional sólo se aplicaba al ámbito geográfico de la Ciudad de Buenos Aires.

Para superar esta última limitación se firmaron los denominados Pactos Fiscales Federales que, transformados en leyes nacionales y de todas las provincias, incorporaron el compromiso de extender el proceso desregulador a toda la geografía argentina, también en las materias que se reservaron los gobiernos provinciales. Constituyen una excelente guía para avanzar en el futuro con las reformas necesarias, aunque el grado de cumplimiento de estos compromisos por parte de las provincias es variado. Existe además un incentivo natural para que las dirigencias locales avancen en el proceso desregulador, porque en la medida que no lo hagan tendrán crecientes dificultades para atraer nuevas inversiones, las que tenderán a dirigirse hacia aquellas jurisdicciones que demostraron más agilidad para avanzar hacia una buena organización económica.

La creación de una economía popular de mercado fue una muy buena idea que Menem impulsó desde el inicio de su mandato, pero, aun así, la perseverancia de los poderosos intereses asociados al viejo intervencionismo estatal pueden revertir los muchos avances de los primeros seis años de su gestión.

Hay varios síntomas preocupantes que comenzaron a palparse desde el mismo 14 de mayo de 1995, el día que Menem fue reelegido para un segundo mandato. Mientras yo continuaba llevando al Congreso nacional la misma postura que en materia de desregulación y privatizaciones habíamos defendido con tanto ahínco en los años anteriores, desde otros ámbitos del mismo gobierno nacional comenzaron a emitirse las señales opuestas. Ello explica que se haya intentado volver a regular, en favor de los monopolios, los correos y los aeropuertos; que no se haya logrado discutir en el Congreso nacional las normas laborales ni la desregulación de las obras sociales, y que no se hayan aprobado las privatizaciones de Yacyretá y las centrales nucleares. Ese viraje del gobierno de Menem a partir de la reelección no fue ideológico ni técnico. Existió, según creo, una decisión del Presidente de no poner más límites a varios de sus amigos que pretendían medrar al amparo de regulaciones o restricciones a la competencia y la transparencia.

Los ciudadanos debemos estar muy atentos para evitar que la economía popular de mercado, al cabo de los próximos tres años, vuelva a ser la impopular economía estatizada que explotó al final de la década de los 80. A pesar de que la población en general aprecia y valora los beneficios de la desregulación, los sectores que en el pasado habían logrado que el intervencionismo estatal los favoreciera trataron, a menudo, de revertir las decisiones y en varios casos lograron que la desregulación no llegara a implementarse o, incluso, que no se dictaran las normas respectivas.

El único reaseguro contra semejante regresión lo constituye la toma de conciencia por parte de la población de los beneficios que la desregulación ha significado para millones de familias argentinas. Afortunadamente, ADELCO y la Liga de Amas de Casa contribuyen a una creciente educación popular en esta materia. También comienzan a constituirse en defensores de la economía popular de mercado las miles de pequeñas y medianas empresas cuyos negocios se hicieron posibles a partir de la desregulación, así como los grandes inversores nacionales y extranjeros, que aceptaron desde un principio el desafío de la competencia al intervenir en los procesos de privatización desde 1991 en adelante.

Más aún, existe un sector social que no se dejará expropiar los beneficios recibidos por esta reforma de la organización económica: el de los más pobres. Fue un ama de casa patagónica quien un día me hizo la mejor composición de lugar acerca del impacto que para las familias de menores recursos había tenido nuestra estrategia de aliento a la competencia y transparencia:

"Antes", me decía esta señora, "una madre de un barrio humilde alejado del centro a la que se le enfermaba un hijo, no tenía cerca de su casa ni farmacias ni teléfonos públicos y los taxis eran carísimos, debía cruzar la mitad de la ciudad a pie y rogar que la farmacia de turno tuviera el remedio que necesitaba. Hoy puede resolver el problema usando el teléfono público, pidiendo el medicamento a una farmacia que atiende las veinticuatro horas y esperando que se lo envíen".

Por supuesto que para que esa misma familia tenga el problema completamente resuelto debería tener la garantía de que su obra social funcione (y su bono no sea rechazado por la farmacia) y que la sala de primeros auxilios del barrio cuente con los elementos suficientes. Para eso, el gobierno debería ocuparse de la deuda que aún tiene pendiente en materia de salud pública y de reforma del sistema de obras sociales, lo que, junto a la educación, la seguridad y la justicia, deberán ser prioridades en los próximos años.

La industria del juicio

No hay caballito de batalla más común entre los economistas profesionales que el de criticar el alto nivel del gasto público y demandar su reducción. Tienen razón, aunque las más de las veces se equivocan en las propuestas concretas y en la medición y evaluación de lo ya realizado.

Hacia fines de los 80, incluso en los últimos meses de la campaña electoral, cuando la hiperinflación comenzaba a mostrar sus tentáculos, la reducción del gasto público pasó a formar parte del discurso de casi todos los partidos. Sucede que, más allá de lo que dijeran los expertos en macroeconomía y los políticos, el ciudadano común de la Argentina recibía todos los días muestras claras de ineficiencia y despilfarro en los distintos niveles de gobierno.

Esto era particularmente grave en el ámbito de las empresas públicas, cuyos servicios de escasa calidad y sus procesos de progresiva desinversión tenían que ver tanto con malas decisiones políticas (tarifas demagógicas, designación de directorios poco profesionales) como con redes de corrupción interna de las que participaban políticos (en su momento, militares), burócratas, sindicalistas y contratistas privados.

Con buena intuición, Menem había incluido la reducción del gasto público en su discurso electoral, aunque la posición oficial del bloque justicialista en la discusión del presupuesto del '88 había sido la de demandar explícitamente mayor gasto y mayor déficit que el que proponía el gobierno radical. Este era uno de los temas, junto con el de la desregulación y la reforma impositiva, en los cuales yo había creído influir sobre Menem, en las pocas oportunidades que tuve de conversar de economía con él durante el viaje a Europa realizado en noviembre de 1988.

A pesar de que la gestión de Menem, en julio del '89, había comenzado con dos leyes de títulos rimbombantes, "Emergencia Económica" y "Reforma del Estado", durante la segunda mitad del año '89 y durante todo el '90, los sucesivos ministros de Economía habían demostrado muy poca creatividad en materia de reducción del gasto público, capacidad que tampoco había evidenciado el ministro de Obras y Servicios Públicos, Roberto Dromi, y sus colaboradores en materia de privatizaciones. Puedo afirmar que, hacia principios de 1991, la prometida reforma del Estado no había comenzado aún en la Argentina.

A algunos esta afirmación puede sorprenderlos, porque las estadísticas muestran una fuerte reducción del gasto pagado por el gobierno nacional entre 1989 y 1990, tanto en moneda constante como en porcentaje del Producto Bruto Interno. Además, muchos recuerdan la insistencia de Dromi, como ministro de Obras Públicas, en privatizar rápidamente el mantenimiento de las rutas, Aerolíneas Argentinas y la vieja empresa de teléfonos.

Pero así como se habían planteado, la reducción del gasto público y la privatización de esas empresas no conformaban para nada una reforma del Estado capaz de contribuir a la estabilización y el crecimiento sostenido de la economía. El panorama en materia de deuda no contabilizada era realmente tétrico y las decisiones tomadas durante 1990, lejos de haberlo revertido, lo acentuaban.

Las razones eran varias. Para mostrar reducciones en el gasto público, el ministro de Economía Erman González había recurrido a mantener muy bajas tanto las jubilaciones como los sueldos de los empleados públicos, luego del brutal recorte en términos reales que les había producido la hiperinflación desde marzo del '89 a marzo del '90.

También había suspendido el pago de devoluciones de impuestos, reintegros impositivos y subsidios promocionales. Pero ello significaba una simple postergación, porque los beneficiarios mantenían sus derechos adquiridos y se preparaban a formular los reclamos tan pronto como acabara la emergencia.

En materia de reducción de personal sólo se suprimieron cargos de secretarios de Estado que se transformaron en subsecretarios y de subsecretarios que se transformaron en asesores. Esto provocó una desjerarquización del funcionariado de los ministerios operativos frente a las numerosas secretarías y subsecretarías de la Presidencia, que mantuvieron su rango y denominación.

En lo referente a proveedores de bienes y servicios no personales y contratistas de obras públicas, lo único que se hizo fue postergar los pagos, con lo cual, mientras se mostraban reducciones en el gasto público efectivamente erogado, aumentaba en mayor proporción la deuda no contabilizada del Estado, que obviamente iba devengando intereses y, eventualmente, costas.

Se trataba ni más ni menos que de la continuidad de los intentos de reducción del gasto público llevados a cabo en el gobierno radical durante los años anteriores. Por eso, al final del año '89 se había acumulado una deuda pública no registrada de alrededor de 30.000 millones de dólares, cifra que surge de una cuidadosa investigación realizada recientemente por los economistas Carlos Melconián y Rodolfo Santángelo.

El modelo privatizador diseñado y ejecutado por Roberto Dromi y, en varios casos, en tándem con Erman González, en vez de resolver problemas fiscales, los agravó.

La privatización de la reconstrucción y mantenimiento de más de 9.200 kilómetros de rutas nacionales, a financiarse con peajes que eran del orden de 4 dólares cada 100 kilómetros, había levantado olas de protestas en todo el país porque provocaba un enorme aumento en el costo del transporte.

Privatizaciones como las de Aerolíneas Argentinas y la de ENTel —la compañía telefónica estatal—, si bien permitieron rescatar deuda externa, no cerraban las vías de los reclamos al Estado. Sobre todo, porque la falta de claridad de los marcos regulatorios incorporados a los pliegos de licitaciones dejaba muchas zonas grises y abría la posibilidad de muy complicados procesos de renegociación, que probablemente obligarían a mayores erogaciones futuras.

En ese sentido era aún más aterrador el contrato que a mediados de 1990 firmó la *Caja Nacional de Ahorro y Seguro* con una unión transitoria de empresas encabezada por Ocasa, una empresa privada de correos, bajo el ingenioso título de *privatización de las cobranzas* de las principales empresas públicas. Eso que, en buen romance, hubiera significado pagarle a empresas el 15% de la facturación por una gestión que hoy las empresas privatizadas hacen con un costo inferior al 0,5%, representaba un aumento del gasto del orden de los 600 millones para los niveles de facturación de 1990, y de 1.800 millones de dólares anuales para los niveles de facturación de 1996.

Además, en el contrato subsistían cláusulas relativas al plazo y a la rescisión del mismo, que reconocían al contratista el derecho a reclamar los "gastos improductivos, daños emergentes y lucro cesante que se le produjera por la rescisión anticipada del contrato", lo cual era muy probable en vista de los procesos de privatización en marcha en ese momento de Gas del Estado, Segba y Obras Sanitarias.

Es particularmente interesante observar este caso que abría un negocio espectacular para la empresa Ocasa y sus asociadas, porque era defendido por miembros del equipo económico de entonces como un genuino proceso de privatización y, también, por comunicadores muy comprometidos con la reducción del gasto, como Bernardo Neustadt, que reclamaban su implementación inmediata todos los días, tanto por radio como por televisión.

Cuando yo asumí la conducción simultánea de los dos ministerios claves para la reforma del Estado (se había decidido unirlos), una de mis primeras acciones fue el dictado de la resolución, luego confirmada por un decreto, que declaró nulo de nulidad absoluta, el contrato que la Caja de Ahorro y Seguro había firmado con Ocasa y otras empresas para la distribución de facturas de las empresas públicas.

También promoví la suspensión, primero —las barreras de peaje no funcionaron durante tres meses—, y una renegociación, después, de los contratos de concesión de los 9.200 kilómetros de rutas nacionales. En esos casos, por cierto, la fórmula de actualización de precios prevista en el contrato era tan perjudicial para el Estado como para los consumidores. Logramos bajar el peaje promedio de 4 a 1,30 dólares por cada 100 kilómetros y rediscutimos los planes de inversión en varias de ellas (por ejemplo, el aumento de carriles en la denominada "ruta de la muerte", esencial para las comunicaciones del Mercosur, que une Zárate con Paso de los Libres, donde sus precarias condiciones generaban accidentes frecuentemente fatales).

Por supuesto, todas estas decisiones requirieron fuertes enfrentamientos con las empresas que defendían las decisiones previas de Erman González y de Roberto Dromi.

Sin embargo, el cambio más de fondo en materia de reducción del gasto público y lucha contra la industria del juicio durante los cinco años y medio de mi ministerio lo pude encarar gracias a la gran capacidad organizativa y habilidad técnica de dos funcionarios claves: el secretario de Hacienda, Ricardo Gutiérrez, que se encargó de la administración presupuestaria, y el secretario Legal y de Coordinación, Horacio Liendo, que tuvo bajo su responsabilidad la reorganización de la defensa en juicio ante los numerosos reclamos contra el Estado.

La estrategia central de Ricardo Gutiérrez fue la de establecer un nuevo sistema de administración presupuestaria y financiera, comenzando por la preparación del presupuesto nacional y su discusión legislativa dentro de los términos constitucionales. De esa forma, luego de obtener la aprobación tardía del presupuesto para 1991, presentamos y logramos que el presupuesto para 1992 fuera sancionado antes de la iniciación del siguiente ejercicio. Esto había ocurrido sólo tres veces durante el siglo. Afortunadamente se trató de una práctica que desde entonces ha logrado mantenerse, por lo que el presupuesto para 1997 es el quinto consecutivo que se aprueba dentro de los plazos constitucionales.

La presentación y aprobación en término del presupuesto nacional fue importante no sólo porque permitió una discusión transparente sobre el nivel del gasto, su composición, los recursos tributarios y de capital y por ende sobre el déficit y su financiamiento, sino además porque permitió organizar un sistema de contabilidad que distingue claramente entre el compromiso y el pago. Ello permite cotejar la evolución del gasto y del déficit con los cambios en la deuda pública de tal manera que las cuentas reflejen la realidad y cuadren unas con otras.

Hacía demasiado que la contabilidad pública no existía en la Argentina. Lo pagado, y no el conjunto de obligaciones asumidas por el Estado, era considerado como gasto público. La idea, totalmente equivocada, por cierto, era que si no se concretaba el pago, no había gasto.

Un ejemplo muy notable era el de las empresas públicas. La deuda interempresarial —por ejemplo de la YPF estatal con Obras Sanitarias o de Ferrocarriles con ENTel, o la de los distintos ministerios con cualquiera de las empresas— no se registraba. Nadie pagaba la luz, ni los pasajes, ni el combustible. Cuando las empresas les vendían a otras áreas estatales, no les cobraban. Estas consumían sin límite porque sabían que nunca se les cortaría el gas, ni el teléfono, ni el agua por falta de pago. Seguramente los funcionarios que administraron dispendiosamente esas compañías públicas —incluso muchos que además de ineficientes fueron socios en actos ilícitos, en contratos sobrevaluados, por ejemplo— pasan sus días más tranquilos, sin acoso judicial alguno, que aquellos otros que nos decidimos a cortar con esas metodologías de saqueo del patrimonio público.

Lo mismo ocurría en el caso de los partidos políticos y sus franquicias telefónicas o sus pasajes aéreos. Al lado de fuerzas políticas con peso electoral cierto, sobrevivían una gran cantidad de "sellos" —muchos que incluso no se presentaban a elecciones— que aprovechaban esa clase de beneficios para revender servicios (pasajes, por ejemplo) o realizar otra clase de actividades privadas.

En todos los casos fuimos claros. Si hay compromiso de pago, hay gasto público. Todo lo que se consume, se paga. Si hay subsidios, deben ser explícitos y presupuestados. Si no hay partida, no hay gasto.

A partir de 1992 los progresos en la contabilidad de la ejecución presupuestaria permitieron elaborar informes mensuales y publicaciones trimestrales, con los gastos comprometidos y pagados, los recursos percibidos, el déficit según el criterio de lo devengado y de caja y la evolución de la deuda pública. Esto introdujo un nivel de transparencia tanto en la formulación como en la ejecución del presupuesto que no había existido antes en el país.

La administración nacional y todos los ciudadanos interesados tuvieron así la oportunidad de conocer la verdadera realidad del gasto público en la Argentina. Comenzaron a presupuestarse y por ende a contabilizarse todos los gastos, incluso aquéllos que habían estado escondidos durante décadas y que sólo aparecían cuando el gobierno debía reconocer deudas determinadas en juicios o en transacciones extrajudiciales.

También se incorporaron al presupuesto los gastos y los recursos de entidades, como los del Instituto Nacional de Servicios Sociales para Jubilados y Pensionados (más conocido como PAMI) y de la Administración Nacional de Seguros de Salud (ANSSal), que habían logrado escapar a los controles presupuestarios en el pasado. Especialmente por el caso del PAMI tuvimos muchas críticas porque la oposición sostenía que se trataba de recursos de sus afiliados y no del gobierno. Nuestro concepto era que todo lo que se financia con impuestos es gasto público. Esta decisión firmemente sostenida de transparentar la realidad permitió ver el vaciamiento al que venía siendo sometida esa entidad: pusimos a la vista unos 1.000 millones de pesos de deuda que estaba escondida en la oscuridad de su administración anterior.

Otro avance tuvo que ver con los recursos humanos del Estado. Dimos pleno apoyo a una reforma de la administración en esa materia —el llamado Sistema Nacional de la Profesión Administrativa— que había sido diseñada desde la Secretaría de la Función Pública, a cargo por entonces de Gustavo Beliz. Frente a la política de achatamiento salarial que había ejecutado Erman González, reformulamos la organización del personal, incluimos incentivos a la productividad y avanzamos en la profesionalización de la carrera administrativa. Se incorporaron, además, los llamados cargos con función ejecutiva (dirección de organismos), a los que se accedía por concurso (igual que al resto de la administración pública a partir de esta reforma) y cuyas remuneraciones se asimilaron a las del sector privado, lo cual posibilitó una mejora sustancial desde el punto de vista del gerenciamiento público.

Los salarios del sector público aumentaron en un 30% promedio, lo que pudo sostenerse tanto por la importante reducción en el número de empleados (fundamentalmente por vía de privatizaciones y retiros voluntarios) como por el aumento en la productividad derivado de la reforma. Otro elemento que coadyuvó en ese sentido fue la introducción del pago de sueldos por bancos, lo cual permitió localizar mejor a los "ñoquis" (empleados que cobraban sin trabajar) o a quienes recibían remuneraciones de varias dependencias del gobierno.

La bancarización de estos pagos trajo beneficios adicionales para los empleados y para el gobierno. Los policías, por ejemplo, dispusieron de tarjetas de crédito para sus familias; los trabajadores de otras dependencias recibieron ofertas de préstamos personales que antes les eran inaccesibles. El gobierno, por su parte, que al principio pagaba para que un banco le brindara ese servicio, empezó a cobrar por su otorgamiento, ya que los bancos comenzaron a competir por prestarlo, debido al volumen de negocios que se les abría a partir de sus nuevos clientes.

La organización de un eficaz sistema de administración presupuestaria y financiera, y la correspondiente formulación del proyecto de ley de presupuesto de cada año, llevó a las distintas dependencias del Estado nacional a tomar conciencia de sus responsabilidades y en varios ministerios se llevaron a cabo reformas de las estructuras que significaron eliminación de cargos y organismos considerados no prioritarios. Por supuesto que aún queda mucho por hacer en esta materia, particularmente en los ministerios de Salud y Acción Social, del Interior y de Defensa.

Horacio Liendo se abocó a resolver uno de los problemas más graves relativos al gasto público: el de los juicios contra el Estado, que terminamos llamando "la industria del juicio". No se trataba de que existiera vocación por desconocer legítimos derechos de los ciudadanos frente a abusos u omisiones del Estado. Por el contrario, lo que nos preocupaba era el perjuicio económico que había sufrido y estaba soportando la sociedad toda a partir de esta verdadera máquina de crear (y perder) juicios en su contra que era el sector público argentino.

Era *vox populi* la alta probabilidad de éxito que tenía la parte demandante en cualquier querella contra el Estado. En algunos casos la responsabilidad corría por cuenta del servicio jurídico del gobierno, que tenía muy pocos incentivos para defender el patrimonio público. Pero, indudablemente, la mayor parte de los problemas provenía de políticas equivocadas o regulaciones absurdas de los gobiernos, y de leyes o fallos irresponsables de los otros poderes, el Legislativo y el Judicial, respectivamente. Se habían llegado a organizar verdaderas asociaciones ilícitas para lucrar con la industria del juicio. Como ejemplo, vale la pena mencionar uno de los casos más alevosos: el del juez Alberto Oscar Nicosia.

Este magistrado, que se desempeñaba a cargo del Juzgado N° 35 del fuero civil de la Capital Federal, fue el primer juez destituido en treinta y cuatro años y quien, hasta este momento, enfrentó en un juicio político los cargos más severos en 139 años de vigencia de nuestra Constitución Nacional.

En su enjuiciamiento quedó en evidencia el *modus operandi* de una organización criminal destinada a defraudar al Estado mediante el uso abusivo y deshonesto de herramientas judiciales, y se reveló cómo jueces (posteriormente se comprobó que, además de Nicosia, participaba también otra jueza del mismo fuero, la doctora María Rosa García Foucault, quien también fue sometida a juicio político y destituida), peritos, abogados de empresas del Estado y particulares, testigos falsos y empleados de empresas públicas se confabulaban para saquear el erario público por vía judicial.

Esta organización se dedicaba a querellar a la empresa estatal Ferrocarriles Argentinos a partir de accidentes "truchos", recaudando decenas de millones de pesos a partir de los fallos en favor de los presuntos "lesionados" por dichos acontecimientos. La Cámara civil en pleno, la Corte Suprema de Justicia, el Ministerio Público, el Ministerio de Economía por intermedio de la Subsecretaría de Empresas Públicas y la Cámara de Diputados de la Nación iniciaron investigaciones contemporáneas llegando todos a la misma conclusión: la gran cantidad de causas similares no era una suma de hechos aislados de semejanza casual sino el producto de una acción perfectamente orquestada por una verdadera organización para la corrupción judicial.

El origen de esta investigación se remonta al momento en que la Dirección de Informática de la Cámara civil advirtió un conjunto de irregularidades en el sorteo de causas en las cuales era demandada Ferrocarriles Argentinos: todas curiosamente quedaban radicadas en el juzgado de Nicosia. Conocidas estas irregularidades hacia octubre de 1990, ese tribunal comunicó la situación al subsecretario de Empresas Públicas, Luis Prol, y a la intervención de Ferrocarriles Argentinos.

Paralelamente, en la Cámara de Diputados, Cristina Guzmán y otros diputados pidieron, a principios de noviembre del mismo año, el juicio político al juez Nicosia, recogiendo una vasta investigación interna que ya había realizado la Cámara civil por medio de distintos sumarios administrativos. Estas y otras investigaciones posteriores —que terminaron en el procesamiento de veintiséis personas por asociación ilícita— sirvieron para constatar irregularidades:

- La mayor parte de las causas había ingresado al Juzgado N°
35 evitando el sorteo e invocando conexiones falsas, y además se
tramitaba con una celeridad que no era común al resto de los expedientes.

- En general, los abogados demandantes eran los mismos.

- Existía una intervención personal del juez Nicosia, que
ofrecía un trato preferencial tanto a las causas como a los criterios
expuestos por la parte querellante.

- También actuaban los mismos peritos, quienes eran designados por Nicosia en forma irregular (tenía una lista de peritos caratulada con una "T" —causas "truchas"— y otra con una "L" —donde
aparecían las ajustadas a la ley).

- El demandado común, la empresa Ferrocarriles Argentinos,
era deficientemente atendido por sus abogados, que dejaban vencer
los plazos procesales para que quedaran firmes las resoluciones de
Nicosia.

- Los montos de las indemnizaciones fijadas por ese juez en
sus sentencias eran llamativamente altos, por daños menores o inexistentes, a tal punto que, cuando los casos eran revisados por la Cámara Civil, aquellos se reducían sensiblemente.

- Las regulaciones de honorarios que establecía Nicosia para
los peritos eran igualmente elevadas: en general, las máximas previstas por la ley.

- Por si esto fuera poco, el juez firmaba los millonarios cheques a favor de peritos y por honorarios de los abogados en concepto de "capital no imponible", con lo cual estaban exentos de impuestos para el profesional, configurando además una defraudación al
fisco toda vez que no se retenía el impuesto a las ganancias que debía ir a parar a la DGI, lo que probaba la participación del juez en
la asociación ilícita.

La metodología de defraudación detectada involucraba, primero, el invento de un presunto accidente ferroviario que habría
producido una determinada lesión en un presunto pasajero. Para
ello, los abogados demandantes se valían de empleados desleales,
tanto de la policía ferroviaria como de Ferrocarriles Argentinos,
quienes suministraban esa información en la causa y proveían a la
querella del boleto respectivo, indispensable para acreditar la condición de pasajero en ese viaje de su "representado" —un usuario
"trucho" de ese servicio instado a firmar la demanda—, previo pago por parte del grupo de letrados "para comprarle la causa". Pre-

viamente se le preguntaba al presunto pasajero por alguna lesión que pudiera haber sufrido con anterioridad al "viaje", para ser presentada como consecuencia del accidente. Finalmente, llegaba la complicidad del juez y sus peritos, quienes —mediante su intervención— confirmaban y abultaban el "daño" sufrido por esas supuestas víctimas.

Bajo esa operatoria, se detectaron sesenta expedientes ingresados sin sorteo al juzgado de Nicosia, la mitad de los cuales contaban con el patrocinio de los abogados Víctor Luis Adamoli y Julio César Anselmi. También se constató que, contra expresa disposición legal, un mismo grupo de peritos era designado en treinta o cuarenta expedientes al año cuando sólo podían intervenir en dos en ese mismo período, y que el juez había omitido informar sobre noventa designaciones de peritos realizadas en el año 1990.

El grupo de abogados patrocinantes de esas "víctimas" manejaba familiar y discrecionalmente los expedientes en el juzgado con la complacencia del juez. Los mismos empleados del juzgado, al declarar en el juicio, admitieron que calificaban a los integrantes de la asociación ilícita como "El Clan", si intervenían en el Juzgado N° 35 de Nicosia, o "La Fraternidad", si lo hacían en el de la doctora García Foucault.

En muchas de las demandas se reclamaba "daño psicológico", que era "comprobado" por los peritos y luego indemnizado judicialmente con altas sumas de dinero. Al tramitarse el juicio político del magistrado, a solicitud de la defensa del propio juez Nicosia, el Senado de la Nación ordenó 24 pericias psicológicas y 24 psiquiátricas, todas las cuales dejaron en evidencia las deficiencias en la técnica pericial y en las certificaciones de las patologías, entre otras anomalías.

En el juicio político quedó en evidencia también que, en conjunto, los porcentajes de daño establecidos superaban ampliamente la media habitual en este tipo de casos. Un estudio estadístico realizado por la cátedra de Psicología Forense de la Universidad de Buenos Aires, por la Academia Nacional de Ciencias y el Centro Interdisciplinario de Investigaciones Médicas y Psicológicas Forenses, sobre la base de demandas iniciadas por accidentes en el bienio 1986/87 en juzgados civiles y laborales de la Capital Federal y el conurbano, concluyó que los reclamos resarcitorios por daños psíquico y moral no superaban nunca el 11 o 12% de los accidentados, en tanto que las pericias ordenadas por Nicosia hallaban un ciento por ciento de importantes invalideces psíquicas como consecuencia directa de los accidentes.

A título de ejemplo, en la causa Roselot, con trámite absolutamente irregular y veloz, Nicosia estableció una indemnización de casi 13 millones de dólares —U$S 12.890.932—, honorarios para los abogados de la parte demandante por 3,5 millones de dólares y honorarios de más de 1 millón de dólares para cada uno de los cuatro peritos intervinientes. Así, Ferrocarriles Argentinos fue condenada a pagar en su conjunto casi 24 millones de dólares.

Cuando la Cámara civil y la Justicia federal ordenaron nuevas pericias no encontraron en ninguna de las víctimas lesiones graves —a lo sumo "leves daños"—. Al señor Roselot no se le encontró trastorno o lesión relacionada con el accidente, tampoco a la demandante Fassio, ni a un señor Niubo, no obstante lo cual Nicosia, por ejemplo, fijó una indemnización de más de 600 mil dólares.

Las pericias ordenadas por Nicosia eran falsas, y los peritos terminaron presos el 24 de septiembre de 1991.

Nicosia se amparó constantemente en sus fueros y, cuando fue destituido, huyó del país. Se presentó tiempo después a la Justicia al ser localizado en el Uruguay. Fue detenido y, luego, procesado y condenado por sentencia firme.

A pesar de que las instituciones judiciales y parlamentarias actuaron correctamente para desmontar a la banda de Nicosia, la solución integral al problema de la industria del juicio requería atacar a todas sus causas. Porque la conducta delictiva de jueces y profesionales era sólo una de ellas.

Otra de las causas de la enorme masa de demandas judiciales había surgido de un mecanismo típico de reducción ilusoria del gasto público utilizado en el pasado: la práctica de pagar jubilaciones muy por debajo de aquellas que establecían las leyes en vigencia. Ello había dado lugar a un creciente número de juicios de los jubilados contra la Administración Nacional de la Seguridad Social para conseguir no sólo el reajuste de las jubilaciones hacia adelante, sino además el reconocimiento de la deuda acumulada por el retaceo de los beneficios durante los años no prescritos.

Alfonsín había llegado a proponer un plan de pagos a aproximadamente 70.000 jubilados que hacia 1987 habían logrado sentencias favorables; pero no había cumplido con ese plan, y al ritmo de los nuevos juicios, pronto esas sentencias serían millones. Por supuesto, las deudas no contabilizadas del Estado iban a tener que incorporar, además, los honorarios que se regularan a los abogados intervinientes en estos juicios.

Pero los reclamos de los jubilados, seguramente los más legítimos, no eran los únicos. Había miles de juicios y reclamos administrativos de empleados públicos por diferencias de haberes e indemnizaciones, y de proveedores y contratistas por mayores costos, y compensaciones por incumplimiento de contrato y desagios.

Estaban, además, los reclamos de depositantes del sistema bancario que habían sido afectados por liquidaciones de bancos pero no habían recuperado sus depósitos. O las demandas de los propietarios de los antiguos bancos liquidados durante la década del 80, e incluso de los abogados que por encargo de los síndicos de las quiebras habían reclamado tardíamente la verificación de créditos absolutamente incobrables y ahora pretendían que el Banco Central pagara los enormes honorarios que le habían determinado los jueces.

La magnitud de los reclamos originados en honorarios profesionales había aumentado explosivamente desde que en 1984 el más alto tribunal, con el voto de sólo tres de sus cinco miembros, cambiara la jurisprudencia tradicional en materia de leyes de honorarios. Hasta entonces se interpretaba que los porcentajes mencionados en esas leyes en relación con el monto de los juicios eran sólo indicativos y que el juez podía disminuirlos cuando no guardaran relación razonable con la tarea efectivamente realizada por los profesionales. Pero a partir de la nueva jurisprudencia se estableció que los porcentajes debían aplicarse matemáticamente y esto producía una suerte de efecto geométrico cuando se combinaba con actualizaciones e intereses.

Más allá de los vericuetos de leyes mal redactadas y de las deficiencias administrativas o la corrupción de los funcionarios, el propio Poder Judicial venía resolviendo durante los últimos años litigios contra el Estado como si fueran cuestiones entre intereses particulares, lo que estaba afectando gravemente el patrimonio público.

Recuerdo, por ejemplo, el caso Ortholán, un astillero que era contratista del área de Construcciones Portuarias y Vías Navegables de la Secretaría de Transporte, y que fue uno de los casos más importantes que le tocó enfrentar (finalmente con éxito) a Liendo y su equipo. Esta empresa había construido tres lanchas y había cobrado su trabajo, pero había decidido recurrir a la Justicia en reclamo de lo que entendía era una liquidación mal hecha. Así, los acreedores habían logrado transformar una deuda que era apenas superior al millón de pesos, por obra de una errada interpretación de intereses punitorios y la aplicación de factores correctivos (indexación), en una obligación de 132 millones de pesos. Gracias a la tarea de nuestros profesionales, logramos revertir esa decisión judicial, hecho que significó un gran ahorro para el Estado.

El camino para acotar y resolver el problema derivado de las deudas emergentes de los enormes reclamos formulados administrativa o judicialmente al Estado nacional fue también ideado por la Secretaría Legal y de Coordinación. Fue a su iniciativa —acompañada por la Procuración del Tesoro a cargo de Alberto García Lema— que propusimos y logramos la sanción de la Ley de Consolidación de Pasivos, que se aplicó tanto a las deudas con los jubilados como a todo el resto de los acreedores no financieros.

Veníamos enfrentando y tratando de limitar reclamos exorbitantes que aparecían en las oficinas encargadas de tramitar la consolidación de la deuda, cuando el Banco Central tomó conocimiento de que estaba a punto de salir una sentencia inapelable de la Corte Suprema de Justicia que sentaba un precedente peligrosísimo.

Se trataba de una demanda por honorarios al Banco Central, formulada por un abogado de apellido Monterisi que había sido contratado en la década del 80 para iniciar juicios contra deudores del Banco Patagónico, en quiebra a partir de su absoluta insolvencia. Por su acuerdo con el banco liquidado, el profesional podría cobrar sus honorarios (11% de los montos demandados) a la propia liquidación, independientemente de que las sentencias que obtuviera en contra de los antiguos deudores del banco hubiesen sido efectivamente abonadas por éstos. Es decir, aunque el banco no cobrara su acreencia, el abogado, por el solo hecho de haber ganado el juicio, requería que se le abonaran sus honorarios recurriendo a los activos del banco liquidado al cual representaba.

Como la institución quebrada era tan insolvente que sus activos no alcanzaban ni siquiera para pagar las costas del juicio determinadas por los jueces, Monterisi había reclamado que el Banco Central adelantara fondos para pagar sus honorarios. Los jueces de primera y segunda instancia aceptaron el criterio reclamado por este abogado. Obviamente apelamos a la Corte Suprema planteando una solución sensata: sólo se podía pagar hasta los activos del banco liquidado.

Si bien el caso que estaba por ser fallado por la Corte aparecía como de escaso monto, una vez sentado el precedente se multiplicarían por miles los reclamos de Monterisi y otros abogados, obligando al Banco Central a adelantar cientos de millones de pesos por este tipo de demandas.

Las autoridades del Banco Central estaban legítimamente alarmadas por esa posibilidad y me interiorizaron del asunto. Yo aproveché una reunión con dos miembros de la Corte —donde discutíamos aspectos vinculados con el presupuesto del Poder Judicial— para explicarles la trascendencia económica del tema. Mi intención era por demás lógica: procuraba que, al evaluar la decisión que estaban por adoptar, tuvieran en cuenta las consecuencias macroeconómicas que la misma tendría.

En asuntos como éste, de gran impacto económico y social, en los Estados Unidos —y en general en países donde existe una tradición de justicia independiente y eficaz—, el Poder Ejecutivo tiene derecho a opinar ante la Corte Suprema antes de que ésta tome sus decisiones. Dado el carácter de cuestión de Estado que el caso Monterisi —y sus consecuencias— significaba, yo interpreté que, al formular esta advertencia técnica a los miembros de la Corte, estaba haciendo algo no sólo correcto sino muy necesario: era un aporte para evitar que se cometieran errores irreparables.

Algunos días después me enteré por la prensa de la denuncia de los jueces Belluscio y Petracchi acerca de lo que por unos días se llamó "el robo de la sentencia", título que se le dio a una supuesta desaparición maliciosa de un fallo en el caso Monterisi. Antes de que la Corte Suprema resolviera en una acordada muy particular que tal robo no había existido, yo había pronunciado palabras muy duras en contra de los dos jueces que habían hecho la denuncia, porque creí que actuaban en defensa de "la industria del juicio".

El escándalo, si bien no llevó de inmediato a una clara solución del tema, creó suficiente conciencia en la opinión pública y entre los miembros del Congreso nacional como para que en pocos meses lográramos una solución legislativa al problema de los honorarios profesionales en juicio. Se sancionó una ley que, en línea con lo que había sido la jurisprudencia general de la Corte hasta 1985, permitía la determinación razonable de los honorarios e impedía la generación de abusos como los que tanto nos habían preocupado. Logramos que esa ley alcanzara a casos como los de Monterisi y los demás abogados que habían intervenido en temas similares. Se trató de una batalla por una buena causa, que en lo sustantivo produjo los resultados que convenían al país.

El juez Enrique Petracchi luego aceptó mis explicaciones. Distinta fue la actitud del juez Belluscio, quien a pesar de que sabe que en la Comisión de Juicio Político de la Cámara de Diputados constan todas las pruebas de la acusación que yo le formulara en el contexto de aquella discusión sobre el caso de Monterisi, aún pretende que la Justicia me condene por el supuesto delito de calumnias e injurias.

Es paradójico y desilusionante que esté sentado en el banquillo de los acusados quien actuó para evitar que el Estado debiera afrontar el pago de exorbitantes honorarios, totalmente injustificados, y que el querellante sea nada menos un juez, a quien la mayoría de la Cámara de Diputados quiso destituir por vía del juicio político (faltaron sólo ocho votos para lograr los dos tercios de los miembros que fija la Constitución para ese enjuiciamiento).

En el juicio que Belluscio me inició con motivo de esas declaraciones, los abogados que por entonces me patrocinaban me recomendaron realizar una retractación formal, porque consideraban que, si bien en el Congreso había pruebas suficientes que avalaban mis dichos respecto de ese juez, dedicarme a volver a demostrarlos me significaría un desgaste de esfuerzo inútil que me desviaría de mi objetivo central consistente en profundizar y ordenar el enorme caudal probatorio que había acumulado sobre las actividades ilícitas de un grupo empresario —que yo había denunciado en el Congreso el 23 de agosto de 1995— y que por esos mismos días debía presentar ante el juez Jorge Urso.

No vale la pena detenerme para analizar las razones por las cuales Belluscio y el juez Adolfo Bagnasco, a cargo de la causa, rechazaron mi presentación, pero es comprensible que no hayan creído que efectivamente estuviera arrepentido de mis expresiones porque no lo estaba ni lo estoy. Mi opinión respecto de Belluscio es la misma que la de la mayoría de los legisladores que quiso llevarlo a juicio político por su inconducta. Sigo creyendo que el servicio más recomendable que este ministro de la Corte Suprema podría prestar al país es renunciar a su cargo.

No fue ése el último problema al cual nos tuvimos que enfrentar en materia de abusos contra el Estado que expandían geométricamente el gasto público. Los reclamos judiciales contra las compañías de seguros y de éstas contra el Instituto Nacional de Reaseguros por siniestros pendientes, multiplicados por los enormes costos de los juicios, fue otra de nuestras luchas en defensa del patrimonio público.

En 1991 decidimos terminar con uno de los mayores antros de corrupción: el Instituto Nacional de Reaseguros (INdeR). Originalmente el INdeR se dedicaba a reasegurar a las compañías aseguradoras, es decir, era un seguro de seguros que, hasta que llegó Menem al gobierno, gozaba del monopolio de la actividad reaseguradora. Esto luego fue variando, pero de todas maneras las firmas —seguramente en sociedad con algunos funcionarios— fueron encontrando la manera de seguir apropiándose de sus recursos.

El INdeR llegó a reasegurar el 98% de los montos en juego en los siniestros, con lo cual las empresas privadas se habían convertido, en realidad, en meras intermediarias, a las que, además, poco les importaba si los reclamos de sus clientes eran legítimos porque sabían que, finalmente, sería el Estado quien habría de soportar los costos.

En el caso de los accidentes de trabajo, algunos abogados inducían a trabajadores con dolencias leves (hipoacusia, dermatitis) a iniciar querellas por accidentes de trabajo. Los reclamos sumados eran millonarios y la cifra demandada se multiplicaba de inmediato por el hecho de que, abierto el juicio, se pedía la participación de una serie de peritos, cuyos honorarios profesionales se fijaban como un porcentaje no de la sentencia sino del total reclamado. Finalmente, antes que afrontar los costos de peritaje, las compañías de seguro preferían reconocer el pedido y transferir la carga al INdeR, el cual no se preocupaba demasiado por saber si correspondía o no abonar el reaseguro, las más de las veces con la connivencia entre la firma privada y algunos de sus funcionarios.

Frente a tal estado de cosas decidimos desregular totalmente el mercado, de modo que las compañías privadas debieran reasegurarse en otras también privadas, todas fiscalizadas por la Superintendencia de Seguros, y, además, proceder a la liquidación del INdeR, creando una comisión a tal efecto.

Ello no fue suficiente. La Comisión Liquidadora se politizó en demasía ya que desde el Congreso lograron meter en ella a tres de sus miembros, muy poco preocupados por la transparencia en la liquidación del organismo y envalentonados por el poder de sus padrinos, quienes —amenazaban— voltearían el "decreto de necesidad y urgencia" si intentábamos tocarlos.

Cuando a mediados de 1994 me informaron que en menos de dos años de gestión el pasivo del INdeR, misteriosamente, se había transformado de 500 millones de pesos (tal lo que me habían informado al comienzo del proceso liquidador) en casi 2.500 millones, me di cuenta de que había que terminar de una vez por todas con esa Comisión. Para ello, designamos, en octubre de 1994, como presidente de la Comisión Liquidadora, a Roberto Guzmán. Este pasó a ser el Liquidador del organismo una vez que decidimos la disolución de la Comisión.

Como parte de su tarea, Guzmán convocó a un equipo de expertos en investigación de fraudes, dirigido por el ex fiscal Luis Moreno Ocampo. Se trataba de un grupo que venía trabajando sobre la cuestión desde antes, ya que, por mi instrucción, una secretaría del Ministerio —con el conocimiento de Guzmán— había iniciado una investigación judicial sobre la liquidación del INdeR, que había dado lugar a distintos allanamientos y detenciones. Con Guzmán como liquidador, la tarea se profundizó y rápidamente se acumularon nuevos papeles y grabaciones que daban testimonio de las metodologías fraudulentas.

Entre las pruebas incluidas se hallaban escuchas telefónicas —ordenadas por el juez— que demostraban cómo funcionarios del organismo ofrecían acelerar pagos del Instituto a cambio de un porcentaje del valor abonado. No eran las únicas prácticas corruptas: se verificaron numerosos siniestros truchos o valuados en cifras abultadas, dobles o hasta triples recuperos por un mismo hecho, indemnizaciones sobre pólizas vigentes desde una fecha posterior al reclamo, y hasta casos en los que el presidente de una compañía cobraba personalmente cheques del INdeR por siniestros que luego no abonaba a sus asegurados.

La causa, lamentablemente, cayó en manos de Jorge Urso, uno de los jueces que menos ha hecho para terminar con la corrupción en la Argentina. Un día de diciembre de 1994 recibí en mi despacho a Roque Maccarone, por entonces secretario de Finanzas, Bancos y

Seguros, y al presidente de la Comisión Liquidadora del INdeR. Me habían pedido la reunión para transmitirme su preocupación por el rumbo de la investigación judicial. En efecto, Guzmán había tomado conocimiento de que el juez Urso había recibido una extraña visita gestionada por el diputado Miguel Angel Toma, de reconocida amistad con él. Quienes habían acudido a verlo eran dos miembros del INdeR: uno de ellos miembro de la Comisión Liquidadora —el hoy senador nacional Héctor Maya— y el otro, Juan Carlos Otero, gerente del departamento Automóviles —el más importante del organismo en materia de volúmenes de dinero—, quien se hallaba fuertemente implicado en las denuncias.

Maccarone y Guzmán estaban inquietos por el cariz político que estaba tomando el tema, y temían que yo no estuviera dispuesto a avanzar. Mi instrucción —recuerdo— fue clara y precisa: seguir adelante, caiga quien caiga.

La tarea de Guzmán contra la corrupción fue titánica y, obviamente, se ganó tantos enemigos como cualquiera que cumple con su deber. Tras su reemplazo a fines del '96, después que yo dejara el Ministerio de Economía —se designó a un hombre que hasta el día anterior había trabajado en uno de los grupos aseguradores más comprometidos en la causa en el juzgado de Urso— por arte de magia el INdeR "reactivó" su viejo papel de pagador "a la medida del reclamante", con una ligereza en su protección del patrimonio público similar a la que existía en tiempos del monopolio estatal del reaseguro.

El avance en materia de reducción efectiva del gasto público y de consolidación de viejas deudas con quitas significativas en beneficio del Estado se produjo fundamentalmente en los ministerios de Economía y Obras y Servicios Públicos y en el de Trabajo y Seguridad Social.

En el primero, la reducción del gasto se operó sobre todo a través de la eliminación del Estado empresario, es decir a través del proceso de privatización y desregulación que en pocos años virtualmente acabó con los fuertes aportes del Tesoro y nuevos endeudamientos públicos que requerían las empresas estatales. En el caso del Ministerio de Trabajo y Seguridad Social, la gran tarea de transformación se concentró en la reforma del sistema previsional. Los esfuerzos desplegados por estos dos ministerios para lograr estas reducciones efectivas del gasto público fueron enormes, y las discusiones y enfrentamientos con los beneficiarios del gasto excesivo, permanentes.

En el cuarto trimestre de 1994 constatamos que la combinación de jubilaciones de privilegio, cláusulas de escalamiento automático que no habían sido eliminadas por la reforma previsional, y la interpretación judicial de los máximos jubilatorios llevaban a un continuo aumento de las erogaciones previsionales. El aumento por arriba de lo presupuestado ascendía a 1.400 millones de dólares, con proyección de más de 5 mil millones de dólares de exceso para el año 1995.

El ministro de Trabajo y Seguridad Social, Armando Caro Figueroa, y yo, propusimos al presidente Menem el proyecto de *Ley de Solidaridad Previsional,* que finalmente elevamos al Congreso. Este proyecto, que se transformó en ley en medio de la crisis del *Tequila* en marzo de 1995, permitió que desde entonces los gastos del sistema previsional se mantuvieran al nivel alcanzado durante 1994. Además se estableció de forma absolutamente clara que el sistema administrado por la Administración Nacional de la Seguridad Social (ANSeS) es de reparto, es decir, que no puede dar lugar a pago de beneficios mayores al del monto de los recursos asignados presupuestariamente cada año.

Esta ley significó un formidable avance para mantener acotado el gasto previsional, y mejoró sustancialmente la calidad del control presupuestario sobre las erogaciones de la seguridad social. A fines de 1996, la Corte Suprema reconoció la validez institucional de este giro copernicano en una materia legítimamente acompañada de una gran carga de sensibilidad social.

No se trata de un tema definitivamente cerrado, porque existen aún reclamos judiciales contra la ANSeS, que pueden llegar a tener un efecto tanto sobre el nivel de los gastos de cada año como sobre el de la deuda pública con los jubilados. Pero el tema está totalmente acotado y muy lejos del desorden descomunal que en la materia encontró el gobierno del presidente Menem al inicio de su gestión.

Es obvio también que este reordenamiento de uno de los grandes agujeros negros de nuestro presupuesto público no supone una solución definitiva para el problema de los jubilados de menores ingresos. Es verdad, además, que muchas veces quisimos dar algún tipo de ayuda a los beneficiarios que, cobrando la mínima, no tuvieran otras fuentes de ayuda familiar y que, por lo tanto, se encontraran viviendo en situaciones de miseria, lo que nunca pudimos lograr por la falta total de información disponible y, en general, por las fallas de gerenciamiento en materia de política social.

Tal vez hubiera sido más cómodo no decir la verdad o mantener la ilusión de gobiernos anteriores que reconocían a los jubilados los más amplios derechos pero nunca los concretaban mediante su pago —el cual era, efectivamente, imposible—, pateando la deuda para adelante. Porque en esto es fácil confundir a la gente, y lo que muchos seudodefensores de los jubilados no dicen es que sin este sinceramiento y reorganización íbamos a la quiebra total del sistema. Si actuábamos con la demagogia miope de antaño —es decir, financiando con emisión monetaria el déficit fiscal— hubiéramos terminado en una nueva espiral inflacionaria, que además rápidamente hubiera absorbido esos eventuales aumentos de haberes.

A pesar de la gran transparencia que introdujo la reforma de la administración presupuestaria, aún no se llegó a comprender cabalmente que la formulación del presupuesto —y, por ende, el acotamiento del gasto público— es una responsabilidad de toda la administración, y finalmente, del Congreso nacional, y no del Ministerio de Economía o de su Secretaría de Hacienda.

Aún hoy, los otros ministerios y dependencias de la Administración Nacional, incluido el Poder Judicial y el Poder Legislativo, siguen pidiendo aumentos del presupuesto al Ministerio de Economía, sin advertir que los límites al gasto son fijados por el propio Congreso, a través de una ley surgida de un proceso de formulación del presupuesto que es responsabilidad de todas las áreas dependientes del Poder Ejecutivo en su conjunto.

Pero lo más lamentable es que economistas profesionales y periodistas especializados se refieran al nivel de gasto público como si fuera decidido por el ministro de Economía o el secretario de Hacienda. En los últimos años ha sido común leer en artículos supuestamente técnicos: "Cavallo aumentó el gasto público". O como hace poco tiempo sostuvo en una carta de lectores el propio ingeniero Alsogaray —quien cambió su posición sobre mi persona inmediatamente después de que me alejé del poder—: "Cavallo dejó una pesada herencia a su sucesor, al haber aumentado el gasto, el déficit y la deuda pública".

Es lamentable que a pesar de la transparencia introducida siga existiendo tanta ignorancia sobre el tema. Por un lado se habla de aumentos de gasto, de déficit y de deuda a partir de cifras que reflejan una cobertura completamente diferente de los conceptos involucrados. Así, cuando se compara el gasto público de 1996 con el de 1990, o con el promedio de la década del 80, no se tiene en cuenta, por ejemplo, que en aquellos años se omitía contabilizar como gasto la deuda que se iba acumulando con los jubilados y con muchos otros acreedores por omisión de pagos comprometidos por ley o por contratos plenamente vigentes. Esos gastos no contabilizados tampoco aparecían como déficit, y, por supuesto, no se registraban como deuda pública.

Melconián y Santángelo analizaron detenidamente la evolución de la deuda pública, correctamente medida, entre el 31 de diciembre de 1989 y el 31 de diciembre de 1995, y concluyeron que se produjo una reducción de entre 4.000 y 20.000 millones de dólares, según se compute como deuda pública total o en poder del sector privado, y los cálculos se hagan en dólares corrientes o en dólares constantes. Pero más allá de los números precisos, lo que queda de ese estudio es que, desde fines de la década anterior, la deuda pública, bien medida, no ha aumentado sino que se ha reducido.

Exactamente lo mismo se observaría en una medición completa y relevante del gasto público devengado en 1996, comparado tanto con el de 1990 como con el promedio de la década del 80. Y por supuesto, una medición técnicamente correcta del déficit fiscal llevaría a la misma conclusión. La opinión opuesta es no sólo injusta sino peligrosa, porque puede hacer resurgir la actitud miope, tan común en el pasado, de producir reducciones ilusorias del gasto mediante la postergación de pagos o el incumplimiento de leyes y contratos.

Sin duda, la Argentina tiene mucho que hacer en materia de reducción del gasto público, tanto a nivel nacional como en las provincias y los municipios, pero de la gestión de los últimos años ha quedado claro que la clave está en acotar los compromisos y no en echar mano a una tardía demora o al incumplimiento de los pagos.

El momento de contener el gasto de manera efectiva es el de la discusión de las leyes que otorgan beneficios a cargo del Estado, o cuando se están por firmar los contratos que crean compromisos de gastos. Es en ese momento cuando se debe tener la valentía política de poner los límites y decir que no se pueden autorizar más erogaciones porque no existen los recursos para pagarlas.

Se trata de una responsabilidad que excede al Poder Ejecutivo Nacional —desde ya, también al Ministerio de Economía— y que involucra de un modo muy importante a los legisladores y, en esta etapa de la reforma, a las provincias y a los municipios.

En el Congreso, los diputados y senadores deberían tomar conciencia de que la discusión del Presupuesto es uno de los cometidos centrales de su trabajo, porque es la llave de la transparencia y la eficacia en la gestión pública. Por ejemplo, deberían preocuparse por agregar menos gastos de privilegio corporativo en el debate anual de esta herramienta, tales como las pensiones graciables que otorgan a discreción.

Las provincias, las cuales no sólo recibieron aumentos en la coparticipación debido a la mejora de la recaudación sino también casi 5.000 millones de pesos de parte del Estado nacional en concepto de regalías y compensación de deudas (antes desconocidas de hecho por los presupuestos públicos), deberán ahora proceder a vivir con sus recursos genuinos y no hacer manejos irresponsables que, además, son luego un pésimo negocio político. De eso da cuenta el ostracismo actual de los últimos candidatos presidenciales del radicalismo, Eduardo Angeloz y Horacio Massacesi, tras la fiesta administrativa que hicieron en sus gobernaciones de Córdoba y Río Negro. Lo mismo corre para justicialistas como Bernabé Arnaudo, de La Rioja, quien no sólo perdió el poder en su distrito sino que fue sucedido, como "máximo castigo", por un miembro del equipo económico nacional: el ex secretario de Minería, Eduardo Angel Mazza.

Si no se actúa de este modo, es decir, asumiendo obligaciones de pago acordes con los fondos disponibles, después será demasiado tarde. Aunque hoy no se realicen los pagos, el gasto inexorablemente aparecerá en el futuro, abultado por intereses y costas de los juicios a que habrá dado lugar.

La cultura de vivir a costa del Estado es un vicio, difundido en nuestra sociedad desde mucho tiempo atrás. Hablar de reducir el gasto público sin decir nada sobre la industria del juicio o la irresponsabilidad de los gobernantes que asumen compromisos de pagos cuando no cuentan con recursos para atenderlos, es caer en un facilismo que tiene mucho de hipocresía.

Sé que me gané muchos enemigos al poner a la luz gran parte de estas formas con que se venía saqueando el tesoro público. Pero no me arrepiento de haberlo hecho y, por el contrario, me siento orgulloso de haber ido a fondo en esta clase de problemas que debí afrontar. Ojalá que todos los esfuerzos, discusiones y peleas en las que, como ministro de Economía, me tocó participar durante los últimos años, sirvan para que esta realidad sea vastamente comprendida.

La mafia en los correos

En mi primer viaje a los Estados Unidos como canciller, además de reunirme con el secretario de Estado, James Baker, y recibir a través suyo la primera noticia sobre el proyecto Cóndor, también tuve una larga conversación con la embajadora Carla Hills, la representante comercial de los Estados Unidos.

En esa reunión Hills me planteó tres temas. El primero, la necesidad de que la Argentina y los Estados Unidos trabajaran juntos en el ámbito de la ronda Uruguay del GATT, para que Europa y Japón aceptaran la liberalización del comercio de los productos agrícolas. El segundo, la cuestión del régimen de propiedad intelectual: el gobierno norteamericano establecía como condición esencial para cualquier avance en negociaciones comerciales que los países otorgaran protección patentaria a los productos farmacéuticos, y la Argentina no lo estaba haciendo. Y el tercero, la necesidad de que nuestro país cumpliera con el compromiso que había asumido durante la gestión de Raúl Alfonsín, de eliminar el canon de entrada a los *couriers* internacionales.

Yo no ignoraba que los Estados Unidos le otorgaban fundamental importancia a los dos primeros temas, pero me sorprendió que la embajadora mencionara el tercero con tanto énfasis. Como se trataba de una cuestión totalmente nueva para mí, le pedí a Carla Hills algunas precisiones.

Ella me leyó un memorándum que le había preparado su *staff,* que decía que en el año '87 el presidente de Encotel, el correo oficial argentino, había dictado una resolución estableciendo que cualquier envío de correspondencia desde el exterior, del tipo *courier,* debía pagar 14 dólares como canon. Explicaba además que, en la práctica, el correo oficial y los correos privados de la Argentina no pagaban ese canon y que, por lo tanto, se trataba de una virtual tarifa discriminatoria en contra de los correos extranjeros. Frente a esta circunstancia (ningún otro país del mundo había establecido nunca una barrera semejante a la operatoria de los *couriers* internacionales), el gobierno norteamericano había reclamado ante las autoridades argentinas, y finalmente a fines de 1988 el propio presidente de Encotel había firmado un compromiso de eliminación de ese canon. Pero —concluía el informe— esa decisión nunca se había efectivizado.

Cuando regresé a Buenos Aires, llamé al ministro de Obras y Servicios Públicos, Roberto Dromi, de quien dependía Encotel. Él tampoco estaba al tanto del tema pero me prometió interiorizarse y adoptar una decisión. En varias reuniones posteriores, los funcionarios norteamericanos insistieron con el reclamo y, en todos los casos, volvimos a trasladar el tema al Ministerio de Obras y Servicios Públicos. Pero no hubo resolución alguna.

En una oportunidad yo planteé el tema en reunión de gabinete nacional y me resultó extraña la contestación de Roberto Dromi, quien dijo algo así como "no le podemos hacer eso al *Amarillo*", dirigiendo su mirada al Presidente. Menem cambió de tema. Cuando terminó la reunión y dejamos la sala se me acercó José Luis Manzano, que por entonces era jefe del bloque de diputados justicialistas y como tal concurría a esas reuniones, y me tradujo los términos de Dromi.

Manzano advirtió que yo no había entendido la alusión de Dromi y entonces consideró importante explicarme que su expresión "el *Amarillo*" hacía referencia a Alfredo Yabrán, el propietario de Ocasa y otros correos privados, y socio de la Fuerza Aérea en los servicios aeroportuarios. Me dijo que este hombre tenía fuerte influencia y muchas conexiones con miembros del gobierno y que por eso no se respondía el reclamo de los Estados Unidos. Esa fue la primera vez que escuché el nombre del enigmático empresario.

Poco tiempo después, durante una nueva conversación con Roberto Dromi, me dijo que era imposible eliminar el canon de entrada a la correspondencia rápida procedente del exterior. Cuando yo le pregunté las razones, con un gesto de picardía me sugirió que me interiorizara sobre el contrato que había firmado la Caja Nacional de Ahorro y Seguro —que dependía del entonces ministro de Economía Erman González— con Ocasa para distribuir las cartas-facturas de las principales empresas públicas. Para entonces, ya existía gran tensión entre Dromi y González.

De las expresiones de Manzano y Dromi yo creí entender que la gran influencia de Alfredo Yabrán se ejercía a través de Erman González. Pronto me interiorizaría del tema, ya que pocas semanas después yo reemplazaría tanto a Dromi como a González en la titularidad de sus respectivos ministerios. Por lo tanto, el tema de la eliminación del canon pasaría a ser mi responsabilidad.

Como canciller mi preocupación fundamental era, naturalmente, que la Argentina cumpliera con los compromisos internacionales que había asumido, como para poder exigir a su vez que se respetaran nuestros intereses y derechos. Pero como ministro de Economía y Obras y Servicios Públicos comencé a interesarme, además, en que la población contara con buenos servicios postales. Y el canon de la discordia encarecía significativamente la correspondencia rápida procedente del resto del mundo, en perjuicio de los usuarios.

En las primeras conversaciones que tuve con Abel Cuchietti —el nuevo interventor de Encotel— comencé a informarme sobre la realidad de los servicios postales en general, y no sólo de aquellos que estaban afectados por el canon. Advertí de inmediato que Cuchietti, quien había sido dirigente de AATRA (Asociación de Telegrafistas de la República Argentina, el gremio más profesionalizado de Encotel), conocía muy bien lo que estaba ocurriendo en el mercado postal.

Además, en esos días yo había estudiado a fondo el contrato entre la Caja Nacional de Ahorro y Seguro y un grupo de empresas liderado por Ocasa para el envío de facturas de las empresas públicas —al cual ya me referí en el capítulo anterior— porque había llegado a mi despacho un proyecto de decreto aprobatorio, que había redactado una asesora de Erman González en los días anteriores al cambio de ministro.

Recién en ese momento conocí los antecedentes de la privatización de los servicios postales en la Argentina. En la segunda mitad de los 70, cuando comenzó a aparecer la idea de la privatización periférica, Ocasa consiguió que el Banco de la Nación Argentina contratara con ella el transporte de bolsas con documentación entre sus sucursales, un servicio vinculado al llamado *clearing* bancario. Gradualmente fue extendiendo la prestación de este servicio a otros bancos, mientras iban apareciendo algunas otras empresas similares.

Todas estas empresas estaban en condiciones de prestar sin costos adicionales servicios de correspondencia para otros clientes. Así, gestionaron y finalmente consiguieron que Encotel, que hasta ese momento actuaba como monopolio, les otorgara permisos para llevar correspondencia en general, con la condición de que por cada envío le pagaran un canon postal. La idea era que el correo oficial, en definitiva, siguiera cobrando todos los envíos que se hicieran a través de los permisionarios como si se hubiera utilizado el servicio de carta simple de la empresa oficial, y que los usuarios estarían dispuestos a pagar un importe adicional a las empresas privadas por la mejor calidad del servicio en términos de velocidad y seguridad.

Una vez que el negocio de los permisionarios adquirió cierta magnitud, Ocasa fue controlando por métodos muy variados y de manera no transparente casi todas las demás empresas de este tipo. Al mismo tiempo, comenzó a influir sobre la administración de Encotel. Esta influencia se tradujo en una serie de malas decisiones de la empresa estatal, que claramente favoreció la captación de porciones crecientes del mercado postal por parte de los permisionarios.

Encotel fue desmantelando su flota de vehículos y comenzó a contratar el transporte de su correspondencia. Del mismo modo, fue restringiendo el otorgamiento de nuevos permisos, y prácticamente dejó de participar en las licitaciones realizadas por empresas y organismos públicos para contratar servicios de correspondencia, incluida la distribución de cartas facturas. En el límite de su vaciamiento, este continuo proceso de destrucción de Encotel se fue plasmando en un conjunto de normas regulatorias dictadas por la empresa, que, extrañamente, favorecían la cartelización del mercado postal.

Uno de los sindicatos también tuvo su cuota de responsabilidad. El personal de los correos privados estuvo siempre afiliado al gremio de los trabajadores de las empresas de transporte de cargas, y no al sindicato principal del correo oficial, la FOECyT (Federación de Obreros y Empleados de Correos y Telégrafos). El líder de este sindicato, Ramón Baldassini, de inocultable relación con los grupos privados competidores de Encotel, encabezó reiterados conflictos gremiales contra la empresa oficial, que en varias oportunidades entorpecieron y paralizaron sus servicios.

Resultaba poco consistente, además, tan alta conflictividad cuando, en términos comparativos, el convenio que regulaba las relaciones laborales en Encotel era mucho más beneficioso para los trabajadores que el de los correos privados, el cual no contemplaba bonificaciones ni premios tan amplios y, además, incluía una carga horaria de trabajo superior a la de los representados por la FOECYT.

La política del gremio para con el correo oficial, de hecho, favoreció la expansión de los negocios de los correos privados. Su escaso compromiso para con Encotel también se hizo notar en su falta de preocupación por el esclarecimiento de los robos de bolsas de correspondencia, que aumentaron su frecuencia y sistemáticamente afectaron mucho más a Encotel (luego Encotesa) que a las empresas privadas.

En las licitaciones del sector público el correo oficial estaba casi siempre ausente —en algunos casos debido a que los pliegos comenzaron a establecer condiciones que impedían su participación—, y los precios que se habían empezado a determinar en los contratos fueron cada vez más elevados. Aparecían compitiendo varias empresas privadas, pero las ofertas ponían claramente en evidencia la existencia de un acuerdo previo entre ellas para asegurar precios altos.

Desde mediados de la década del 80, hasta la llegada de Cuchietti a la presidencia de Encotel, las normas dictadas por los funcionarios del correo oficial apuntaron a perfeccionar esta organización, claramente perjudicial para los usuarios pero fuertemente beneficiosa para los permisionarios.

Una de esas normas fue el establecimiento del canon a la entrada de correspondencia rápida del exterior. Tal cual me lo había explicado Carla Hills, pude comprobar —por cómo se liquidaba el pago de este canon— que en la práctica los permisionarios locales estaban eximidos del mismo, mientras que las empresas extranjeras que prestaban el servicio debían pagar 14 dólares por cada pieza de correspondencia entrada al país.

Pronto pude descubrir que ese canon fue el mecanismo utilizado para que la competencia externa no obstaculizara el proceso de cartelización local, dado que el control directo o indirecto de los servicios locales de las empresas extranjeras había probado ser mucho más complejo que en el caso de las empresas argentinas. Un intento de copamiento de DHL por parte de personas vinculadas a Ocasa, que se originó en el proceso de venta apresurada de las acciones de la empresa inglesa a inversores locales en la época de la guerra de las Malvinas —a pesar de haber sido apuntalado por pedidos de informes de legisladores nacionales y contar claramente con apoyo de los funcionarios de Encotel—, había terminado por generar fuertes conflictos legales, complicación que no había tenido el proceso de control sobre las empresas locales.

En el caso de las pequeñas y medianas empresas nacionales que prestaban servicios de correspondencia en distintos puntos del país, su copamiento o eliminación se fue produciendo a partir de una eficaz combinación de presión económica, exclusión de negocios (por ejemplo, en licitaciones públicas dirigidas a favor del grupo Yabrán) y actos mafiosos de violencia y amedrentamiento, tales como bombas, amenazas y ataques contra la integridad física o moral de sus propietarios o trabajadores.

Alguna o varias de esas metodologías fueron utilizadas sobre Expreso Los Pinos SRL, Cargo, AB Transportes, Mailcorp SA, Transclear SA, Seprit Postal, Rhodas Cargo Service, entre otras. Prácticamente todas —éstas y las demás PyMEs del mercado— sufrieron la imposición por parte de Encotel de regulaciones muy exigentes (y sin relación alguna con los servicios limitados que muchas de ellas prestaban) tanto en materia de tamaño y características de la flota de vehículos, como en requisitos en materia de personal y otras condiciones de funcionamiento, que sólo podían ser satisfechas por los permisionarios antiguos y que, de hecho, impedían la entrada de nuevas empresas.

Esta manía regulatoria, lejos de revertirse, se acentuó durante la primera parte de la gestión del presidente Menem, cuando —hacia febrero de 1990— asumió como interventor de Encotel el señor Raúl Vaccalluzzo, rodeado por asesores que a la vez pertenecían a empresas de Yabrán, tales como el abogado Carlos Cofiño (ex apoderado de Oca, ex vicepresidente de la Asociación de Permisionarios en nombre de Ocasa), con quien compartía el estudio jurídico en la Capital Federal, o el comisario Carlos Juvenal Romero Villar, presidente de Orgamer, una empresa de seguridad del mismo grupo.

Durante su gestión, los permisos de Encotel para funcionar como correo privado, que se otorgaban por el plazo de cinco años y cuya renovación habitualmente se solicitaba cinco o seis meses antes de su vencimiento, fueron renovados con enorme anticipación a empresas vinculadas con el "denominador común" Alfredo Yabrán. A Ocasa (empresa reconocida como propia por ese empresario), cuyo permiso vencía el 26 de marzo de 1995, le fue prorrogado hasta el año 2000 el 30 de noviembre de 1990, esto es, cuatro años y medio antes de su vencimiento. A Oca, cuyo vencimiento se produciría el 20 de enero de 1995, se le renovó hasta el 2000, con una anticipación de cuatro años y medio, el 26 de septiembre de 1990. Y a Skycab SA (cuyo vicepresidente integraba la Comisión Asesora del interventor), que tenía un permiso que caducaría el 22 de noviembre de 1992, le fue renovado hasta 1997, el 25 de octubre de 1990, es decir, con una anticipación de más de dos años.

Eso no fue todo. El interventor tomó una decisión clave para los intereses oligopólicos del grupo Yabrán: determinó el cierre del registro para nuevos permisionarios y la prohibición para todos aquellos que, habiendo obtenido la autorización, no hubieran comenzado a operar.

Finalmente, Vaccalluzo fue quien también prorrogó el contrato de servicio postal pre y postaéreo a favor de Ocasa. Ese contrato vencía el 30 de septiembre de 1991 y, un año antes de su vencimiento (el 28 de septiembre de 1990), fue extendido por cuatro años más, al mismo precio pero mejorando las condiciones de pago al contratista. No se trataba, además, de cualquier servicio: su definición en el proyecto de ley de correos aprobada por el Senado a fines de 1994 permitía que los cargamentos pasaran directamente de las aeronaves a los blindados de transporte terrestre sin intervención de autoridad de control alguna para desplazarse luego por el territorio del país con la "inmunidad de la correspondencia". Este fue uno de los principales puntos que cuestioné en mi tan ajetreada presencia en el Congreso el 23 de agosto de 1995.

Hacia mediados de 1991, la consecuencia práctica de esta seudoprivatización de los servicios postales había sido desastrosa para el país. Los precios de los servicios privados superaban entre cinco y diez veces a los cobrados por servicios similares en el exterior, y la calidad de las prestaciones de Encotel se había deteriorado muchísimo. La consecuencia fue una drástica reducción en la utilización de los servicios postales por parte de la población.

Frente a este panorama, Abel Cuchietti adoptó dos decisiones simples que apuntaban a introducir competencia en el mercado postal. Primero, eliminar el canon a la entrada de correspondencia del exterior, cumpliendo, de paso, con el compromiso que el gobierno anterior había establecido con los Estados Unidos. Y, luego, reabrir el registro de permisionarios para facilitar la entrada de nuevos actores al mercado.

Ciertamente, Cuchietti desconocía las consecuencias personales de estas dos resoluciones. Pocos meses después sería procesado por la jueza María Servini de Cubría por los cargos de defraudación al fisco y abuso de autoridad a partir de la denuncia penal que le formuló el diputado radical Raúl Baglini. El argumento era que el presidente de Encotel, al eliminar el canon, había provocado una reducción no justificada de los ingresos de la empresa estatal.

A menos de una semana de tener noticias del procesamiento, explotó en su domicilio una bomba similar a la que minutos antes había sido detonada en la sede de la empresa Cargo, que se había organizado a partir de la apertura del registro, y que había logrado desplazar a una de las empresas del cartel como prestadora de servicios al Banco Israelita de Córdoba. Por si esto fuera poco, unos meses después fue atacado por dos desconocidos, quienes con un elemento contundente le quebraron una pierna.

Cuchietti siempre estuvo convencido de que los ataques que sufrió fueron represalias por las decisiones que había adoptado para mejorar el funcionamiento del mercado postal. Agobiado por esta realidad y por una desconsiderada sugerencia de dar un paso al costado que le hiciera el entonces secretario legal y técnico de la Presidencia Carlos Corach, decidió renunciar al cargo de presidente de Encotel.

Por la misma época, me visitaron empresarios argentinos que habían comenzado a incursionar en el mercado postal a partir de la apertura impulsada por Cuchietti, para informarme de las agresiones que estaba recibiendo su personal. Estas agresiones iban desde bombas hasta el virtual secuestro de los conductores de las camionetas que transportaban la correspondencia.

Ellos atribuían estas amenazas al grupo de permisionarios integrante del cartel. Aunque siempre aclaraban que no lo podían probar, en todos los casos señalaban como responsable de estas acciones a Alfredo Yabrán. Data de esa época la visita que me hizo el presidente de DHL, Ricardo Giacchino, acompañado por Roberto Alemann, para interiorizarme del intento de copamiento de su empresa por parte de personeros de Yabrán.

Como yo ya había estudiado y anulado el alevoso contrato entre la Caja Nacional de Ahorro y Seguro y el grupo de empresas lideradas por Ocasa para la distribución de cartas facturas de varias empresas del Estado, y había comenzado a conocer, por la denuncia de Franco Caviglia y los informes de la Aduana, la intervención del grupo Yabrán en los negocios del aeropuerto de Ezeiza, empecé a sospechar que estábamos frente a algo más que un simple grupo empresario con vocación monopólica, como los que se habían creado al amparo de las viejas regulaciones en varios sectores de la economía. Pero, a esta altura, eran sólo sospechas.

Por esos días recibí en mi despacho la visita de monseñor Marcelo Martorell, a quien yo conocía de Córdoba porque era el que, en la práctica, manejaba las finanzas del Arzobispado. Algunos años antes habíamos compartido un almuerzo en la casa de don Fulvio Pagani, presidente de Arcor y de la Fundación Mediterránea, en honor del cardenal Raúl Primatesta. En esa oportunidad habíamos hablado de los cambios organizativos que requería la economía argentina, y de muchos otros temas de la realidad nacional. Esta clase de contactos entre la Fundación y el Arzobispado se hacían en el marco de la camaradería institucional, con cambios de opinión sobre cuestiones generales de la provincia y el país; de modo que nunca habíamos intercambiado información sobre temas de interés puntual, tal como el que, en este caso, el colaborador de monseñor Primatesta me plantearía en la entrevista.

Monseñor Martorell me explicó que por consejo de Hugo Franco —interventor de Somisa, en la primera época de Menem, y luego subsecretario de Seguridad del Ministerio del Interior y actual subsecretario de Migraciones del gobierno nacional— el Arzobispado de Córdoba había decidido invertir prácticamente la totalidad de sus recursos en la empresa de correos Oca. Ellos entendían que Alfredo Yabrán era un empresario honesto, que contribuía con frecuencia en obras de caridad, y me pedía que lo recibiera para conocerlo y para que yo despejara las dudas que tenía sobre su accionar.

Acepté el consejo, porque sentía y siento mucho respeto por el cardenal Primatesta y sus colaboradores, y le dije a monseñor Martorell que recibiría a Alfredo Yabrán tan pronto me solicitara una audiencia. Así surgió mi primera reunión con el empresario.

Yabrán me impresionó como un hombre parco, de mirada esquiva, poco educado pero muy inteligente. Me dijo que él siempre había querido tener un perfil muy bajo, pero que era muy tesonero e iba a seguir invirtiendo en el país para consolidar sus actividades. Me aseguró que él operaba dentro de la ley, que todo lo que se decía sobre ataques a sus competidores eran inventos de empresarios incapaces, y que él esperaba que yo, como ministro de Economía, no me guiara por versiones infundadas.

Le pregunté, entonces, si era realmente el propietario de las principales empresas de correo privado. Me dijo que en la práctica sí, aunque los accionistas eran muchas veces parientes o amigos. Ante mi insistencia sobre por qué no figuraban a su nombre, me explicó que estas empresas se constituían con muy poco capital, y que él prefería que las personas de su organización se sintieran copropietarias de los negocios que ayudaban a llevar a cabo. El entendía que no se violaba ninguna norma y que mientras esta conformación facilitara un cierto grado de competencia entre las empresas, a él le permitía evaluar mejor la calidad gerencial de los directivos y estimulaba su creatividad empresaria.

Sin dejarme seducir, le comuniqué que, ante las sospechas que había ido desarrollando sobre el accionar del grupo, había solicitado a la DGI que investigara el grado de cumplimiento de las obligaciones fiscales de sus empresas. Le anticipé que, además de lo que me había dicho el padre Martorell y lo que él mismo me estaba diciendo en esa entrevista, para formarme una mejor opinión prestaría mucha atención a los informes de la Dirección General Impositiva.

De paso, utilicé varios minutos para explicarle cómo se habían adaptado los grupos económicos que antes desarrollaban prácticas monopólicas en el contexto de las viejas reglas de juego al clima más abierto y competitivo que emergía del proceso de desregulación y privatización, apuntalado por la estabilidad de precios que estábamos logrando. El me dijo que su grupo también se adaptaría, y que sólo esperaba que yo no actuara con prejuicios en su contra.

La reunión no revirtió mis sospechas pero me creó la esperanza de que, como había ocurrido en tantos otros casos, Alfredo Yabrán también pudiera ser disciplinado por las reglas de la competencia.

A partir de esa audiencia comencé a pensar en la conformación de una conducción empresaria para Encotel, capaz de transformar a la empresa como José Estenssoro lo había hecho con YPF, de tal manera que al momento de su privatización no estuviera capturada por sus competidores y pudiera funcionar como un correo oficial eficiente.

Hasta ese momento, a pesar de que la Ley de Reforma del Estado había autorizado la concesión de los servicios postales, la Secretaría de Obras y Servicios Públicos había proyectado la transformación de Encotel en una sociedad anónima que seguiría siendo mayoritariamente del Estado, otorgaría una cierta participación a su personal, y vendería el 35% de las acciones a un inversor operador con experiencia en mercados postales del exterior.

En realidad el decreto, que a sugerencia de esa secretaría firmamos con el presidente Menem, establecía que el inversor operador debía ser un miembro de la Unión Postal Universal (UPU), es decir, un correo oficial del exterior. Estos eran en su gran mayoría correos estatales, por lo cual se comenzó a argumentar que más que una privatización estábamos proyectando una desnacionalización.

Yo tenía la impresión de que la crítica se originaba precisamente en el intento de los correos privados de Yabrán de adquirir el correo oficial y recrear, con el respaldo de la ley, un monopolio privado. Como este proceso de privatización requería aprobación parlamentaria, porque no era una simple concesión de servicios postales, decidimos concentrarnos en la transformación de Encotel en Encotesa, para llevar adelante una reestructuración que la transformara en un eficiente correo oficial como paso previo a la privatización, mientras continuábamos estudiando la mejor forma de privatizarla.

Encotel se transformó en Encotesa, y como ministro de Economía me tocó designar a su directorio. Decidí poner al frente de esta sociedad anónima a Haroldo Grisanti, que en los dos años anteriores había conducido con gran eficacia la privatización por partes de Agua y Energía, una de las grandes empresas eléctricas estatales, y contaba con un equipo que —en mi opinión— era el mejor preparado para hacerse cargo de la reestructuración del correo oficial.

Para que desde el inicio quedaran claras las reglas de juego dentro de las cuales debía operar Encotesa, dictamos el decreto de desregulación que eliminó toda posibilidad de cartelización al establecer requisitos razonables para la entrada de cualquier empresa al mercado postal, y además autorizó la autoprestación del servicio para cualquier empresa o persona. Para que la competencia fuera efectiva se eliminó el canon equivalente a una estampilla de carta simple que había regido desde el otorgamiento de los primeros permisos.

Yo decidí incluir, además, una cláusula que disponía la exclusividad para Encotesa de los servicios postales que demandara el sector público nacional, incluida la Capital Federal. Consideré que así se cortaba de cuajo la práctica de los años anteriores, de hacer licitaciones que excluían al correo oficial, y en las que los participantes se ponían de acuerdo para terminar cobrando precios exorbitantes.

Muy rápidamente Encotesa se transformó en una empresa eficiente, no sólo en la prestación de la carta simple sino en el de la carta factura, mercado en el que, a causa de la gran competencia originada por la entrada de empresas pequeñas y medianas, los precios se desplomaron.

Sin embargo, las empresas del grupo no se quedaron quietas. Apenas entró en vigencia el decreto de desregulación comenzaron una campaña tendiente a que se eliminara la cláusula de exclusividad en favor de Encotesa para las contrataciones del sector público. Esta campaña se hizo, por un lado, a través de comunicadores como Daniel Hadad y Bernardo Neustadt, y también a través de notas y solicitadas de la Unión de Empresas y Servicios (UDES), cuya sede social era justamente propiedad de una de las empresas de Yabrán.

Debido a que a la UDES estaban asociadas entidades empresarias importantes, como la Asociación de Bancos Argentinos por ejemplo, decidí convocar a sus miembros a una reunión en mi despacho y explicarles los beneficios que esperábamos del decreto de desregulación de correos. En general, los representantes de las distintas entidades se limitaron a escucharme, mientras que el señor Nelson Pozzoli, presidente de Oca y de la Cámara de Correos Privados, planteó los reclamos del sector.

Cuando yo le dije a Pozzoli que las empresas del grupo al que Oca pertenecía se habían cartelizado en perjuicio de todos los usuarios y en particular del sector público, me contestó que Oca no pertenecía al señor Yabrán, a quien él, por otro lado, ni siquiera conocía. Yo le pedí que no mintiera, porque algunos meses antes Alfredo Yabrán en persona me había reconocido tener el control de Oca. Además, lo mismo me había dicho el padre Martorell. Poco tiempo después me enteré que Pozzoli, antes de pasar a dirigir Oca, había integrado el directorio de Ocasa, la empresa de correos cuya propiedad Yabrán nunca ocultó.

Algunos meses más tarde llegó a la Secretaría Legal y Técnica de la Presidencia un proyecto de decreto derogando el de desregulación de correos. El secretario legal y técnico me dijo que había sido proyectado por Esteban Caselli, y solicitaban mi firma para darle curso. Como el autor del proyecto de decreto era funcionario de la Secretaría General, y yo tenía muy buen diálogo con Eduardo Bauzá, fui a verlo preocupado por esa iniciativa.

Para mi asombro, Bauzá me relató un suceso que yo desconocía y, obviamente, reprobé. Me dijo que Alfredo Yabrán había enviado una primera remesa de 4 millones de dólares para la campaña electoral del plebiscito que por entonces se planeaba llevar a cabo para lograr la reelección de Menem, y, además, que se comprometía a financiar toda esa campaña si salía el decreto que proponía Caselli. Aún no se había arribado al acuerdo denominado "Pacto de Olivos", y el tema de la reforma constitucional para la reelección era la obsesión del Presidente.

Después de que le explicara en qué consistía el proyecto de decreto, Bauzá estuvo de acuerdo conmigo en que se trataba de una propuesta inmoral y se comprometió a devolver el dinero que había traído Caselli. Por supuesto, el decreto que quería Yabrán nunca fue firmado, y poco tiempo después Bauzá hizo renunciar a Caselli de su cargo, aunque éste siguió deambulando por los pasillos del poder sin que se supiera cuál era su verdadera función.

Al mismo tiempo que realizaban este tipo de gestiones, las empresas del grupo Yabrán comenzaron a hacer reclamos judiciales por el artículo que establecía la exclusividad de Encotesa, y consiguieron recursos de amparo a su favor.

Yo decidí que era prudente eliminar la reserva del mercado público para Encotesa, pero estableciendo que los organismos no podrían excluir a esa empresa de las licitaciones que realizaran para contratar los servicios. Envié el decreto respectivo, y fue aprobado por el Presidente. La desregulación continuaba intacta y yo creía haber removido el único argumento defendible en su contra.

En los meses siguientes, los éxitos tanto de la reestructuración de Encotesa como los de la desregulación del mercado postal eran cada vez más evidentes, y decidí retomar el tema de la privatización del correo oficial, aunque no de la manera en que había sido proyectado en aquel decreto que nunca había tenido el tratamiento parlamentario. La idea era ir adelante utilizando las facultades otorgadas al Poder Ejecutivo por parte del Congreso mediante la Ley de Reforma del Estado, la cual ya había autorizado la privatización de los servicios de correos.

En lugar de vender el 35% del paquete accionario de Encotesa, decidimos que lo más conveniente sería licitar la concesión del servicio postal universal que venía prestando Encotel. El consorcio que ganara la licitación debía contemplar la participación, como operador, de un miembro de la UPU, con experiencia en un país con buenos servicios de correo, y también la participación accionaria del personal.

Además, pensábamos establecer que ninguna empresa competidora del correo oficial en el mercado argentino pudiera tener el control del paquete accionario de la empresa que ganara la concesión, de forma tal de prevenir cualquier proceso de cartelización. No era necesario dictar ninguna norma regulatoria adicional porque la ley de correos en vigencia y el decreto de desregulación conformaban un marco normativo suficientemente claro, que ya había demostrado su eficacia para promover la mejora en la calidad de los servicios y la baja de los precios.

Todo lo que se necesitaba para poner en marcha este mecanismo era un decreto simple del Poder Ejecutivo que anulara aquel que había dispuesto la venta del 35% del paquete accionario de Encotesa, y que nunca había sido aprobado por el Congreso. En realidad, reconocíamos que había sido un error no haber utilizado la atribución que la Ley de Reforma del Estado había dado al Poder Ejecutivo desde el vamos.

Nuestra intención se vio trunca porque el presidente Menem no quiso firmar este decreto. Argumentó, en ese momento, que un grupo de legisladores sostenía que, de todas maneras, era necesaria la sanción de una nueva Ley de Correos y un nuevo marco regulatorio antes de avanzar con la licitación del correo oficial.

En esos días me pidió una audiencia el ex diputado César Jaroslavski, que había sido jefe del bloque radical y había contribuido mucho a la firma del Pacto de Olivos. Me anticipó que quería hablar del tema de correos. Como tenía y tengo un alto concepto de él lo recibí sin inconvenientes en mi despacho. En esa oportunidad Jaroslavski me sugirió una nueva reunión mía con Yabrán para tratar de arribar a un consenso del que participaran también los antiguos permisionarios, que eran quienes en realidad se estaban oponiendo a la privatización que nosotros queríamos llevar adelante.

Me pareció que valía la pena seguir su consejo y hacer un nuevo intento de persuasión para que Yabrán se convenciera de que las nuevas reglas de juego del mercado postal eran irreversibles. Fue así que acordamos una reunión, a la que yo iría acompañado por el presidente de Encotesa, Haroldo Grisanti.

La conversación tuvo lugar mientras cenábamos los tres en una sala exclusiva del primer piso de "Bleu, Blanc, Rouge", en la esquina de Demaría y Sinclair, restaurante que hoy ya no existe. Luego de algunos intercambios irónicos sobre la dura pulseada que habíamos mantenido por el decreto de desregulación, le pedí a Haroldo Grisanti que le contara los resultados que estaba obteniendo en su gestión al frente de Encotesa.

Luego le manifesté que consideraba que el decreto de desregulación había dado muy buenos resultados y que —en mi opinión— no debía modificarse. A su vez, le expliqué qué idea teníamos para la privatización. El se quejó fuertemente de que tal como yo se lo explicaba, quedaría excluido su grupo empresario de la posibilidad de ser el concesionario del correo oficial. Yo le manifesté que eso sería así porque no podíamos consentir la conformación de un virtual monopolio.

Ante la insistencia de Yabrán sobre lo injusto que era negarle la posibilidad de adquirir el correo oficial, dada su larga trayectoria como empresario de correos privados, se me ocurrió en ese momento plantearle una idea. Sugerí que podrían coexistir y competir entre sí dos correos oficiales, uno que surgiera de concesionar los servicios de Encotesa en la forma en que nosotros lo planteábamos, y otro que podría conformar su grupo de correos privados, a partir de su fusión, en la medida que aseguraran la misma cobertura geográfica. Este segundo tendría las mismas prerrogativas del primero, es decir, podría ser también corresponsal de la UPU para el servicio postal universal, y competiría con el otro correo oficial en el mercado del telegrama y la carta documento. Por supuesto, se mantendría la posibilidad de autoprestación (que cada empresa se pueda autoproveer del servicio) y la libre entrada de empresas pequeñas y medianas al mercado postal.

Yabrán descartó totalmente esta alternativa. Argumentó que Encotesa era irrecuperable, que terminaría desapareciendo como empresa, y que sólo podía haber *un* correo oficial, aquél al que él tenía derecho por haber sido el verdadero mentor de la privatización de los servicios de correo en la Argentina. Me anticipó que no daría el brazo a torcer y que yo no podría avanzar con mi idea, no sin antes aclararme que un correo barato, de cartas a un peso, carecía de todo interés para él. Visto hoy a la distancia no puedo menos que sentirme satisfecho: gracias a la desregulación, el buen servicio del correo oficial y la competencia, sus propias empresas han tenido que resignarse a ofertar la carta simple a... un peso.

El tono amenazante de sus palabras y la seguridad con que hablaba terminaron de convencerme de que estaba ante un empresario muy diferente de todos los demás. Sobre el final de la charla, una escena, tal vez secundaria respecto del tema de fondo que habíamos estado tratando, nos dio un fiel reflejo del perfil del interlocutor.

Grisanti le preguntó a Yabrán acerca de su familia. Tras hablarnos de sus hijos, nos comentó que no estaba muy seguro de introducirlos en el manejo de sus negocios. A Grisanti, entonces, se le ocurrió hacerle una sugerencia a partir de su propia experiencia personal:

—Yo tuve una empresa familiar y sé lo difícil que es poder compatibilizar la vida de familia con los negocios. Me parece que es conveniente que los hijos estudien, y que, luego, ellos elijan lo que hacen, sin que los presionemos para que se metan en las actividades empresarias que nosotros decidimos hacer. Además, dígame, Yabrán: ¿para qué quiere usted más plata de la que ya tiene?

Yabrán lo miró con cierto aire de superioridad y, poniéndole una mano sobre su hombro, le dijo:

—Grisanti, usted no sabe lo que es el poder.

En los días subsiguientes, la DGI me interiorizó sobre las múltiples evasiones que había detectado en las empresas del grupo, al que veía como el organizador del sistema de las facturas truchas que acababa de descubrir.

Ramón Baldassini, el dirigente del gremio postal que en el pasado había aceptado la idea de una asociación de su gremio con las empresas de Yabrán para hacerse cargo de funciones del correo oficial, y que había promovido los paros del personal de la vieja Encotel en beneficio de los permisionarios privados, hizo una denuncia pública de supuestas irregularidades cometidas por el directorio que presidía Haroldo Grisanti. El fiscal Raúl Plée llevó esa denuncia ante el juzgado del juez Adolfo Bagnasco, quien dispuso el procesamiento de Grisanti y los demás integrantes del directorio.

Los problemas con los correos privados continuaron y la capacidad de éstos de controlar las licitaciones públicas siempre mostraba una arista nueva. Eran comunes los contratos discriminatorios respecto de Encotesa, es decir, licitaciones públicas u otros instrumentos de contratación con cláusulas que impedían la participación como oferente del correo oficial. Exigían, en general, determinado tipo de vehículos o uniforme del personal, antigüedad empresaria (Encotesa era una sociedad anónima reciente pero continuadora obvia de la histórica Encotel, lo cual no se tomaba en cuenta a la hora de calificarla) u otro tipo de requerimientos absolutamente secundarios respecto del objeto de contratación, pero elaborados a la medida de lo que las empresas del cartel del correo presentaban en sus propios folletos como elementos de los que disponían para la prestación del servicio postal.

Ya habíamos percibido esa clase de discriminación —en contratos de la Municipalidad de la Ciudad de Buenos Aires, el Banco de la Ciudad, la Obra Social de la Fuerza Aérea, la Administración Nacional del Seguro de Salud, el Ministerio de Justicia y la Municipalidad de La Plata— cuando tomé conocimiento de la "Licitación pública 249/93 del Banco Hipotecario Nacional-Servicio de distribución y acondicionamiento de distintos tipos de documentación emitida por el Banco".

Se trataba del envío de unos 220.000 talones de pago mensuales a los deudores del banco, un servicio que ya era prestado por

Ocasa a un valor de 1,82 pesos, y que, dada la finalización del contrato, había que licitar nuevamente. Ese solo negocio permitía a Yabrán facturar casi medio millón de pesos al mes.

A pesar de ser un servicio sumamente sencillo, en el llamado a licitación se incorporó una serie de cláusulas limitantes para la participación de Encotesa (infraestructura, vehículos, control, antigüedad), todas las cuales operarían para la calificación de un modo mucho más importante que el precio. El correo oficial, que prestaba servicios similares a precios muchísimo más bajos, bajo esa fórmula quedaba afuera.

Los dos directores de mi mayor confianza dentro de los seis que conformaban la conducción del banco, Daniel Efkhanián y Luis Cerolini, habían percibido este despropósito y en la reunión del 15 de junio de 1994 fueron los únicos que votaron en disidencia el pliego de licitación, aprobado con la anuencia de la mayoría que encabezaba su propia presidenta: Adelina D'Alessio de Viola.

No era necesario ser un experto en correos para saber que el precio que Ocasa venía (y pretendía seguir) cobrando al banco era una barbaridad. Bastaba una simple comparación. Los sesenta bancos que brindaban al Hipotecario el servicio de cobrar las cuotas de los préstamos otorgados (cobro en ventanilla, rendición de cobranzas, soporte magnetizado del servicio) facturaban por su trabajo el 1% de lo recaudado (unos 20 millones de pesos al mes), es decir, 200.000 pesos mensuales. Yabrán, por el simple servicio de llevar una carta, sin importar si quien la recibe paga o no el talón, se llevaba alrededor de 400.000 pesos por mes.

Este tema me generó un choque muy fuerte con Adelina D'Alessio de Viola, que incluyó un duro cambio de palabras en la antesala del despacho presidencial, reproducido luego por la prensa. Desde Economía sugerimos eliminar las cláusulas discriminatorias, lo cual motivó que las empresas del cartel —Ocasa, Oca, Andreani, Skycab— decidieran retirarse de la licitación.

El 18 de julio de 1994 (el mismo día del atentado a la AMIA, la mutual de la comunidad judía), el vicepresidente del Banco Hipotecario que más luchó frente a esta licitación, Luis Cerolini, retornó a su casa de un viaje con su familia y la encontró violentada, revuelta y llena de pintadas amenazadoras. A los pocos días, un anónimo en la puerta le advertía que su vida correría peligro "si nos tocás". Otros funcionarios de mi equipo, Guillermo Seita y Pablo Rojo (éste mientras redactaba el decreto de desregulación postal), habían recibido amenazas o ataques similares, siempre conectados con decisiones inconvenientes para el grupo Yabrán.

Finalmente el servicio fue adjudicado al Correo Argentino (Encotesa) que ofertó un precio de 0,40 pesos por envío, un valor casi cinco veces menor al que venía cobrando Ocasa. Esto implicó para el Estado un ahorro de más de 300.000 pesos mensuales. Tomando la duración total del contrato (cinco años), ese ahorro equivale a entre 18 y 20 millones de pesos. Ocasa hizo una denuncia judicial en mi contra por haber sugerido al Banco Hipotecario Nacional eliminar de las bases de la licitación las cláusulas que restringían la participación del correo oficial.

Algunos meses después, sin que nosotros tuviéramos ninguna noticia de su tratamiento, el Senado de la Nación dio media sanción a un proyecto de ley que en la práctica anulaba el decreto de desregulación del servicio postal. También les daba a todos los correos inmunidad para que los vehículos de transporte de correspondencia de aire, mar y tierra pudieran recorrer el país sin ser detenidos por las fuerzas de seguridad ni por la Aduana sin orden judicial previa, con sus obvias consecuencias favorables para la expansión del tráfico de elementos ilícitos. Y, finalmente, disponía la privatización del correo oficial, con procedimientos que no impedían la conformación de un monopolio privado.

Era noviembre de 1994. Yo me enteré de esa decisión mientras era interpelado en la Cámara de Diputados junto al ministro de Trabajo y Seguridad Social, Armando Caro Figueroa, por el proyecto del Ley de Solidaridad Previsional. Se me acercó un diputado de la provincia de Buenos Aires, con una copia del despacho de comisión de senadores que acababa de ser votado en el recinto, y me dijo:

—Los padres de la patria acaban de votar la entrega del correo a Alfredo Yabrán, mientras vos te desvivís por las jubilaciones de privilegio.

En los días subsiguientes me limité a denunciar que el proyecto de ley que acababa de recibir media sanción de senadores era aberrante. No sólo permitía conformar un monopolio privado, que volvería a encarecer los servicios postales, sino que además creaba un sistema de transporte sin control alguno que podría ser utilizado para introducir en el país *cualquier tipo de mercadería*.

A partir de ese momento, lo que estuvo en discusión ya no fue la privatización del correo oficial, sino lo que yo denominé el accionar de la mafia liderada por Alfredo Yabrán. Su respuesta a mi obstrucción pública del proyecto de ley en aquel momento aprobado por el Senado la dio a través de una de las pocas entrevistas que concedió en su vida a la prensa: "Perdí una batalla, pero la guerra no terminó", sostuvo temerariamente.

El tema volvió a salir a la luz pública cuando me hice presente en aquella recordada jornada del 23 de agosto en el Congreso, donde describí el accionar del cartel liderado por Yabrán y sus conexiones en el poder.

Sea porque mi persona no era querida por los jefes políticos de los bloques mayoritarios o porque mis denuncias rozaban a demasiadas personas influyentes, lo cierto es que el Congreso nunca se decidió a investigar un tema de tal importancia para el país. Menos que menos el procurador general de la Nación, el abogado riojano Angel Agüero Iturbe, quien con una velocidad sorprendente desestimó mis denuncias. Para que mi asombro fuera completo, en la edición de la revista *Noticias* consecutiva a mis once horas en Diputados, me enteré de que el propio presidente Menem al día siguiente había utilizado un avión de Yabrán para uno de sus viajes.

A la luz de los acontecimientos que siguieron a mi salida del gobierno, hoy tengo la clara convicción de que ese gesto del Presidente no fue casual. Era toda una señal acerca de cuál era su posición real respecto del grupo Yabrán: no era la que me decía cada vez que nos juntábamos en privado a tratar estas cuestiones, ni tampoco la que debió adoptar a fines de 1994 frente al proyecto de ley de correos aprobada por el Senado, que mandó congelar por la necesidad que tenía de evitar un conflicto con su Ministro de Economía poco antes de las elecciones. Hoy estoy convencido de que Menem nunca quiso ir a fondo contra la mafia del correo no por una cuestión de oportunidad, sino por una consciente decisión íntima de no tocar a Yabrán.

A principios de 1997, tanto la privatización de correos como la de los aeropuertos continúan siendo una tarea pendiente. Los proyectos que en la Jefatura de Gabinete se han venido trabajando para llevar adelante estos procesos privatizadores no son un obstáculo, sino más bien un puente a favor de los intereses del grupo empresario dirigido por Alfredo Yabrán.

Por lo demás, ningún proyecto en materia de privatizaciones

de correos y aeropuertos (y tampoco en materia de documentación personal o migraciones, donde también ha logrado colar sus intereses el mismo grupo) terminará con éxito para el país si antes no se desmantela la asociación ilícita que, en la práctica, ha llegado a controlar los resortes fundamentales de estos servicios.

Los aeropuertos capturados

La Argentina está muy lejos de los países más importantes del mundo, y tiene una geografía muy extensa. Por eso el transporte aéreo adquiere especial importancia. Un sistema eficiente de conexiones aéreas internas e internacionales, tanto para el transporte de mercaderías como de personas, constituiría un gran aliciente para el comercio de bienes y para el turismo. Además, el proceso de apertura comercial y aliento a las exportaciones hubiera requerido de un eficiente sistema de transporte de cargas aéreas.

A pesar de ello, la combinación del control por la Fuerza Aérea de los aeropuertos civiles con la propiedad estatal de la aerolínea de bandera, virtual prestadora monopólica de los servicios, llevó al país a un claro atraso, tanto en materia de servicios e infraestructura aeroportuarios como de vínculos aéreos locales e internacionales.

El gobierno de Menem tenía clara noción de esta realidad desde el inicio mismo de su gestión, entre otras cosas porque el Presidente quería transformar el turismo en un importante generador de empleos y de ingresos. Esto había formado parte de los discursos preelectorales y el secretario de Turismo, Francisco Mayorga, se encargaba de recordarlo en las reuniones de gabinete con mucha frecuencia.

Sin embargo, el transporte aéreo fue el que quedó más rezagado en relación con todos los otros sistemas de transporte durante la gestión presidencial de Menem. Las razones de este fracaso deben buscarse en los fuertes intereses que se fueron creando alrededor de los servicios aeroportuarios a partir de sociedades que decidió conformar la Fuerza Aérea con el grupo de empresas de Alfredo Yabrán. Aún hoy, ese factor está impidiendo una eficiente privatización del sistema de los aeropuertos.

La asociación entre la Fuerza Aérea y el grupo Yabrán comenzó durante la fase final del gobierno de Alfonsín. El depósito fiscal de Ezeiza, que era responsabilidad de la Fuerza Aérea, tuvo graves deficiencias en su operatoria y facilitó el contrabando durante aquellos años. Además, durante los últimos tiempos del gobierno radical, los problemas presupuestarios determinaron que la Aeronáutica careciera de fondos suficientes para mejorar la administración de dichos depósitos.

El brigadier Rodolfo Echegoyen, por entonces comandante de Regiones Aéreas, estaba muy preocupado por estos problemas. Dado que conocía a Yabrán como empresario postal desde los tiempos en que había sido jefe de la Brigada Aérea con asiento en Paraná, y que éste lo visitó para conseguir espacio en el Aeroparque para la empresa Villalonga Furlong, comentó con él el problema que debía resolver la Fuerza Aérea. Yabrán se interesó en el asunto de inmediato y le propuso como solución una suerte de privatización periférica, forma de concesión que conocía perfectamente porque varias de sus empresas habían crecido al amparo de sistemas similares implementados por Encotel —fundamentalmente—, el Banco de la Nación Argentina y otros organismos oficiales.

El brigadier Echegoyen se entusiasmó con la iniciativa, que creyó sería útil para mejorar un servicio tan deprimido como el del depósito fiscal, y presentó a Yabrán al jefe del Estado Mayor de la fuerza, el brigadier Ernesto Crespo.

De esta relación, surgió la idea de constituir la empresa Edcadassa (Empresa de Cargas del Atlántico Sur Sociedad Anónima). La Fuerza Aérea, que prestaba el servicio de depósito fiscal (manipuleo y almacenaje de las mercaderías que entran y salen del país por vía aérea para su control por la Aduana y posterior despacho) en Ezeiza y en el resto de los aeropuertos en forma monopólica, transfirió por contratación directa esos derechos a Edcadassa, también monopólica pero de capital mixto, por un período de treinta años (veinte, más diez de prórroga).

El acuerdo fue aprobado por un decreto que el presidente Alfonsín firmó en los últimos días de su gestión. El capital de la nueva empresa se conformó con un 51% de las acciones para la Aeronáutica y un 49% para Villalonga Furlong. A pesar de disponer de la mayoría accionaria, la Fuerza Aérea cedió la operación de la empresa al socio privado.

El brigadier Echegoyen, ya retirado de la Fuerza Aérea, no había llegado a conocer los detalles de la negociación de Crespo con Yabrán, y un día le manifestó al empresario que consideraba injusto haber terminado marginado de la cuestión habiendo sido él el promotor original de la idea de la asociación y quien presentara el socio al jefe del Estado Mayor. Fue en ese momento cuando Alfredo Yabrán concibió la idea de proponerle a Menem, a través de sus amigos Erman González y Aldo Elías, la designación de Echegoyen como administrador nacional de Aduanas.

Durante 1990, el brigadier Echegoyen comenzó a demostrar preocupación por las cosas que ocurrían en Edcadassa. Según la versión de sus familiares y amigos, entre los temas que le generaban inquietud se destacaban los ligados al narcotráfico y el lavado de dinero, acerca de los cuales habría estado recibiendo información de la DEA (agencia norteamericana de lucha contra la droga).

En varias oportunidades hizo viajes a Ezeiza para inspeccionar en forma personal y sorpresiva sus instalaciones. Durante uno de esos viajes, una de las ruedas del automóvil se desprendió del eje y sus ocupantes salvaron la vida por milagro. Su chofer recuerda que el brigadier Echegoyen atribuyó el accidente al aflojamiento intencional de los bulones de la rueda, que alguien habría hecho para que no siguiera con las inspecciones a Edcadassa.

Conversando telefónicamente con su hermano Juan José, diplomático que por entonces vivía en Suiza, el brigadier le manifestó con crudeza: "Frente a la droga, me paro". Para ratificar más aún su decisión, en otro diálogo con el mismo hermano, equiparó su tarea a la que había desarrollado su padre varias décadas atrás:

—Estoy juntando documentación y no me callaré. Voy a hacer lo que hizo papá —remató el brigadier.

Se refería a la denuncia de negociados en materia de obras hidráulicas que don José Tránsito Echegoyen, dirigente conservador de la provincia de Mendoza, había presentado en el Congreso de la Nación a principios de la década del 40.

A los pocos días, el secretario de Ingresos Públicos, Raúl Cuello, comenzó a hacer fuertes críticas a la gestión del brigadier Echegoyen, y éste, muy dolido, se sintió en la obligación de presentar su renuncia. Por esos días, en el transcurso de una reunión familiar, el brigadier pidió a sus hijos que no se pronunciara nunca más el nombre de Alfredo Yabrán y arrancó la hoja de la agenda en la que figuraban sus teléfonos.

Dos semanas después, y apenas terminada la ceremonia del casamiento civil de uno de sus hijos, el brigadier anunció a sus familiares que pasaría por sus oficinas para mantener una entrevista importante. Esa noche, su cuerpo sin vida fue hallado sobre su escritorio, acompañado de una carta en la cual explicaba las razones de su suicidio.

El juez Marquevich —que tomó a su cargo la investigación— nunca llegó a una conclusión definitiva sobre la muerte del brigadier. Todos quienes lo conocían afirman que su personalidad no se correspondía con la de un suicida. Del mismo modo, las circunstancias propias del día en que perdió la vida contradicen más todavía la hipótesis oficial, lo mismo que la versión de sus hijos que dan cuenta de su óptimo estado de ánimo en los días previos. Comentan, además, que nunca se hizo una pericia caligráfica de la carta supuestamente escrita por el brigadier. Estas y otras razones que prefieren mantener en secreto los llevan a pensar que la muerte de su ser querido está directamente relacionada con sus preocupaciones respecto de lo que ocurría en Edcadassa. En realidad, sus familiares piensan que se trató de un asesinato.

A mí no me deja de asombrar, tampoco, la escasa preocupación que la Fuerza Aérea tuvo para investigar tan extraño deceso. Habitualmente, una sana solidaridad de camaradas hace que en este tipo de situaciones —más tomando en cuenta el grado de Echegoyen— los esfuerzos por el esclarecimiento se multipliquen hasta las últimas consecuencias. Su actitud institucional tiene grandes similitudes con la que años después tendría la Policía de la provincia de Buenos Aires frente al asesinato del comisario Francisco Gutiérrez, quien, se ha afirmado en diversas notas periodísticas, estaba también investigando temas vinculados con el contrabando en los depósitos fiscales.

Apenas asumido el gobierno de Menem, el entonces ministro de Obras Públicas, Roberto Dromi, había comenzado a trabajar en la privatización de Aerolíneas Argentinas, que hasta ese momento, además de prestar los servicios de transporte nacionales e internacionales, era concesionaria de las tiendas libres de impuestos —*duty free shops*— y de los servicios de rampa. Sin duda, si se hubieran mantenido todas esas prerrogativas para Aerolíneas Argentinas, su privatización habría despertado mucho mayor interés entre los inversores privados.

Yabrán tenía otros planes. Convenció a la Fuerza Aérea, ahora comandada por el brigadier José Antonio Juliá, de la conveniencia de que empresas mixtas, que podrían conformarse entre su grupo y la Fuerza Aérea —tal como lo había hecho con Edcadassa—, fueran las concesionarias por treinta años de los *duty free shops* y de los servicios de rampa.

Entonces, la Fuerza Aérea sugirió —con éxito— al presidente Menem y al ministro Dromi que no convenía que el futuro operador de Aerolíneas Argentinas, seguramente extranjero, controlara el manejo de esos servicios aeroportuarios. Así nacieron dos contratos de concesión (semejantes al de Edcadassa), pero esta vez aprobados por un decreto de Menem, mediante los cuales Intercargo e Interbaires se quedaban con estas actividades: el servicio de atención a aeronaves en tierra (rampa) de Ezeiza y Aeroparque, y los *duty free shops* de esos mismos aeropuertos más el de Córdoba.

Los contratos se hicieron por adjudicación directa, dos semanas después de que ambas empresas reformaran sus estatutos sociales para adecuarlos a las nuevas actividades que emprenderían. Así, el 24 de abril de 1990 el brigadier José Antonio Juliá firmó como representante del Estado nacional un acuerdo con Intercargo e Interbaires por el cual la Fuerza Aérea se convertía en accionista de ambas, con la condición de que éstas recibieran en cesión la prestación exclusiva de los servicios aeroportuarios antes mencionados.

En una operación tan rápida como audaz, Alfredo Yabrán había logrado transformarse en el concesionario monopólico de los principales servicios aeroportuarios, sin que mediara ni licitación ni pago inicial alguno por esos derechos. Además, el canon que se comprometía a abonar era insignificante en relación con el que pagaban concesionarios de servicios semejantes en otros aeropuertos del mundo.

Como en tantos otros casos, Yabrán no aparece en estos negocios sino a través de testaferros. En ambas empresas figura como socio principal, junto a la Fuerza Aérea, la ya mencionada firma Inversiones y Servicios, accionista de Villalonga Furlong, empresa a través de la cual el empresario se había quedado con Edcadassa en los últimos días de Alfonsín.

La constitución de estas empresas —Edcadassa, Intercargo e Interbaires— y su operatoria durante los años '89, '90 y principios del '91, creó sospechas de que sus integrantes hubieran estado creando una suerte de "aduana paralela" a través de la cual fuera posible ingresar todo tipo de productos al país sin que quedaran rastros.

El diputado nacional Franco Caviglia, a partir de una concienzuda y documentada investigación sobre los procesos que habían concluido en la entrega al grupo Yabrán de los depósitos fiscales, los servicios de rampa y los *duty free shops* de Ezeiza —y otros aeropuertos— así como de otros elementos que daban cuenta de irregularidades relativas a la circulación de bienes y personas por esos puntos, formuló una detallada denuncia penal.

La jueza federal María Romilda Servini de Cubría mantuvo la denuncia virtualmente "cajoneada" durante varios años.

El tema recién volvió a investigarse a fines de 1996, cuando el juez Guillermo Tiscornia comenzó a utilizar el término "aduana paralela" para referirse a la que, según su particular punto de vista, había sido armada por el administrador nacional de Aduanas Gustavo Parino y sus asesores, desde 1992 en adelante. Entonces, Franco Caviglia, advirtiendo que esta acción tardía de la Justicia federal era una cortina de humo con la cual se trataba de tapar la existencia de la "aduana paralela" que él había denunciado, se presentó ante la comisión creada por el Congreso para investigar el contrabando y logró que su denuncia recobrara actualidad.

A su vez, la Cámara Federal anuló una resolución que disponía archivar el expediente y ordenó profundizar la investigación. El tiempo dirá si el paraguas protector del contrabando, que en este caso de la verdadera aduana paralela funcionó durante más de cuatro años, será dejado de lado para permitir que de una buena vez se descubran y cierren definitivamente los mecanismos del contrabando que funcionan tan aceitadamente en Ezeiza.

La equivocada decisión de otorgar la concesión de esos servicios aeroportuarios al monopolio del grupo Yabrán —en asociación con la Fuerza Aérea— tuvo (y puede tener todavía) costos no sólo económicos sino también políticos para el país. El inicio de la reforma del Estado encarada por el gobierno de Menem se enfrentó ya con problemas graves derivados de esas decisiones.

Sin la concesión de las tiendas libres de impuestos y de los servicios de rampa, Aerolíneas Argentinas no aparecía como un negocio rentable, a pesar de que el Ministerio de Obras Públicas había decidido privatizarla transfiriendo a su adquirente, durante un plazo de diez años, las mismas prerrogativas en materia de monopolio de la línea de bandera que había gozado la empresa estatal.

Cuando el ministro Roberto Dromi advirtió que no habría candidatos para hacerse cargo de Aerolíneas Argentinas, insistió mucho al presidente Menem para que éste, a través de gestiones políticas ante el presidente del gobierno español, Felipe González, convenciera a Iberia de presentar una oferta.

La empresa estatal española no consideraba aceptable ni el contrato general de transferencia que formaba parte de las bases del pliego original de licitación, ni el precio base que había sido fijado por el gobierno argentino. Pero el ministro Dromi se encargó de convencerla de que, luego de la adjudicación, todos los términos de ese contrato podrían ser renegociados a satisfacción de Iberia. Como a las palabras se las podía llevar el viento, antes de firmar el contrato Iberia hizo introducir cláusulas que dejaran bien abierta la posibilidad de la renegociación prometida por Dromi.

En noviembre de 1990 Iberia tomó posesión de Aerolíneas Argentinas, pero ciertamente recién comenzaba lo que iba a ser la más complicada renegociación de un contrato durante la gestión Menem. Me tocó ocuparme de esa tarea desde el inicio mismo de mi desempeño como ministro de Economía y Obras y Servicios Públicos. De hecho, durante el primer año y medio de mi gestión, un cuarto de mi tiempo estuvo dedicado a enderezar el contrato de privatización de Aerolíneas Argentinas.

Durante los dos primeros años, Aerolíneas Argentinas funcionó muy mal y generó enormes pérdidas, porque —evidentemente— los funcionarios de Iberia estaban mucho más preocupados por conseguir la renegociación del contrato que habían firmado con Dromi que por hacer eficiente la operatoria de la empresa que habían comprado.

Mientras los españoles y nosotros, en el Ministerio de Economía, estábamos angustiados por este penoso proceso de privatización, Edcadassa, Intercargo e Interbaires habían comenzado a generar significativas ganancias y experimentaban una fuerte expansión de sus negocios. Claro que la Fuerza Aérea no era inocente en este asunto: había aprobado una política de altas tarifas para los servicios de depósito fiscal y rampa, aun cuando los usuarios de los mismos se quejaran ruidosamente.

Cuando, a principios de 1992, la Fuerza Aérea dispuso un fuerte aumento de las tarifas por los servicios que prestaba Edcadassa, la Administración Nacional de Aduanas hizo una comparación con las tarifas aplicadas en otros aeropuertos, tales como el de Santiago de Chile y el de Miami. Las tarifas argentinas eran de tres a cinco veces superiores a las de aquéllos.

Tanto el Presidente como los ministros relacionados con el tema recibimos por esos días fuertes reclamos de la Cámara Argentina de Comercio, de muchos importadores y otras entidades vinculadas al comercio exterior. Hasta el nuncio apostólico, monseñor Ubaldo Calabresi, encabezando una comisión de embajadores extranjeros, me entrevistó en el Ministerio de Economía para reclamar por los elevados costos que el depósito fiscal de Ezeiza imponía a las representaciones diplomáticas en nuestro país.

En realidad, desde el comienzo mismo de mi gestión al frente del Ministerio de Economía y Obras y Servicios Públicos, había recibido comentarios y reclamos de las líneas aéreas internacionales y de cabotaje sobre el excesivo costo que "obligatoriamente" debían pagar por los servicios de rampa que explotaba monopólicamente Intercargo. Incluso en las negociaciones bilaterales de frecuencias y autorizaciones de vuelos con otros países, el tema de la desregulación de los servicios de rampa y el de la autorización a las líneas aéreas para que pudieran prestarse dichos servicios por sí mismas eran una constante.

Como la posibilidad de modificar las tarifas estaba en el ámbito del Ministerio de Defensa, envié una nota solicitando una decisión al respecto al entonces ministro de Defensa, Erman González, acompañada de los estudios comparativos que había hecho la Administración de Aduanas. La nota trascendió a la prensa. Erman González reaccionó con una fuerte queja por lo que aparecía como una intromisión del Ministerio de Economía en un área de su competencia, y en los días subsiguientes los medios hablaron de una gran pelea entre los dos ministros por los servicios aeroportuarios.

Menem resolvió la cuestión dándome la razón y obligando a la Fuerza Aérea a reducir significativamente las tarifas de Edcadassa. Además decidió que debía ponerse en marcha la desmonopolización de los servicios aeroportuarios, pero encargó esa tarea al Ministerio de Defensa que, por supuesto, no tenía ninguna intención de llevarla a cabo.

En la decisión correcta que Menem adoptó en esa oportunidad influyó una señal muy clara que envió el gobierno norteamericano.

Mientras Erman González y yo estábamos enfrascados en fuertes discusiones, el secretario de Transportes de los Estados Unidos, Andrew Card, comunicó a la Argentina que el aeropuerto de Ezeiza había sido declarado "no seguro" y que se había decidido alertar de ello a los viajeros embarcados en puertos norteamericanos, tanto mediante advertencias formuladas por las aerolíneas al vender sus pasajes como a través de carteles en los aeropuertos norteamericanos.

El documento originado en la Federal Aviation Administration hacía referencia a la carencia de medidas de seguridad efectivas frente a eventuales ataques terroristas, hecho que adjudicaba, principalmente, al desorden y falta de controles en el servicio de rampas. En el estudio de campo que habían hecho sobre el aeropuerto de Ezeiza habían observado puertas hacia las cintas de equipaje sin candados ni controles, accesos que conducen a la pista de aterrizaje abiertos y sin ninguna persona evitando el paso de gente no autorizada y técnicos sin credenciales, entre otras cosas.

La decisión norteamericana enviaba una señal no sólo en relación con la discusión que estaba manteniendo Erman González conmigo en ese momento, sino también en relación con la que éste había mantenido unos meses antes con el comandante de Gendarmería, Adalino Barberi. El ministro de Defensa había decidido que en lo sucesivo la seguridad de Ezeiza sería responsabilidad de la Policía Aeronáutica Nacional y no de la fuerza especializada en el control de fronteras.

Menem interpretó la actitud norteamericana como una muestra de desconfianza de ese gobierno hacia la forma como el Ministerio de Defensa manejaba la cuestión aeroportuaria, y por eso decidió seguir mis consejos en la materia. No obstante, su decisión no era tan firme como en otras oportunidades, porque encargó la implementación de la misma al Ministerio de Defensa, cuyo titular tenía precisamente las ideas opuestas: descreía de la necesidad de desmonopolizar los servicios aeroportuarios.

Erman González recibió por esos días la visita de Yabrán, quien le planteó que si se iban a desmonopolizar los servicios aeroportuarios, él debía ser compensado por los derechos que había adquirido como concesionario de los mismos.

Los contratos de Edcadassa, Intercargo e Interbaires, para el caso de revocatoria de la concesión, remitían al reglamento general de contrataciones de la Fuerza Aérea, y éste era muy claro en establecer que el concesionario no tenía derecho a lucro cesante, ni interés de capital alguno, sino solamente al recupero de las cifras efectivamente invertidas. La Reglamentación Jurisdiccional para la Fuerza Aérea vigente sostiene que *"cuando se rescinda un contrato por una causa no especificada en el artículo 140* (referido a incumplimientos del contratista) *el adjudicatario tendrá derecho a que se le reconozcan los gastos directos o improductivos que documentadamente probare haber efectuado, con posterioridad a la adjudicación y con motivo del contrato, pero no dará lugar a ninguna reclamación por lucro cesante o por intereses de capitales"*.

En una reunión en la que se analizaron los probables efectos que pudiera tener la autorización para la autoprestación del servicio de rampa, el entonces subsecretario legal de la Presidencia de la Nación, Dr. Claudio Bonadío, explicó este artículo del reglamento jurisdiccional de contrataciones aplicable a la Fuerza Aérea, y concluyó que en ningún caso le correspondería a Intercargo, si se le rescindía el contrato, más que su patrimonio neto, que no superaba los 4 o 5 millones de pesos.

A pesar de ello, a Erman González le pareció una buena idea contratar los servicios de la consultora Bértora y asociados para calcular el valor presente neto de Edcadassa, Intercargo e Interbaires por todo el período de la concesión. Y a partir de ahí, la posición de Yabrán —con la implícita aceptación de Erman González— fue muy clara: cualquier decisión del gobierno argentino que significara cambios en las reglas de juego para los servicios aeroportuarios debía ser precedida por la compra de las acciones del grupo Yabrán en las empresas concesionarias. De esta forma, esperaba conseguir entre 500 y 700 millones de dólares, en lugar de recuperar los escasos 30 o 40 millones que había efectivamente invertido.

Desde un principio yo, como ministro de Economía, había dejado en claro que sólo aceptaría pagar la compensación que surgiera del contrato original de concesión y del reglamento general de contrataciones de la Fuerza Aérea, es decir, menos del 10% de lo que Yabrán pretendía.

Como Erman González era consciente de mi oposición a su postura, optó por demorar tanto el proceso de desmonopolización como el de cancelación de las concesiones, aun cuando ello significara postergar todo el proceso de privatización aeroportuaria y, por ende, de inversión en infraestructura y modernización de los servicios de aeronavegación.

No sólo las tarifas de Edcadassa por servicios de depósito fiscal provocaban reclamos de los usuarios. Las compañías aéreas, y en particular Aerolíneas Argentinas, planteaban insistentemente que los precios de los servicios de rampa que cobraba Intercargo eran exageradamente elevados y encarecían significativamente sus costos operativos.

Las aerolíneas solicitaban entonces que se les permitiera la autoprestación de esos servicios, lo que no era algo que les interesara demasiado (les implicaba ampliar su infraestructura propia organizativa y de servicios) pero, a la luz de las tarifas que debían abonar, les resultaba conveniente. Ello, en principio, no estaba en contra de los derechos de concesión de Intercargo, porque éstos significaban la exclusividad de los servicios prestados "a terceros". La autoprestación no era precisamente un servicio prestado "a terceros", por lo tanto no estaba impedida por el contrato de concesión.

Por supuesto, ésa no era la interpretación de Yabrán, ni la de la Fuerza Aérea, ni la del Ministerio de Defensa. Para ellos, admitir la autoprestación era cambiar las reglas de juego de la concesión. Aun cuando ésta fuera la interpretación correcta, en el Ministerio de Economía pensábamos que era conveniente autorizar la autoprestación porque, en el peor de los casos, obligaría a cancelar la concesión de Intercargo, y ello, de acuerdo con el contrato original, no debería significar un costo para el Estado superior a los 4 o 5 millones de pesos.

El tema alcanzó especial envergadura y urgencia a raíz de la renegociación con Iberia del contrato original de privatización de Aerolíneas Argentinas. De allí surgió la necesidad de contribuir a la reducción de costos operativos de la empresa para evitar su quiebra y de tal modo hacer viable la imperiosa necesidad que tenía de que se capitalizaran las deudas que mantenía con su accionista Iberia (y otros controlados por esta última).

Fue entonces cuando los inversores españoles —en una negociación que requirió incluso la participación personal del Presidente de la Nación ante el jefe del gobierno español— endurecieron sus reclamos: señalaron que sólo concretarían su decisión de capitalizar sus créditos y salvar a la aerolínea de bandera si, entre otras cuestiones, nuestro país adoptaba decisiones que permitieran la autoprestación del servicio de rampa, para poder disminuir sus costos operativos y arribar al ansiado equilibrio de sus cuentas.

La posición de los españoles era razonable, porque la Secretaría de Transporte, en su empeño por mejorar la vinculación aerocomercial de cabotaje, había avanzado en el proceso de desregulación y ello había provocado una caída de tarifas que estaba afectando los ingresos de Aerolíneas Argentinas. Por ello, los operadores de la empresa buscaban reducir al máximo los costos, y una forma de lograrlo era conseguir la autoprestación de los servicios de rampa. Iberia y las autoridades españolas habían sido muy claras en el sentido de que ésa era una condición imprescindible para llevar adelante la capitalización de Aerolíneas Argentinas y continuar con su operación. Caso contrario, estaban dispuestos a enfrentar la liquidación de la empresa.

Resolvimos aceptar el pedido de Iberia de que se autorizara la autoprestación de los servicios de rampa, lo cual era consistente con nuestra idea global de desmonopolización en esta materia, que venía postergada por el entonces ministro de Defensa, Erman González.

El Presidente de la Nación me instaba en todo momento a concluir la negociación con los españoles de manera satisfactoria, pero para lograrlo debía conseguir que se cumpliera el prerrequisito mencionado de la autoprestación del servicio de rampa. El plazo se agotaba, porque, si no se concretaba la capitalización mencionada —que, según recuerdo, orillaba los 500 millones de dólares— las pérdidas colocarían a la empresa en una suerte de "quiebra técnica" en la fecha prevista para su asamblea.

El Ministerio a mi cargo por entonces ya había remitido el proyecto de decreto de desregulación del servicio de rampa, pero su aprobación no dependía de mí. El trámite de esta última etapa había quedado a cargo del entonces secretario legal y técnico de la Presidencia, Carlos Vladimiro Corach. Finalmente, el decreto se firmó a último momento, bajo el N° 480/94.

La reforma era muy sencilla, el Decreto 2145 del 20 de marzo de 1973 le había otorgado a la Fuerza Aérea la facultad de organizar y explotar *"los servicios de atención en tierra a las aeronaves"*. Sobre tal base la Fuerza Aérea había concedido exclusivamente a Intercargo su explotación, que hasta su privatización ostentara Aerolíneas Argentinas S.E. La nueva norma que promovimos, simplemente, agregaba un párrafo a la vigente: *"Autorízase a las empresas de transporte aéreo, titulares de concesiones o autorizaciones otorgadas por el PODER EJECUTIVO NACIONAL a realizar por sí mismas y en las aeronaves afectadas a su tráfico los servicios de atención en tierra a que se refiere este decreto"*.

Con esta medida no revocábamos ninguna concesión, ni privábamos a nadie de su derecho. Unicamente, autorizábamos a las líneas aéreas a prestarse sus *propios* servicios, sin que pudieran prestarlo a otras naves que no fueran *sus* aeronaves. La única empresa que tenía la posibilidad de prestar los servicios para terceros era Intercargo, que mantenía la "exclusividad" que se le había concedido en forma directa, a la que por entonces le quedaban nada menos que dieciséis años de contrato. Pero, indudablemente, ya no podría cobrarle cualquier precio a las compañías aéreas, porque a ellas les quedaría como defensa ante un precio abusivo la posibilidad de emprender el costoso camino de organizar su propio servicio de atención en tierra o rampa.

Según lo que pudimos ver luego, el trabajo honesto y en relativa competencia, no era de interés del grupo.

Apenas se dictó el decreto que habilitaba la autoprestación del servicio de rampas por parte de las diferentes líneas aéreas, Yabrán, sus lobbistas y sus "técnicos" empezaron a operar a fin de transformar la desregulación en la oportunidad para realizar otro negocio a costa de toda la sociedad.

Con la excusa de la decisión del Ministerio de Economía de autorizar la autoprestación, la Secretaría Legal y Técnica de la Presidencia, a cargo de Carlos Vladimiro Corach, decidió negociar la compra a Yabrán de las acciones de Intercargo, siguiendo el criterio que había establecido Erman González cuando era ministro de Defensa.

La negociación se transfirió a esa secretaría, porque el nuevo ministro de Defensa, Oscar Camilión, no se había involucrado en el tema. De todas maneras, le harían firmar el contrato final de compra y el decreto aprobatorio de ese convenio entre el Estado nacional (representado por el ministro de Defensa, Dr. Oscar Camilión) y la empresa Inversiones y Servicios (representada por Andrés Humberto Gigena), por el cual el Estado nacional adquiría el 80% del capital de Intercargo (el 20% restante ya le pertenecía), a un precio de casi 39 millones de pesos, más una suma de alrededor de 5 millones de pesos, que era un crédito de Intercargo que percibe para sí su accionista Inversiones y Servicios, con la obvia conformidad del representante de esta última, que tenía —demás está decirlo— un interés contrario. Así, el Estado pagó más de 44 millones de pesos por un problema que, en el peor de los casos, hubiera podido resolverse por 4 o 5 millones.

No conozco las demás consideraciones, aparte del precio, que pudieron existir para adoptar la decisión mencionada, pero lo cierto es que, como se trataba de un acuerdo aprobado por el Presidente de la Nación a través del Decreto N° 1188/94, no cabía otra cosa que su cumplimiento.

Pero eso no fue todo. El grupo no sólo vendió una empresa —para cuya constitución no invirtieron sino unos pocos miles de pesos— al propio Estado nacional, por el "flujo descontado de fondos", a escasos cuatro años de haberla obtenido, sino que también, antes de entregar la empresa, firmó un contrato de provisión de servicios (de vigilancia, limpieza y salud) a largo plazo y altos costos, con Orgamer (también manejada por Yabrán a través de testaferros), con un objetivo claro: seguir succionando recursos públicos a través de esta otra empresa, que quedaría con derecho a seguir prestando servicios a la compañía de rampas tras la transferencia o, de lo contrario, a exigir el consabido "lucro cesante". Frente a esto, di orden de suspender el pago del precio hasta que se resolvieran dichos contratos que comprometían a Intercargo.

En la época de la firma de ese convenio, y mientras se hablaba de la necesidad de privatizar los aeropuertos, especialmente los internacionales, para poder modernizarlos y atraer inversiones, el grupo Yabrán se anticipó a las decisiones del Estado. Ya lo venía haciendo desde el primer contrato con Edcadassa en la época en la que Rodolfo Terragno —ministro de Obras y Servicios Públicos de la administración radical— comenzara a diseñar la reforma del Estado en el campo del transporte aéreo.

Frente a la privatización de Aerolíneas, había conseguido en forma directa, las concesiones de la "crema" del negocio aeroportuario: los *duty free shops*, los depósitos fiscales, y el servicio de rampas, dejando las inversiones inmobiliarias y de infraestructura para que las soportáramos el resto de nosotros, a través de los impuestos o tasas de uso de los aeropuertos. Ante la privatización de los servicios públicos domiciliarios, quiso quedarse con un 15% del total de la facturación, por una contratación "directa" concretada en menos de dos meses, tal como lo vimos en un capítulo anterior. Lo mismo en la proyectada privatización o desregulación del Correo.

Y, frente a la debatida privatización de los aeropuertos, que pondría en riesgo sus emprendimientos "legítimamente" obtenidos por contratación directa y sin competir con nadie por veinte años, se le ocurrió que podría aprovechar la necesidad que tenía el gobierno de resolver el tema de Aerolíneas Argentinas.

Yabrán logró que el entonces secretario legal y técnico, Carlos Corach, incluyera en el contrato de venta de las acciones de Intercargo, aprobado por decreto, una serie de cláusulas "extrañas" al objeto del negocio ya descrito, que apuntaba —según el texto— "a darle certeza jurídica" a otros contratos sobre servicios aeroportuarios suscriptos entre el Estado y el grupo.

Así, acordaron que Interbaires siga a cargo de los *duty free shops* en los aeropuertos internacionales aunque éstos se privaticen, que continúe el monopolio de Edcadassa sobre los depósitos fiscales de Ezeiza, y que, en caso de que éstos se desmonopolicen, el Estado le recompre las acciones a Villalonga Furlong a un valor equivalente al "lucro cesante" por los años que restan de contrato.

La última previsión es la más grave: pretende cambiar por completo el valor de rescate de la concesión otorgada a Edcadassa por el gobierno anterior, haciendo mucho más gravosa para la sociedad argentina la privatización de sus aeropuertos. Ya no habría que pagarle al grupo los gastos directos o improductivos, sino también el lucro cesante que, como vimos, estaba explícitamente excluido del contrato original para el caso de rescisión.

Ante la cerrada oposición que demostraba el Ministerio de Economía al pago de cualquier compensación por la cancelación de las concesiones de los servicios aeroportuarios más allá de lo que surgía del contrato original y del régimen general de contrataciones de la Fuerza Aérea, los amigos de Yabrán en el gobierno postergaron la discusión parlamentaria de la privatización de los aeropuertos hasta que yo dejara el Ministerio.

A las pocas semanas de mi renuncia, el Senado dio media sanción a un proyecto de ley que obliga al Estado a respetar las condiciones pactadas originalmente para la concesión de los servicios aeroportuarios, y autoriza a los inversores interesados en la futura operación de los aeropuertos a negociar con los actuales concesionarios la eventual compra de esos derechos. En buen romance, se le aseguran al grupo Yabrán los 500 a 700 millones de dólares que siempre pretendió, a costa de encarecer el costo de la inversión para la modernización de los aeropuertos, y, consecuentemente, el costo de todos sus servicios para los futuros usuarios.

Este proyecto aún no es ley porque la labor clarificadora de diputados tales como Patricia Bullrich, de Capital Federal, y Carlos Balter, de Mendoza, ayudó a que toda la oposición advirtiera el problema, y porque, además, yo anuncié que presenciaría el debate en la Cámara de Diputados.

El día en que se iba a llevar a cabo el tratamiento de este tema, el presidente de la Cámara baja, Alberto Pierri, se apresuró a levantar la sesión, argumentando que no había quórum. De todas maneras, con la diputada Bullrich hicimos una conferencia de prensa que sirvió para que la opinión pública conociera lo que estaba por ocurrir en materia de privatización de aeropuertos.

Esa conferencia de prensa produjo un saldo positivo inmediato. El brigadier Montenegro, nuevo jefe de la Fuerza Aérea, suspendió la vigencia de una resolución que había adoptado su predecesor, el brigadier Juan Paulik, disponiendo un fuerte aumento en las tarifas de Edcadassa. El diputado Alberto Natale ya había explicado, a través de un pedido de informes, que eso implicaba un encarecimiento del comercio exterior, semejante al que había sido revertido después de mi gran discusión con Erman González en marzo de 1992. El aumento de las tarifas significaba duplicar el valor presente neto de esa concesión, y por ende la compensación a la que tendría derecho Yabrán, de aprobarse la ley tal como venía del Senado.

El tema de los aeropuertos y del transporte aéreo es un claro ejemplo de cómo los intereses creados de grupos que utilizan sus contactos con el poder en beneficio propio pueden no sólo demorar sino incluso impedir que se lleven a cabo las inversiones y los cambios de las reglas de juego necesarios para contar con buenos servicios.

La Argentina sigue causando una mala impresión a todos los visitantes del exterior por el atraso de la infraestructura aeroportuaria. Además, los niveles de seguridad con que operan las aeronaves son reducidos. La falta de radares adecuados obliga muchas veces a que las aeronaves desembarquen en aeropuertos alternativos, con las consiguientes demoras e incrementos de costos.

A pesar de los enormes avances que conseguimos a partir de la desregulación del tráfico de cabotaje, la conexión aérea entre las distintas ciudades del interior del país y desde allí con el exterior sigue siendo insatisfactoria, fundamentalmente por la falta de infraestructura y la precariedad de los servicios aeroportuarios.

Aun así, la única motivación de los funcionarios encargados de privatizarlos parece ser la de encontrar la forma de pagar una multimillonaria compensación a los que consiguieron ser concesionarios de esos servicios en forma tan irregular. Mientras Franco Caviglia procura que la Justicia investigue lo que él denunció como un intento de crear una aduana paralela, los responsables de toda la maniobra sólo discuten cómo se repartirán esa compensación.

La protección de los evasores

Diez años atrás, haciendo gala de su impactante capacidad de síntesis, Rudiger Dornbusch escribió que el principal problema de la economía argentina era la combinación de "sindicatos ingleses con contribuyentes italianos". Si bien desde entonces el sindicalismo inglés ha dejado de tener la fortaleza de antaño, y la evasión impositiva parece haber disminuido mucho en Italia, como caracterización de instituciones y hábitos inconvenientcs para el progreso económico y la equidad social en la Argentina, la ingeniosa descripción de Dornsbusch no ha perdido vigencia. Cobrar impuestos fue y sigue siendo una tarea particularmente difícil en nuestro país.

Durante la década del 80 la evasión impositiva había sido tan escandalosa y generalizada como el contrabando, y las razones eran las mismas: normas extremadamente complicadas, con miles de tratamientos diferenciales y una extrema debilidad organizativa y operativa de los órganos de control (en el caso de los impuestos, la Dirección General Impositiva).

Así como en materia aduanera las restricciones cuantitativas a las importaciones, los altos aranceles y las cotizaciones múltiples del dólar originadas en los controles de cambio creaban infinitas oportunidades de corrupción a través del contrabando, de la misma forma la desvalorización permanente de la moneda y la inflación persistente y variable transformaban a la evasión de impuestos en un verdadero deporte nacional. Por consiguiente, así como la apertura comercial redujo automáticamente el incentivo a contrabandear, la estabilización de la moneda mejoró en forma automática la posibilidad de recaudar impuestos. Pero este mejoramiento automático no era suficiente.

En la campaña electoral Menem había prometido una profunda reforma impositiva, caracterizada por la simplificación y generalización de los impuestos, y el refuerzo de la administración tributaria. Esta fue la tarea que me propuse llevar adelante con el invalorable aporte que significó la pasión y la capacidad técnica de Carlos Tacchi, el secretario de Ingresos Públicos.

Al inicio de nuestra gestión, en la primera parte del año 1991, el grueso de la recaudación no sólo era absolutamente insuficiente, sino que provenía principalmente de tributos fuertemente distorsivos. Entre ellos se destacaban: los impuestos a las exportaciones tradicionales, a los débitos bancarios, sobre los transportes, las comunicaciones y la energía, y las fuertes contribuciones patronales sobre la nómina salarial.

Además existía una gran cantidad de elevados impuestos a los consumos específicos que, en combinación con los altos aranceles de importación, creaban fuertes alicientes al contrabando y la evasión, particularmente a través del tráfico fronterizo con Paraguay y Bolivia, y la compra en las tiendas libres de impuesto de los aeropuertos por todo tipo de viajeros y no viajeros. Como si esto fuera poco, las provincias cobraban impuestos de sellos sobre papeles financieros y comerciales, y el impuesto a los ingresos brutos en todas las etapas del proceso productivo, con impresionantes efectos en cascada sobre los costos de producción. Tributos más neutrales o más equitativos como el impuesto al valor agregado o el impuesto a las ganancias aportaban recaudaciones insignificantes al fisco nacional, lo mismo que el impuesto inmobiliario a las administraciones provinciales.

Desde 1991 en adelante fuimos eliminando progresivamente la gran mayoría de los tributos más distorsivos y redujimos significativamente las contribuciones patronales sobre la nómina salarial, así como los impuestos sobre la energía y los combustibles, que quedaron reducidos a un impuesto a las naftas. Paralelamente, se eliminaron exenciones en la base del impuesto al valor agregado, cuya alícuota se elevó hasta el 21% y se mejoró la legislación del impuesto a las ganancias procurando una adecuada integración del pagado por las empresas con el pagado por las personas físicas y el impuesto a la riqueza que se introdujo como complemento.

A partir de un acuerdo fiscal entre la Nación y las provincias, éstas avanzaron en la eliminación del impuesto de sellos y en la atenuación o eliminación del impuesto a los ingresos brutos en las etapas intermedias del proceso de producción. A su vez, el perfeccionamiento del IVA ayudó a recaudar mejor el impuesto provincial a los ingresos brutos en aquellas etapas que siguieron gravadas por el mismo. Las provincias, además, tendieron a mejorar sus catastros y a acercar las valuaciones a la realidad, para aumentar la recaudación del impuesto inmobiliario.

Esta gradual pero coherente reforma tributaria nacional y provincial produjo excelentes resultados: a pesar de que los impuestos eliminados o reducidos significaron resignar casi 20.000 millones de dólares de recaudación anual, los recursos tributarios totales se triplicaron en relación con el promedio de la década del 80.

El mayor aumento se produjo en la recaudación del impuesto a las ganancias, que sumado al impuesto a la riqueza multiplicó por siete el total recaudado. En términos de incremento, le siguió el impuesto al valor agregado que se multiplicó por cuatro, en comparación con el monto recaudado en 1991. En las provincias, los impuestos inmobiliarios y a los ingresos brutos combinados, vieron triplicada su recaudación. Y las contribuciones y los aportes sobre la nómina salarial duplicaron en 1996 los de 1991 a pesar de la fuerte reducción de las alícuotas.

Aun cuando suenan sencillas y efectivas, todas estas reformas requirieron largas y tediosas discusiones en el Parlamento, con los dirigentes empresarios y sindicales, con el Fondo Monetario Internacional, y con muchos economistas profesionales que se opusieron a las reformas con las motivaciones y los argumentos más variados que se pueda imaginar.

Por ejemplo, los técnicos del Fondo Monetario —como ya expliqué antes— se oponían a la eliminación de las retenciones agropecuarias, medida que decidimos implementar a partir de abril de 1991, a punto tal de postergar por tres meses la aprobación de un préstamo *Stand By* de apoyo al Plan de Convertibilidad.

También resistieron la reducción de los aportes patronales; en este punto coincidieron con la crítica de los hermanos Juan y Roberto Alemann desde el ámbito profesional, y con la postura de los dirigentes sindicales en el ámbito político-gremial. Claro que los argumentos de estas oposiciones eran diferentes. En el caso del FMI y de los hermanos Alemann, la resistencia a la reducción de aportes se basaba en el desfinanciamiento que podría llegar a provocar en el sistema previsional de reparto. En el caso de los dirigentes gremiales, la oposición provenía del posible efecto sobre la recaudación de las obras sociales.

La combinación de estas críticas y oposiciones nos obligó, en plena crisis del efecto *Tequila* y en el momento de máximo desempleo, a producir un fuerte aumento de las contribuciones patronales, introduciendo una señal totalmente contradictoria con la que habíamos comenzado a dar desde 1993 para alentar el empleo. Ese aumento fue revertido pocos meses después, pero seguramente creó incertidumbre sobre la evolución del costo laboral, que perjudicó la recuperación del empleo entre mayo del '95 y el mismo mes del '96, a pesar de la clara reversión del ciclo económico que se produjo desde el cuarto trimestre de 1995.

Un caso extraño de oposición fue el del dirigente agrario Humberto Volando, quien repetía una y otra vez que su sector veía con desconfianza el Plan de Convertibilidad porque, en su opinión, había sido diseñado por el FMI en contra del "interés nacional" y de los productores. Y debe asombrar ese peculiar punto de vista porque, en realidad, el Fondo inicialmente no había apoyado el programa, justamente porque quería que mantuviéramos las retenciones a las exportaciones agropecuarias, que eran el impuesto de impacto más negativo para el campo.

Además, durante largo tiempo, Volando siguió hablando en favor de las regulaciones y los precios sostén, y culpándonos de los problemas de rentabilidad que soportaba el sector en los primeros tiempos de la convertibilidad. Se trataba de una crítica injusta, no sólo porque la razón del problema era la caída en los precios internacionales de esos productos, sino también porque, además de terminar con las retenciones, seguíamos peleando por la supresión de los subsidios agrícolas en el primer mundo y habíamos logrado —mediante la baja de aranceles— reducir costos y mejorar la calidad de los insumos del sector. Además, por efecto del conjunto de la política económica, incluidos la acción del Banco de la Nación Argentina y programas como "Cambio rural" para pequeños productores, se estaba dando un gran aumento de la productividad agropecuaria, a la cual nos referimos más extensamente en otro capítulo.

Recién cuando en los últimos dos años de mi gestión los mercados internacionales de granos recuperaron valor, se pudo advertir la firmeza de nuestras convicciones. Cuando llegó el efecto *Tequila* y la recesión puso en crisis el equilibrio fiscal, los productores constataron nuestra decisión de no volver a las retenciones a pesar del fuerte aumento de precios internacionales que beneficiaba al sector. En el pasado, cada vez que el gobierno tenía problemas fiscales apelaba a absorber dinero de sectores que pasaban un buen momento, impidiendo que se capitalizaran para el futuro o que, al menos, revirtieran quebrantos o deudas acumuladas.

Así, una vez más, en la nueva negociación con el FMI de principios de 1995, nos resistimos a la aplicación de impuestos a las exportaciones agropecuarias. En los meses siguientes, observamos que Volando dejaba la tarea gremial, que con enorme entrega había desarrollado durante gran parte de su vida, para dedicarse a la política partidaria en el Frepaso.

Los obstáculos no concluían ahí. Las medidas de eliminación de exenciones en la base del IVA crearon fuerte oposición, particularmente por parte de los sectores que se beneficiaban de ellas. De hecho, algunos de esos grupos consiguieron mantener esos privilegios hasta la actualidad. Es el caso, por ejemplo, de los proveedores de servicios de televisión por cable y de publicidad, que siguen exentos del pago al impuesto al valor agregado. Mi insistencia en proponer la eliminación de esta exención explica algunas de las fuertes campañas en contra por parte de medios poderosos que debí soportar en los últimos años.

También muy complicadas fueron las decisiones enderezadas a limitar y cuantificar los beneficios impositivos concedidos en el pasado a través de los regímenes de promoción industrial y regional, por la oposición de aquellos que se habían acostumbrado a utilizar estos beneficios de manera ilimitada e incontrolada.

La discusión parlamentaria de la eliminación o reducción de muchos impuestos específicos fue igualmente dura. A pesar de que aportamos clarísimas evidencias de que ni las alhajas, ni las alfombras, ni los perfumes representaban una recaudación significativa, porque el grueso de las ventas en el mercado interno de esos productos se nutría del contrabando —alentado entre otras cosas por las altas tasas de impuestos internos—, se siguió ridiculizando nuestra posición con argumentos falsos pero impactantes. Se dijo, por ejemplo, que preferíamos encarecer los productos de primera necesidad, cobrándoles el IVA, con el objeto de abaratar la compra de bienes suntuarios o consumos superfluos.

A pesar de todas estas oposiciones, la reforma tributaria avanzó en la dirección correcta y si bien hoy nuestro sistema impositivo muestra aún varias deficiencias es, sin lugar a dudas, infinitamente mejor que el que se había conformado a través de decisiones sucesivas e incoherentes hacia principios de la década del 90.

Todos los cambios en la estructura y la alícuota de estos impuestos fueron claves no sólo para aumentar la recaudación, sino también para facilitar la inversión, el empleo y el aumento de la producción de bienes y servicios. Es decir, se trató de lo que dio en llamarse "la estrategia de crecimiento por el lado de la oferta".

Muchas veces se intentó ridiculizar esta idea aludiendo a la *Reaganomics* o *supply side economics,* que tanto pregonó el ex presidente norteamericano Ronald Reagan. También se dijo que en la Argentina habíamos creído redescubrir la curva de Laffer, aludiendo a la hipótesis del economista norteamericano, asesor de Reagan, que sostenía que bajando los impuestos se podían lograr aumentos de recaudación.

Pero más allá de estas discusiones con las que se deleitaban algunos comentaristas económicos, lo cierto es que el crecimiento empujado por el lado de la oferta y la política de eliminación y reducción de impuestos distorsivos probó ser sumamente eficaz para alentar tanto el aumento de la producción como de la recaudación tributaria.

Por supuesto que no hago un acto de fe de cada una de mis posiciones favorables a una determinada teoría o camino, como si creyera que un conjunto de hipótesis o fórmulas matemáticas contiene la verdad absoluta en esta clase de cuestiones. La experiencia en el manejo de situaciones críticas enseña que, en determinadas ocasiones, resulta conveniente tomar algún desvío —como en ciertas medidas que adoptamos durante el *Tequila*— siempre que ese atajo sirva para retomar luego la ruta escogida y no para extraviarse definitivamente.

Sin embargo, estar seguro del camino principal es muy importante: no se puede gobernar sin un diagnóstico y una estrategia claros. La confusión del que administra puede ser letal para la suerte de la economía. Estoy convencido de que si mostrábamos dudas, o dictábamos medidas contradictorias, o combatíamos unos privilegios pero creábamos otros, hubiéramos producido tal desconcierto en la sociedad y el resto del mundo, que ningún éxito sólido hubiera sido posible.

El aumento de la recaudación no fue sólo fruto de la reforma tributaria y de la estabilización, sino que también tuvo que ver con nuestra mayor eficacia en la administración de los impuestos. Esta se basó en cinco ingredientes fundamentales:

1. Un nuevo método de facturación obligatorio para los vendedores de bienes y servicios, acompañado de la campaña publicitaria "Exija siempre su factura".

2. El establecimiento de un régimen de retenciones, percepciones y pagos a cuenta de impuestos en etapas del proceso económico con elevado grado de concentración. Se trata de lo que Carlos Tacchi llamaba la "técnica del reloj de arena", aludiendo a que en todo proceso comercial existe una zona angosta en la que se puede controlar mejor a los contribuyentes.

3. Un plan de inspecciones sorpresivas, tanto de comercios de venta al público como de grandes contribuyentes, para detectar casos de evasión impositiva e iniciar los procedimientos de cobranza, incluyendo la denuncia penal cuando correspondiera.

4. La eficaz defensa en juicio de los intereses del fisco, sin admitir arbitrajes ni transacciones.

5. El otorgamiento periódico a los contribuyentes de la posibilidad de acogerse a facilidades de pago, abarcativas incluso de impuestos determinados por la DGI y motivo de denuncias penales. A estos planes de pago Tacchi los denominaba "los puentes de plata".

El mecanismo funcionaba así:

• La exigencia de facturación obligaba a los contribuyentes a registrar operaciones que antes quedaban escondidas y habían dado lugar a evasión.

• Las retenciones, percepciones y pagos a cuenta obligaban a los agentes económicos bien identificados a pagar e informar a la DGI nóminas de proveedores y clientes que, de esa forma, se verían obligados a declarar sus impuestos.

- Las inspecciones detectaban los casos de no facturación o de otras violaciones normativas.
- Los procedimientos de cobro y las denuncias penales llevaban a los evasores a advertir los altos riesgos de su conducta.
- Y las presentaciones espontáneas y las facilidades de pago les daban la posibilidad de regularizar su situación gozando de una atenuación de las multas.

El sistema anduvo muy bien y permitió la recuperación de créditos impositivos muy conflictivos. Por ejemplo, los que habían generado para el fisco la compra de créditos IVA falsos a las empresas del grupo Koner Salgado, por parte de compañías como Firestone y Nobleza Piccardo. La DGI había demostrado ante la Justicia que la facturación de estas empresas y, por ende, los créditos fiscales que había transferido eran falsos.

La DGI reclamó a las empresas que habían comprado estos créditos el pago de los impuestos no ingresados, aunque estas firmas alegaban haber actuado de buena fe y aunque había evidencias de que, desde la propia DGI, algunos funcionarios habían alentado la transferencia de estos créditos fiscales.

Algunas compañías que habían sido demandadas por la DGI iniciaron gestiones, a través de sus accionistas extranjeros en los respectivos países de origen, para tratar de evitar el pago. British Tobacco, la empresa británica controladora de Nobleza Piccardo, llegó a proponer que el tema se resolviera a través de un arbitraje. Siguiendo el consejo de Carlos Tacchi, y con los argumentos jurídicos del secretario Legal y de Coordinación, Horacio Liendo, nos mantuvimos firmes en la pretensión fiscal y denegamos ese pedido, pero ofrecimos a dichas firmas uno de los "puentes de plata", es decir, una forma de pago razonable.

Nuestra oposición al arbitraje no era caprichosa. Sucede que, al administrar recursos públicos, no podemos hacerlo con las mismas libertades que tendríamos si fuéramos dueños de los mismos. Ante una deuda con el fisco, al gobernante le corresponde hacer cumplir la obligación o, en caso de conflicto de interpretación, acatar la decisión judicial correspondiente. Yo no puedo decirle al deudor: "su deuda es cien, págueme veinte y el resto lo olvidamos". Dado que no es mi patrimonio personal, sino el patrimonio de todos lo que está en juego, en tanto administrador, lo único que puedo hacer es facilitar al contribuyente el cumplimiento de su obligación fiscal.

Tanto Firestone como Nobleza Piccardo, y la mayor parte de las firmas que habían sido demandadas por ese motivo, entendieron que el arbitraje no era viable y terminaron abonando su deuda impositiva dentro del régimen de facilidades de pago, sin que el fisco resignara ni capital ni intereses. Algunas empresas argentinas, sin embargo, no actuaron de la misma manera. Es el caso de los compradores de créditos impositivos falsos creados por la empresa Papel de Tucumán, entre ellos su principal accionista, el grupo Bridas, que optaron por continuar la discusión judicial y no aprovecharon los "puentes de plata".

El origen del tema se remonta a dos décadas atrás. Durante los años 70, con el fin de dinamizar zonas económicamente deprimidas o estratégicas desde el punto de vista de la lucha contra la guerrilla, se había instaurado un régimen de promoción industrial que ofrecía diversas clases de subsidios y estímulos a quienes invirtiesen en determinadas zonas del país.

Un grupo de prestigiosos diarios del interior, que tenían el posible monopolio de Papel Prensa, decidieron aprovechar los beneficios de este sistema público de incentivos, mediante la instalación en Lules (provincia de Tucumán) de una fábrica de papel de diario que se elaboraría a partir del bagazo de la caña de azúcar. Dado que no existían antecedentes de esta clase de procesos en nuestra industria papelera y que auguraba importantes beneficios para una economía regional con alta dependencia de ese cultivo, el proyecto fue recibido con gran expectativa en la zona. Así surgió la compañía Papel de Tucumán.

El gobierno ofrecía a quienes pusieran su dinero en estos proyectos promocionados la posibilidad de diferir el pago de sus impuestos por un valor de hasta tres veces la suma invertida en el emprendimiento (hasta el 70% del capital podía recibir ese tratamiento). Como complemento, el Estado ofrecía créditos blandos del Banco Nacional de Desarrollo (BANADE) para el fortalecimiento del proyecto.

La planta tuvo problemas para funcionar desde el comienzo porque la idea de hacer papel de diario a partir de la caña de azúcar se chocaba contra la realidad de los números: el producto tenía costos de producción que no lo hacían competitivo en el mercado. Es entonces cuando los hermanos Carlos y Alejandro Bulgheroni, que venían desarrollando una exitosa tarea empresarial en el campo del petróleo, con inversiones de riesgo y crecimiento genuino, y actuaban como grupo Bridas, pasan a controlar el proyecto y comienzan a producir papel obra. A pesar de las dificultades que se avizoraban, y fundándolo en la necesidad de aumentar el capital porque el proyecto requería un mayor desarrollo, el grupo empresario solicitó a la Secretaría de Industria y Comercio —ya en la época del gobierno de Alfonsín— que se le ampliara de 140 a 200 millones la cifra autorizada de inversión, incremento de capital que, obviamente, pretendía se contabilizara a los fines de los diferimientos impositivos.

A esta altura, el desenvolvimiento de Papel de Tucumán venía recibiendo serias observaciones. Por un lado, empresas papeleras competidoras reclamaban porque los beneficios promocionales le habían sido otorgados al grupo Bridas para producir papel de diario pero éste se dedicaba en realidad a elaborar y comercializar también papel obra, con lo cual estaba incurriendo en competencia desleal. Por otro lado, la DGI ya había constatado las irregularidades que darían lugar al conflicto que llegó hasta los días de nuestra gestión.

Los inspectores habían detectado dos tipos de fraudes. Uno de ellos consistía en que gastos o inversiones realizados por otras firmas del grupo eran asentados como hechos por Papel de Tucumán para inflar la inversión promocionada. El otro surgía del aprovechamiento de las distorsiones a que daba lugar la persistente inflación del período: la compañía venía calculando la inversión actualizada (con índices de ajuste) y los diferimientos impositivos sin actualizar. De esa manera, los accionistas de Papel de Tucumán engrosaban los montos de sus impuestos a diferir.

Los funcionarios de la Secretaría de Industria aprobaron, de un modo extrañamente complaciente, esta solicitud de ampliación del monto de inversión sujeto a diferimiento impositivo, certificando a la vez todas las inversiones presuntamente concretadas con anterioridad. El ministro Juan Sourrouille, enterado de las muy atendibles quejas de las demás empresas del sector y las demandas de la DGI, resolvió anular la resolución de la Secretaría de Industria, lo que implicaba, además, que los accionistas de Papel de Tucumán (la gran mayoría, empresas del grupo Bridas) tuvieran que abonar los impuestos incorrectamente diferidos.

Fue entonces que el grupo Bridas, a través de sus diferentes empresas que aparecían como accionistas de Papel de Tucumán, empezó a presentar recursos de amparo en contra de la medida del Poder Ejecutivo Nacional en distintos juzgados del país. Finalmente logró que un juez de Catamarca, Efraín Rosales Saadi, contra toda lógica, se declarara competente (con el argumento de que quien reclamaba, una firma de Bridas, tenía su domicilio en la provincia), dando curso al pedido de "No innovar". A partir de ahí, se inició un largo calvario judicial que llegó a la Corte Suprema, donde la causa se encontraba sin definición cuando llegamos al Ministerio.

Como ya hemos señalado, desde que asumimos el Ministerio de Economía y Obras y Servicios Públicos nos propusimos utilizar dos armas que, operando en pinza, serían fundamentales para el ordenamiento fiscal que el programa económico requería: cobrar impuestos a los evasores y acabar con la industria del juicio contra el Estado, que era una de las fuentes más incontrolables de crecimiento del gasto público.

El caso de Papel de Tucumán era emblemático desde los dos puntos de vista. Por un lado, la deuda con la DGI a partir de créditos fiscales falsos. Por el otro, el invento de demandas millonarias contra el Estado. Y ambos, con una sospechosa aquiescencia en los jueces intervinientes.

La estrategia judicial del grupo Bridas era abarcativa. Al tiempo que conseguían que jueces como Rosales Saadi dictaran recursos de amparo en su favor para no abonar su deuda con la DGI, presentaban numerosas causas contra el Estado en búsqueda —más que del cobro de esas demandas— de una transacción que los liberara de las obligaciones que en verdad tenían. "No hay mejor defensa que un buen ataque", pensaban.

Así, por ejemplo, Papel de Tucumán, en trámite de quiebra ante el fracaso comercial del proyecto, le había iniciado un juicio al BANADE por 600 millones de pesos, a pesar de que, en realidad, la firma le debía al banco más de 300 millones. Por otra parte, la empresa petrolera Bridas había abierto una demanda varias veces millonaria contra YPF —estatal por ese entonces— a causa de un contrato de exploración.

La estrategia legal para lograr el cobro de los créditos fiscales fue diseñada por la Secretaría Legal y de Coordinación del Ministerio de Economía, con la asistencia para este tema específico de un prestigioso jurista especializado en Derecho Administrativo, el Dr. Roberto E. Luqui. Su primer logro fue que la Corte Suprema, después de varios años, volviera a prestar atención al tema, y declarara incompetente al juez Rosales Saadi, a partir de lo cual la causa pasó a los tribunales de la Capital Federal que, obviamente, fallaron dando la razón al reclamo de la DGI.

Como la DGI y el Ministerio del Economía demostraron mucha eficacia en la defensa de los intereses del fisco, la empresa Bridas comenzó a buscar un arbitraje, tal como lo había hecho sin éxito British Tobacco algunos años antes. A pesar de nuestra férrea oposición, ya durante mi gestión, desde el Ministerio de Justicia y desde el Ministerio del Interior nos venían formulando sugerencias de que llegáramos a un acuerdo con el grupo.

Un día el propio Carlos Corach, sin consultarme, se apersonó en el Ministerio a mi cargo acompañado por Alejandro Bulgheroni —una de las cabezas del grupo Bridas— para entrevistarse con los funcionarios que estaban a cargo del tema, con el fin de plantearles la necesidad de llegar a un arreglo. Apenas mis colaboradores me informaron de esta insólita reunión, tomé dos decisiones: la primera, instruirlos de seguir adelante en el reclamo de pago al grupo Bridas, y la segunda, llamar a Corach para reprocharle su carencia total de límites éticos y, además, para comunicarle que no toleraría una nueva intromisión en el ámbito del Ministerio bajo mi responsabilidad.

También el Ministerio de Justicia comenzó a apoyar a Bridas, fenómeno que se acentuó desde que asumiera Elías Jassán. Todavía estaba yo a cargo de la cartera de Economía cuando lograron que un decreto del presidente Menem, que me negué a firmar, ordenara a los abogados del Estado la suspensión de todos los juicios contra el grupo Bridas y la constitución de una comisión para reestudiar el caso. Esa comisión fue integrada por Horacio Liendo, Elías Jassán y Alberto García Lema, y el resultado de su análisis fue un dictamen con disidencias, donde las posiciones de Liendo (no ir a arbitraje) y Jassán (arbitraje de inmediato) contenían disidencias irreconciliables.

Pocos días después de mi renuncia, el ministro de Justicia, Elías Jassán, consiguió que el Presidente firmara el decreto, con las iniciales aprobatorias del nuevo secretario de Coordinación del Ministerio de Economía, Julio Cáceres, sometiendo a arbitraje la disputa con Bridas. Esto significa un lamentable cambio de postura de esa Secretaría que, junto con la de Ingresos Públicos, había aportado importantes fundamentos legales para oponerse al arbitraje en materia impositiva. El riesgo de que el Estado no cobre ni un solo peso de lo que este grupo le adeuda se ha acrecentado a la luz del trato complaciente con que desde nuestra salida del Ministerio de Economía se viene considerando este obvio caso de evasión.

Los problemas con Papel de Tucumán no terminaban allí. El proyecto industrial y comercial de la firma había fracasado totalmente y su insolvencia notoria (le debía al BANADE, a sus trabajadores, a proveedores, a las empresas de servicios públicos) llevó a que se iniciara su trámite de quiebra.

En virtud del problema social que el cierre de Papel de Tucumán generaba —un importante número de familias iba a quedarse sin su fuente de trabajo—, con el gobernador Ramón Ortega procuramos hacer todo lo posible para conseguir un comprador que se hiciera cargo de la empresa. Si bien habíamos recibido algunas ofertas de compra de la fábrica desguazada, nuestro propósito era venderla en funcionamiento para obtener un mejor precio y propiciar la generación de empleo. Pero, lamentablemente, nuestras intenciones se toparon con un juez, Jorge del Valle Puppo, que obstaculizó un adecuado traspaso de la empresa.

Tras dos licitaciones declaradas desiertas, se decidió hacer una tercera sin precio base para fortalecer las posibilidades de conseguir comprador. A ella se presentaron tres oferentes. Uno de ellos, el que presentó la oferta más baja (casi un tercio del precio ofrecido por otro de los grupos que participaron en la licitación), era el actual presidente de la Cámara de Diputados de la Nación, Alberto Pierri. El juez Puppo objetó las dos presentaciones que ofrecían mejores precios por "defectos formales". Las firmas subsanaron esos vicios de forma en el curso del juicio, a pesar de lo cual el juez consideró preferible entregar Papel de Tucumán, libre de deudas, por sólo 11 millones de pesos al diputado Pierri.

Poco tiempo después, anticipándose a la creación del Consejo de la Magistratura (organismo que debía hacerse cargo de las propuestas de nuevos jueces según la Constitución reformada), el Senado brindó su acuerdo para el ascenso de Jorge del Valle Puppo a camarista en el fuero laboral.

Tan escandalosa designación —agravada porque la vacante aún no se había producido— hizo que se diera una situación única en la historia: la Cámara se negó a tomarle juramento. Al Ministerio de Justicia se le ocurrió trasladarlo como camarista al fuero en lo civil y comercial, pero también fue objetado, dado que el acuerdo del Senado era para otra Cámara. Finalmente, la Corte Suprema le exigió a la Cámara de Apelaciones del Trabajo, donde originalmente había sido designado, que tomara juramento a Puppo. La jura del nuevo juez se realizó en un escenario desierto: ese día sólo estaba el presidente de la Cámara, cumpliendo la orden de la Corte, mientras que ninguno de los demás camaristas asistió a la ceremonia.

El caso de los hermanos Bulgheroni es significativo para mostrar cómo laboriosos empresarios, ante las malas reglas de juego introducidas por el poder político, pueden caer en la tentación de desviarse del camino que los había llevado honestamente al éxito. En efecto, antes de introducirse en una diversidad de negocios que no conocían, como el papelero o el bancario —donde también tuvieron que afrontar problemas judiciales con los ahorristas de un banco de su propiedad—, los Bulgheroni habían vivido un importante crecimiento a partir de una gran capacidad emprendedora en la industria del petróleo.

Hasta el último día de mi gestión aspiré a que el grupo Bridas reconociera el error cometido en materia impositiva y se aviniera a convenir un plan de pagos razonable de sus deudas. No lo logramos, porque descubrieron que en el gobierno podían contar con fuertes aliados en defensa de su idea de no pagar. En eso radica lo más pernicioso de las posiciones de Corach y Jassán y del decreto que envía a arbitraje el reclamo de pago de las obligaciones fiscales de Bridas: son una pésima señal para aquellos empresarios que desean invertir a riesgo, pagar sus impuestos y competir lealmente en la nueva economía argentina.

Lo que ocurrió con el caso Bridas y Papel de Tucumán sirve sólo para introducir el gran tema de lo que hasta ahora constituye la batalla perdida en la lucha contra la evasión: la actitud del Ministerio de Justicia y de los jueces dependientes de Carlos Corach y Elías Jassán otorgando protección a los evasores. Para entender el grave riesgo que esto importa para el futuro inmediato, es necesario explicar la aparición del negocio de las facturas truchas y de las retenciones de impuestos no ingresadas al fisco que se transformaron en instrumentos de asociaciones ilícitas.

A mediados de 1992, en algunas importantes inspecciones a empresas del grupo Yabrán, la DGI comenzó a detectar que se contabilizaban facturas por servicios inexistentes o exageradamente abultados. La operatoria se hizo por cifras multimillonarias, particularmente en empresas como Edcadassa y Ocasa, utilizando como proveedores de las facturas empresas reales algunas veces, inexistentes otras, pero todas ellas conformadas por personas sin ninguna responsabilidad patrimonial.

Mediante este sistema de facturas truchas, las empresas del grupo procedían a simular gastos, lo cual les reportaba los siguientes "beneficios": a) disminuían ficticiamente las utilidades, con lo que pagaban menos impuesto a las ganancias; b) incrementaban el supuesto pago de IVA-compras que se debita del IVA-ventas, pagando menos impuesto al valor agregado; y c) generaban dinero negro que podría utilizarse para efectuar pagos que no pueden declararse.

A título de ejemplo, una de las maniobras de evasión fiscal más comunes era la "compra" de facturas de terceros para acrecentar los gastos y aumentar el crédito fiscal por IVA. Para ello contaban con una aceitada organización que incluía operadores "comerciales" —llamados "corredores"— y "técnicos". Los "corredores" visitaban las empresas y ofrecían la operación, ajustando con el "vendedor" el "precio", que consistía en un porcentaje (entre un 5 y un 8%) de la factura que se entregaría. Una vez pactado el "precio" concurría un "técnico" que evaluaba si quien iba a simular la venta tenía una actividad que hiciera verosímil la facturación.

Otro de los mecanismos muy utilizados era el de la facturación dentro de empresas del grupo. El caso más relevante es el de las tres sociedades Zapram (la SA, la SRL y la Zapram Technical SA), todas a cargo de militares retirados, muchos de ellos de participación activa en la denominada "guerra sucia" dentro del último régimen militar, quienes actuaban como testaferros de Alfredo Yabrán. Estas empresas, que se dedicaban primariamente al rubro "seguridad", fueron utilizadas como pantallas societarias para la provisión de servicios al grupo, con su correspondiente sobrefacturación. Con ello Edcadassa, Intercargo e Interbaires —empresas también de Yabrán,

149

con el monopolio de distintos servicios aeroportuarios —a las cuales ya me referí en un capítulo anterior—, acrecentaban su crédito fiscal frente a la DGI.

Tanto fue el exceso de facturación que generó el "subgrupo Zapram" a sus "clientes" que, cuando la DGI los inspeccionó, decidieron urdir una maniobra a todas luces dolosa. Declararon que les habían robado un vehículo en el que, según la denuncia que hicieron, tenían todos y cada uno de los documentos de las tres sociedades e incluso ...¡la computadora donde estaba toda la contabilidad! Así, con este grosero ardid, Zapram SA, Zapram SRL y Zapram Technical SA solicitaron su quiebra. Y mientras tanto sus "clientes" Intercargo, Interbaires y Edcadassa, se quedaron con el crédito fiscal por IVA facturado por las ya quebradas.

El broche de oro a la desfachatez e impunidad del grupo se puso de manifiesto cuando decidieron traspasar el personal que tenían las tres Zapram a Bridees SRL, Servicios Quality Control SA y Tecnipol SA, todas empresas del grupo Yabrán. Un caso curioso de "movilidad laboral" es el de Juan Carlos Castillo, (a) "la Serpiente". Este hombre aportó en su carácter de empleado de Zapram SRL, mientras era simultáneamente vicepresidente del directorio de Zapram Technical SA, y luego pasó a ser empleado de Zapram SA. En 1993 pasó a Orgamer, otra firma del grupo, igual que Villalonga Furlong, que le dio trabajo en 1995. No sólo eso: en oportunidad de notificarse la citación de un testigo en el juicio que Bernardo Neustadt tiene contra mí, el señor Juan Carlos Castillo fue quien recibió la cédula de notificación en el domicilio real de aquél. El testigo en cuestión era, casualmente, Alfredo Yabrán.

Esta tecnología para la evasión, la de las "facturas truchas", que el grupo Yabrán utilizaba en todas sus empresas conseguía, en todos los casos, aliados en la Justicia. Así, los jueces Patricio Santa Marina —en reclamos contra Edcadassa— y Guillermo Tiscornia —demandas contra Ocasa— encontraron excusas para sobreseer cualquier causa de evidente delito fiscal que complicara al grupo.

Esta benevolente actitud de algunos jueces tuvo sus consecuencias: la metodología de evasión comenzó a ser ofrecida a empresas de otros grupos. Fue ésa, por ejemplo, la estrategia que emplearon CCR y Consad para evadir impuestos y esconder el pago de coimas en el caso del contrato IBM-Banco de la Nación Argentina.

En forma prácticamente simultánea, el grupo económico liderado por Alberto Samid —muy activo en el negocio de las carnes— comenzó a utilizar empresas "truchas" como operadoras en el mercado de las carnes. Su estrategia consistía en que esas compañías, luego de retener el IVA a los productores ganaderos por todas las cabezas faenadas por ellos, omitían el pago del impuesto a la DGI.

Como en el caso anterior, la evasión llegó a representar millones de dólares y la metodología era muy simple. Mientras pudieran seguir operando las empresas truchas, continuarían con la venta de facturas y la retención del IVA y, por ende, evadiendo el pago de los impuestos. Cuando ello ya no fuera posible, por decisión judicial o por cancelación de la matrícula, estas empresas se irían a la quiebra sin problemas porque sus titulares, todos ellos testaferros, eran personas absolutamente insolventes.

Claro que para tener éxito era necesario que los jueces aceptaran el temperamento de que no había irregularidad alguna por parte de los compradores de las facturas, en el caso de las facturas "truchas", ni de los verdaderos propietarios del negocio, en el caso del mercado de las carnes. Para que se mantuviera la evasión, en este último caso, la clave era encontrar la forma de que la Secretaría de Agricultura, Ganadería y Pesca no pudiera cancelar con agilidad la matrícula de los evasores. Esta ayuda o protección a los delincuentes la proveerían en el caso de las carnes diversos jueces, entre los cuales se destaca nítidamente el ya mencionado Guillermo Tiscornia.

La metodología utilizada por Tiscornia fue la de conceder recursos de amparo a los titulares de matrículas que eran canceladas por el Servicio Nacional de Sanidad Animal (SENASA) y la Secretaría de Agricultura, Ganadería y Pesca de la Nación, por no cumplir con los requisitos mínimos para funcionar como matarife o frigorífico. Ese control de la matrícula era la garantía que impedía que aparecieran delincuentes dedicados a evadir mediante el método de apoderarse del IVA que les correspondía retener, para luego —cuando se les cerraba el cerco— dar de baja o mandar a la quiebra a la empresa fantasma, que habían montado a ese efecto.

El servicio de Tiscornia a los evasores de la carne fue tan integral que, para no dejar ninguna duda de cómo debían moverse quienes desearan obtener su protección judicial, publicó un artículo en un medio especializado en cuestiones tributarias, que llevaba como título "La evasión impositiva en la comercialización de ganados y carnes", y que daba los fundamentos para la presentación de recursos de amparo: la inconstitucionalidad del decreto que fija la fiscalización exclusiva del mercado de las carnes por parte de la autoridad nacional.

Usando el mismo argumento del juez en el artículo antes mencionado, las empresas evasoras —que habían aprovechado la complicidad de la autoridad sanitaria del gobierno de la provincia de Buenos Aires para obtener una matrícula provincial para operar— se presentaban una y otra vez ante el juez Tiscornia con recursos de amparo que pretendían frenar la cancelación de matrículas dispuesta por el SENASA al comprobar el fraude en la documentación de esas compañías.

El 12 de noviembre de 1996 la Corte Suprema de Justicia de la Nación hizo lugar a una apelación del SENASA y revocó definitivamente uno de los más escandalosos amparos otorgados por Tiscornia: el que protegía a la firma Ganaderos del Oeste SA, una firma absolutamente insolvente y trucha que venía reteniendo IVA en operaciones que involucraban unas 30.000 cabezas de ganado al mes.

En el mismo expediente de Ganaderos del Oeste, Tiscornia había aprovechado para conceder otro recurso de amparo a una empresa fantasma: Ganchera SA. El SENASA le había cancelado la matrícula al comprobar la inexistencia de la firma: el domicilio dado por la empresa era absolutamente falso.

El asombro del SENASA no acabó con la constatación de que el domicilio declarado por Ganchera, que decía matar nada menos que 30.000 animales al mes, fuera inexistente y que, obviamente, tampoco la documentación de sus operaciones fuera localizable. En la misma causa judicial en la que el juez le otorga el amparo a esa firma se puede leer una comunicación de la empresa al SENASA que da cuenta de cambios en el directorio de Ganchera, a través de la incorporación del señor José María Segovia al mismo. Pocas fojas más adelante podemos observar que el señor Segovia declara no saber qué es Ganchera, que su profesión es la de albañil y que le habían hecho firmar unos papeles a cambio de un pago de 50 pesos.

La Cámara de Apelaciones en lo Penal Económico dio marcha atrás con la decisión de Tiscornia respecto de Ganchera por lo totalmente improcedente que suponía otorgar un amparo a una empresa en una causa iniciada por otra firma —Ganaderos del Oeste— con diferente matrícula. A pesar de ese fallo de la Cámara y de la revocatoria definitiva del amparo a Ganaderos del Oeste por parte de la Corte Suprema, el juez Tiscornia remitió un oficio al SENASA ratificando que el amparo estaba vigente, y tres días después, el 21 de noviembre de 1996, volvió a dirigirse al SENASA para asegurarse de que éste no procurara nuevamente la cancelación de la matrícula de Ganchera.

Con el total de los datos de que disponíamos acerca de la protección de evasores y contrabandistas, fui a ver al presidente Menem. Allí le planteé que la consolidación del programa económico requería de un gesto fuerte en materia de lucha contra la evasión y que el punto de partida era poner un punto final a los protectores de evasores y contrabandistas instalados en el Poder Judicial. El caso que yo veía como emblemático era el del juez Guillermo Tiscornia, quien había mostrado cualidades para defender evasores en el mercado de las carnes y contrabandistas en las exportaciones de oro.

El presidente Menem estuvo completamente de acuerdo con mi visión del asunto y fue así que me sugirió que contratáramos al equipo del Dr. Luis Moreno Ocampo —que ya había cumplido tareas muy importantes de detección de ilícitos en el INdeR y Correos—, para que realizara una investigación que, junto a las pruebas que venía reuniendo Felipe Solá en la Secretaría de Agricultura y Carlos Sánchez en la Dirección General Impositiva, nos posibilitara pedir el juicio político de Tiscornia.

Sánchez, por su parte, ya había logrado atar una complicada madeja de nombres, domicilios, operaciones y complicidades que daban cuenta de la existencia de una asociación ilícita en el ámbito del mercado de las carnes y que era encabezada justamente por Alberto Samid.

Lo que hizo la DGI en este caso fue tratar de neutralizar una de las principales armas que tienen las organizaciones mafiosas para mantenerse en pie, consistente en la dispersión en múltiples juzgados de las diversas causas que se inician contra cada uno de los eslabones de esas cadenas de corrupción. Mientras estén seguras de que cada causa se tramita por separado, es decir, que pueden darse una táctica para cada caso, donde la fase probatoria no realice un completo cruce de datos entre fenómenos similares, estas organizaciones zafan fácilmente de la acción judicial.

El Ministerio de Economía y la DGI trataron de evitar la aplicación de estos mecanismos protectores de la evasión, argumentando que estas operaciones tan reiterativas y por montos tan enormes sólo eran posibles por la existencia de asociaciones ilícitas, es decir, verdaderas mafias como las encabezadas por Alfredo Yabrán y Alberto Samid. Para conseguir que esta ofensiva de quienes pretendíamos hacer cumplir las leyes impositivas fuera neutralizada, Elías Jassán desde el Ministerio de Justicia y el procurador general Agüero Iturbe como jefe de los fiscales se dedicaron a convencer a propios y extraños de que en la Argentina las mafias no existen y que son creaciones imaginarias de los esquizofrénicos funcionarios de Economía, comenzando por su ex titular. A causa de mis acusaciones contra las mafias, el ministro Carlos Corach me calificó de difamador profesional, algo especialmente peligroso por provenir del hombre encargado nada menos que de la seguridad de los argentinos.

A los pocos días de habernos abocado a la preparación del juicio político a Tiscornia, llegó mi renuncia al Ministerio. Y unas semanas después, mi máxima sorpresa: el juez sospechado de ser protector de evasores y contrabandistas se convertía en el gran moralizador de la Argentina a partir del invento de la "aduana paralela" basado en el sistema de contenedores en tránsito.

Cuando vi el montaje de este show recordé que, tras la reunión de gabinete donde el Presidente había planteado ir a fondo con el caso Samid y todos los demás temas de evasión, había recibido información acerca de que los ministros Corach y Jassán estaban urdiendo una trama que sacara el problema de la mafia de donde verdaderamente estaba. También conocía la especial inquina para conmigo del juez Tiscornia, quien sabía, seguramente por vía de alguno de sus padrinos políticos, que yo estaba encabezando una acción para llegar hasta su juicio político.

Es cierto que desde 1994 la recaudación impositiva está estancada. Pero ello no es consecuencia de la falta de empeño de la Dirección General Impositiva o del Ministerio de Economía en la lucha contra la evasión, sino de que, particularmente a partir del 14 de mayo de 1995, los ministerios de Justicia y del Interior, valiéndose de los jueces federales y en lo penal económico que les responden, han ayudado a los principales evasores del país a gozar de impunidad por sus delitos. En la medida que estos mecanismos protectores de la evasión comenzaron a ser conocidos, los "puentes de plata" —ideados por Tacchi para facilitar el cumplimiento de las obligaciones fiscales— perdieron efecto.

Las empresas de los grupos Yabrán y Samid, a pesar de que en 1995 ya estaban denunciadas ante la Justicia penal por muchos millones de dólares, asumieron la actitud de Bridas, es decir no se presentaron al régimen de facilidades de pago que ofrecimos al final de aquel año. Prefirieron esperar a que el Ministerio de Economía cambiara de titular y que el paraguas judicial de protección se reforzara y agrandara. Lamentablemente se están saliendo con la suya, y por eso, pese a la clara reactivación económica a lo largo de todo el año '96, los niveles de recaudación se mantienen estancados como en 1995.

La experiencia en materia de administración tributaria de los últimos años debe ser analizada en conjunto con la de la lucha contra el contrabando y la corrupción. Y la conclusión a la que se arriba es muy clara. El cambio de las reglas de juego de la economía ha reducido la evasión, el contrabando y la corrupción como comportamientos individuales. Sin duda, para los agentes económicos normales y para los ciudadanos, así como para los empleados públicos y funcionarios, hay menos oportunidades de corrupción aislada.

Pero al mismo tiempo ha aumentado la evasión, el contrabando y la corrupción impulsada por el crimen organizado. Si bien se trata de un fenómeno mundial, la expansión de las asociaciones ilícitas, actuando inteligente y sistemáticamente, ha encontrado en nuestro país un caldo de cultivo especial para su desarrollo.

La expansión del crimen organizado se ve favorecida por la debilidad ética y tecnológica de los organismos de control, de las fuerzas de seguridad y de los servicios de Inteligencia. El crimen organizado ha hecho todo lo posible para obstaculizar los avances en la modernización tecnológica y la recuperación moral de instituciones tales como la Dirección de Migraciones, la Administración de Aduanas y la Dirección General Impositiva.

Pero cualquier avance que se logre en cuestiones de administración y control de nada valdrá si no somos capaces de resolver uno de los principales males de nuestra actual estructura institucional: el deterioro de la calidad moral e idoneidad de algunos de los jueces designados durante los últimos tiempos.

La informatización frustrada

Durante toda la década del 80, las altas tasas de interés que debían pagar agricultores, industriales y comerciantes cuando solicitaban un préstamo bancario había sido un tema de preocupación, y en 1989 fue también motivo del discurso preelectoral.

Menem había prometido que sus políticas harían bajar las tasas de interés, pero a mediados de su primer gobierno, a pesar del éxito del Plan de Convertibilidad en términos de reducción de la inflación y baja de la tasa de interés de los depósitos, el costo del dinero para los demandantes de crédito, en particular las pequeñas y medianas empresas, seguía siendo extremadamente alto. Los bancos trabajaban con márgenes en las tasas activas de entre el 10 y el 20% anual, cuando en el mundo se ubicaban entre el 2 y el 4%. En las reuniones de equipo económico, durante los años '91 y '92, discutimos en muchas oportunidades sobre los mecanismos para reducir esos márgenes financieros exagerados y el papel que debería jugar el Banco de la Nación Argentina al respecto.

Los factores que pueden explicar ese desajuste eran varios. Por un lado, incidían negativamente los impuestos que encarecían el costo de la intermediación financiera. Por otro lado, los costos operativos de los bancos eran muy elevados. Y, finalmente, los bancos agregaban varios puntos porcentuales anuales para cubrir los riesgos de incobrabilidad que, de acuerdo con la experiencia, en la Argentina eran mucho mayores que en los otros países del mundo.

A medida que la situación fiscal lo permitía, fuimos reduciendo los impuestos y casi todas las entidades bancarias, incluido el Banco de la Nación Argentina, habían comenzado a revisar cuidadosamente tanto sus costos laborales como los relacionados con sus compras de bienes y servicios no personales. También decidimos trabajar en la reducción de los costos de los honorarios profesionales en juicios, e incluso promovimos la modificación de la Ley de Quiebras para reducir los riesgos de incobrabilidad.

Sin embargo, si bien todas esas medidas contribuían a la reducción de las tasas de interés, el ritmo de la baja seguiría siendo muy lento si no se impulsaba una fuerte modernización tecnológica de los bancos.

Según la experiencia mundial, esta innovación tenía un importante componente de informática y comunicaciones. Las instituciones bien informatizadas podían no sólo abaratar los costos unitarios de cada operación sino también adoptar decisiones con mayor información. Por ejemplo, con una adecuada informatización, sería factible medir el riesgo de incobrabilidad que significaba cada cliente por cada tipo de operación, a la luz de la propia información histórica así como de la de todos los demás clientes de características similares.

El Banco de la Nación Argentina era algo más que un banco oficial. Creado por Carlos Pellegrini, el presidente que había diseñado la convertibilidad que ayudó a cuatro décadas de estabilidad y crecimiento entre fines del siglo pasado y principios de éste, el Nación era también un símbolo con contenido histórico: representaba un pilar de una época de la economía argentina que observábamos como espejo para nuestro accionar.

Cuando llegamos al gobierno, su situación organizacional y tecnológica era lamentable. La calidad de los servicios, la concentración de los créditos en pocos grandes grupos y la lentitud con que se instrumentaban algunas operatorias impulsadas desde el gobierno eran objeto de las críticas más frecuentes; el descontento se sumaba a las quejas por la rígida resistencia a la baja de sus tasas de interés para créditos, de gran importancia por constituirse en un valor testigo para el resto del sistema.

Desde el primer día de nuestra gestión y, en particular, a partir del lanzamiento de la convertibilidad, dimos una especial atención a la reforma de esta entidad para adecuarla a los requerimientos del nuevo escenario económico. El directorio, encabezado por Aldo Dadone, se abocó al desarrollo de una serie de políticas tendientes a reducir costos y aumentar la calidad de los servicios del Banco. Los pasos que se iban dando eran muy valiosos y yo veía con satisfacción la forma en que el Nación iba funcionando cada vez mejor.

La revisión de los contratos de servicios prestados al Banco permitió un ahorro del orden de los 37 millones de pesos anuales, lo cual implicaba una baja del 15% sobre los valores antes pagados. Un programa de retiros voluntarios del personal permitió la reducción de la plantilla, y el ahorro se destinó a recomponer las remuneraciones de los empleados de línea, equiparándolos a los pagados en el sector privado. A su vez, se había puesto en marcha un plan de incorporación de profesionales jóvenes con el fin de mejorar la calidad de los recursos humanos disponibles. Y, además, se había iniciado un inédito proceso de descentralización de las decisiones, que daba más oportunidades a las distintas gerencias regionales y zonales para brindar respuestas a los clientes sin necesidad de pesados trámites burocráticos en la Casa Central.

Esta reestructuración interna, junto al sostenido crecimiento de los depósitos del público en el Banco de la Nación Argentina, permitieron una fuerte reducción de los costos medios de intermediación financiera. Así, los gastos administrativos como porcentaje de los depósitos totales cayeron de 2,5% en 1991 a 0,6% en 1993, para luego mantenerse en ese nivel. Las tasas de interés —en franca caída— ya empezaban a dar cuenta de ese notable aumento de la eficiencia.

Sin embargo, se había llegado a una frontera difícil de superar sin una reconversión tecnológica más integral. La única vía que permitiría que los servicios se expandieran a un ritmo mayor que los costos emergentes era la introducción de un plan informático y de comunicaciones del que, hasta el momento, el Banco carecía.

En un viaje a Canadá, acompañado por banqueros y empresarios, tuve oportunidad de visitar varias instituciones bancarias de ese país e interiorizarme sobre su funcionamiento. Los grandes bancos canadienses tenían alrededor de mil sucursales cada uno, dispersas en toda la geografía del país, pero todas ellas trabajaban con acceso a la misma información, dado que estaban comunicadas entre sí en forma permanente y utilizaban sistemas informáticos muy eficientes. Los márgenes financieros de los bancos canadienses están entre los más bajos del mundo y una gran parte de su clientela está constituida por familias y pequeñas empresas que son atendidas con bajos costos, precisamente porque la informatización permite estandarizar el tratamiento de clientes y operaciones que terminan repitiéndose miles de veces.

En esa ocasión, el presidente del Bank of Nova Scotia me explicó que diez años atrás habían decidido adoptar un sistema informático denominado *Hogan*, gracias al cual, desde entonces, y mediante las adaptaciones requeridas por la evolución de los negocios, se habían alcanzado niveles de eficiencia nunca imaginados. Para obtener estos resultados, el banco invertía en informatización, incluida la capacitación permanente de su personal, un importe aproximado al 40% de la nómina salarial de la institución.

Ya que —como señalé con anterioridad— el Banco de la Nación Argentina tenía métodos operativos muy antiguos y carecía de informatización, impulsé con convicción un fuerte proceso de modernización tecnológica que le permitiera alcanzar niveles de eficiencia similares a los que había podido observar en Canadá y en otras experiencias del mundo desarrollado. Por eso recibí con entusiasmo y alenté la iniciativa del Banco de la Nación Argentina denominada Proyecto Centenario, un ambicioso plan informático que la institución me presentó, cuya gran importancia para la modernización del banco se vería luego ensombrecida por el escándalo de corrupción derivado del contrato con IBM, la empresa proveedora.

Cuando Aldo Dadone comentaba en las reuniones de gabinete económico la marcha de este proyecto, nos explicaba que el Banco de la Nación Argentina pasaría a tener un sistema de comunicaciones y de informatización semejante al del Bank of Nova Scotia, una entidad con una expansión territorial de sus negocios que se asemejaba en gran medida a la de nuestro banco oficial. Para ello se había establecido en el pliego de condiciones que la empresa encargada de implementar toda la informatización debía utilizar el sistema *Hoggan* que, como señalé, aquel banco ya estaba usando con inmejorables resultados en Canadá.

Dadone nos había informado también que a partir de un año de contratado el proyecto, la empresa proveedora debía entregar sucursales completamente informatizadas, a un ritmo tal que, al cabo de dos años, las quinientas sucursales del banco iban a estar operando con los nuevos sistemas e interconectadas en tiempo real. El integrador, es decir, la empresa responsable de implementar el sistema llave en mano, también estaría encargado de capacitar al personal. Así, en sólo dos años, el banco habría de funcionar de una manera completamente distinta de la tradicional.

A los miembros del equipo económico no nos sorprendió que el integrador fuera IBM, porque se trataba de la empresa de más prestigio en la materia y con amplia penetración en el mercado. Tampoco nos asombró el monto del contrato —que ascendía a 240 millones de dólares— porque, de acuerdo con la experiencia del Bank of Nova Scotia, las inversiones normales en informática eran de esa magnitud. La nómina salarial del Banco de la Nación Argentina ascendía a más de 400 millones de dólares anuales, por lo cual 120 millones de dólares al año de costo de informatización era incluso inferior a la proporción normal (relación del costo del proyecto respecto del total de salarios abonados por el banco), de acuerdo con aquella experiencia. Además entendíamos que a partir del tercer año, una vez terminada la implementación, el costo de mantenimiento y actualización del sistema sería bastante menor.

El contrato se firmó en febrero de 1994, y a lo largo del año todos esperábamos ansiosos que empezaran a funcionar las sucursales informatizadas y que comenzaran a percibirse los beneficios de la modernización del Banco de la Nación Argentina, en la forma de menores tasas de interés para sus clientes. Lamentablemente, lo que nos esperaba era una gran desilusión.

A principios de 1995, aun con toda la preocupación que causaba la fuga de capitales y de depósitos que siguió a la devaluación del peso mexicano, seguíamos discutiendo los problemas de modernización del sistema bancario y, en particular, de informatización del Banco de la Nación Argentina.

Yo comencé a notar que Aldo Dadone no se mostraba satisfecho con la marcha del Proyecto Centenario. El atribuía las demoras a fallas del equipo que había conformado IBM. Del otro lado, yo escuchaba la versión opuesta: en una conversación que mantuve con el por entonces presidente local de esa compañía, Ricardo Martorana, éste se quejaba de falta de apoyo de los funcionarios del banco. De acuerdo con lo que fui advirtiendo a partir del momento en que se desató el escándalo, creo que más allá de estas legítimas preocupaciones y recriminaciones recíprocas se escondía una inquietud aún mayor por el escándalo que estaba comenzando a ser descubierto a partir de investigaciones de la Dirección General Impositiva.

En los primeros meses de ese año, la DGI había decidido inspeccionar las empresas subcontratistas de IBM. A poco de introducirse en el tema, los inspectores detectaron que CCR había contabilizado facturas de proveedores falsos por más de 8 millones de dólares. La firma había recibido alrededor de 10 millones de dólares por servicios supuestamente prestados a IBM para el Proyecto Centenario.

La DGI también detectó que lo que IBM había pagado era un sistema diferente del *Hoggan*, y que era propiedad de CCR por haber sido transferido al valor de 1 peso por su propietario anterior, la empresa Consad. En realidad, la DGI advirtió de inmediato que CCR era un desprendimiento de Consad, por lo cual denunció a ambas por evasión del impuesto al valor agregado y el impuesto a las ganancias, dando los nombres de sus respectivos presidentes, Julia Oshiro y Alejandro Delellis, como cómplices en ese fraude.

Cuando Ricardo Cossio, el director de la DGI, me informó sobre esta denuncia, me dijo que entendía que IBM y el Banco de la Nación Argentina no tenían ninguna responsabilidad en la cuestión, y que era uno de los tantos casos de "facturas truchas", como los que habíamos descubierto en los últimos dos años, gracias al eficaz accionar en la detección de grandes evasores.

Pero a las pocas semanas, apenas terminada la elección del 14 de mayo, cuando yo había empezado a formular fuertes críticas al proyecto de Ley de Correos —que ya tenía media sanción del Senado y que había comenzado a moverse en Diputados—, comenzaron, paralelamente, las sospechas y las denuncias por cómo se había manejado el proceso de informatización del Banco de la Nación Argentina.

En un principio me pareció que se trataba de una campaña muy similar a la que se había lanzado, aproximadamente un año antes, en contra del directorio del Correo Argentino. Igual que entonces, un fiscal de Cámara, el doctor Raúl Plée, formulaba una denuncia ante el juzgado del doctor Adolfo Bagnasco. La misma se basaba en la información aportada por la DGI, pero no se refería a evasión impositiva sino al pago de coimas que habrían hecho Consad y CCR por cuenta de IBM a directivos del Banco de la Nación Argentina. La denuncia de Plée, además, era vastamente publicitada por el comunicador Daniel Hadad, exactamente de la misma manera como había sido, un año atrás, la denuncia contra Haroldo Grisanti y los otros miembros del directorio del correo oficial.

Dadone y Martorana, en reuniones separadas, me explicaron, dejándome incluso trabajos escritos, que la denuncia de Plée no tenía ningún fundamento. Sin embargo, empecé a tener la sospecha de que no todo estaba tan claro como ellos me lo contaban.

Como el tema iba cobrando cada vez más importancia en los medios de comunicación, le pedí a Ricardo Cossio una copia de la denuncia de la DGI, y ahí pude ver que se describía en detalle la interrelación entre IBM, que había contratado a Consad-CCR para que le proveyera un sistema "muletto" —que sólo se utilizaría si había problemas con el *Hogan*—, y el Banco de la Nación Argentina, que había contratado a IBM como integrador para que implementara el sistema *Hogan* sin que en ningún momento se mencionara ese "muletto".

Además, la denuncia de la DGI daba detalles de transferencias al exterior por un monto equivalente al de las facturas truchas. Dichas transferencias habían sido hechas desde la cuenta de CCR en el Banco General de Negocios a través del Uruguay hacia instituciones financieras de Nueva York y Suiza.

Por la lectura de la denuncia de la DGI, constaté que allí aparecían efectivamente los indicios que presentaba el fiscal Plée en su denuncia de cohecho ante el juez Bagnasco. También advertí que no aparecía para nada el apellido Cattáneo, que yo recordaba de la conversación con Martorana. Este, con un dejo de crítica hacia la DGI, me había mencionado que las empresas evasoras de impuestos pertenecían a un señor Cattáneo, que era proveedor de servicios informáticos de la DGI.

Cuando le pregunté a Ricardo Cossio sobre este asunto me dijo que, efectivamente, él creía que Consad y CCR eran propiedad de Juan Carlos Cattáneo, y que éste, a través de Consad, había trabajado para la DGI desde 1991. Del mismo modo, me señaló que Delellis era cuñado de Juan Carlos Cattáneo y, por si esto fuera poco, que

163

un hermano suyo, Marcelo, era el vicepresidente de Consad. Me explicó además que había hecho investigar a Consad por todas las actividades que había desarrollado para la DGI y otras empresas, habiendo encontrado algunos casos de facturas truchas, aunque no de la magnitud de los de CCR.

Por todas estas razones, Cossio ya le había anunciado a Cattáneo que Consad debía retirarse como proveedor informático de la DGI. Esto mismo se le había comunicado a la unión transitoria de empresas IBM-Banelco, que la tenía a Consad de subcontratista en un contrato de servicios informáticos a la DGI más importante aún que el Proyecto Centenario del Banco de la Nación Argentina: el sistema de recaudación para el nuevo régimen previsional. La Unión Transitoria de Empresas IBM-Banelco, entonces, se había comprometido a reemplazar a Consad a la brevedad. En otras palabras: Ricardo Cossio había considerado que Consad no podía seguir prestando servicios a la DGI, sea en forma directa o como subcontratista, por haber evadido impuestos, pero había sido informado de que su reemplazo requería algún tiempo para que no se resintiera el servicio.

De toda la explicación que me dio Cossio, hubo un solo detalle que me disgustó. En su denuncia, la DGI no había mencionado a Juan Carlos Cattáneo, porque formalmente se había retirado de la empresa para ser subsecretario general de la Presidencia de la Nación. Cuando advertí que se trataba de una alevosa evasión impositiva del número dos de Alberto Kohan sentí una gran indignación.

Inmediatamente después de que Cossio me explicara todo esto hice conocer el hecho al presidente Menem en reunión de gabinete nacional con la presencia de Alberto Kohan.

Esa misma noche mencioné en el programa "Hora clave", conducido por Mariano Grondona, que lo que estaba siendo presentado públicamente como el affaire IBM-Banco de la Nación Argentina no era sino una alevosa evasión impositiva llevada a cabo por Juan Carlos Cattáneo, el subsecretario general de la Presidencia, quien, aunque no figurara en el directorio, era uno de los dueños de Consad. Anuncié también que había solicitado la colaboración de la Reserva Federal de Nueva York para descubrir el destino de las transferencias al exterior por los montos de las facturas truchas. Finalmente, cometí uno de los mayores errores de mi vida pública: frente a las cámaras y millones de televidentes, puse las manos en el fuego por Aldo Dadone, el presidente del Directorio del Banco de la Nación Argentina.

Mi confianza en Dadone tenía, por supuesto, un contenido afectivo. Yo lo conocía desde mis épocas de estudiante en la Universidad Nacional de Córdoba y había compartido con él diversos emprendimientos. Antes del gobierno de Menem habíamos trabajado juntos en la Fundación Mediterránea, teníamos una visión muy similar de la reorganización que la economía argentina requería y, además, en el medio profesional, Dadone tenía una reputación elevada en lo intelectual e intachable en lo moral. En el propio Banco de la Nación Argentina —tal como lo describí anteriormente— había impulsado una renegociación de contratos con proveedores de bienes y servicios que le había generado un importante ahorro de dinero a la entidad.

Pero mi apreciación de la inocencia de Dadone no terminaba allí. Lo que más pesaba en mi opinión era mi convicción acerca de que ni IBM ni el Banco de la Nación Argentina estaban relacionados con el delito de Cattáneo. En realidad, por entonces no entraba en mi mente que una empresa como IBM hubiera recurrido al pago de coimas para conseguir un contrato. Dadone me había explicado hasta el cansancio que IBM había ganado una licitación transparente y que tenía asegurado el contrato sin necesidad de pagar favor alguno, ni siquiera a la Subsecretaría de Informática de la Presidencia de la Nación, de la cual yo tenía algunas sospechas.

Los días siguientes fueron muy turbulentos. Concurrí a la Cámara de Diputados a defender lo que yo entendía era la posición del Poder Ejecutivo en relación con la Ley de Correos, y denuncié a la mafia de Yabrán. Durante el transcurso de ese debate, el diputado radical Leopoldo Moreau sacó el tema IBM-Banco de la Nación Argentina en términos semejantes a los de la denuncia del fiscal Plée, pero con algunos detalles adicionales que demostraban conocimientos específicos sobre la materia. A mí me pareció que se trataba de un intento de Moreau de distraer la atención del tema central del Correo, y a pesar de que Aldo Dadone, que junto con los secretarios del equipo económico me acompañó durante la sesión de diputados, quería responder las acusaciones de Moreau, yo decidí ofrecer mi presencia en el recinto para debatir el tema en otra oportunidad.

Luego de esa larga sesión de once horas se produjo una fuerte discusión en el seno del gobierno, porque muchos funcionarios pensaban que yo estaba enfrentando al presidente Menem, a quien señalaban como el verdadero promotor de la Ley de Correos que yo había identificado como "hecha a medida de la mafia". Luego de varios días de incertidumbre, el presidente Menem me ratificó públicamente su confianza para desilusión de quienes se consideraban exégetas infalibles del pensamiento presidencial, entre ellos Bernardo Neustadt, que ese martes había planteado en su programa televisivo lo que él entendía era el dilema fundamental de la Argentina: Menem o Cavallo.

Al mismo tiempo que recibía la ratificación de confianza de Menem, llegaba a Buenos Aires un funcionario enviado por el presidente de la Reserva Federal de Nueva York, con la información sobre el banco suizo y el número de la cuenta en la que habían sido depositados los fondos transferidos por CCR.

Munido de esa información, inicié un viaje al Japón, que estaba programado con mucha anterioridad, y aproveché la escala del avión en Francfort para entrevistarme con la embajadora argentina ante la Confederación Suiza, doctora Susana Ruiz Cerruti, que se trasladó desde Berna a mi pedido. La embajadora me explicó que sólo se podría conseguir información de los titulares de la cuenta suiza a través de una gestión judicial, siempre y cuando se planteara como una investigación sobre corrupción y no sobre evasión de impuestos: el gobierno suizo no levantaba el secreto bancario por investigaciones impositivas.

Después de hablar con la embajadora Ruiz Cerruti, instruí telefónicamente a Horacio Liendo, el secretario Legal y de Coordinación del Ministerio de Economía, para que entregara al juez Bagnasco la información que habíamos conseguido sobre la cuenta suiza, así como los comentarios que nos había hecho la embajadora sobre los procedimientos judiciales para identificar a sus titulares.

Al cabo de una semana regresé a Buenos Aires, y en la primera reunión que tuve en la Casa Rosada, Alberto Kohan me increpó en presencia del presidente Menem. El se había visto obligado a pedir la renuncia a Juan Carlos Cattáneo porque yo lo había identificado como responsable de la evasión impositiva de Consad. Pero, según Kohan, su colaborador había obrado así para pagarle una coima a cuatro miembros del directorio del Banco de la Nación Argentina: los hermanos Aldo y Mario Dadone, Genaro Contartese y Alfredo Aldaco. Dijo, además, que Cattáneo hacía esto por cuenta de IBM en forma habitual.

Ante semejante afirmación del secretario general de la Presidencia, Menem manifestó incredulidad, y yo, indignación. En realidad, durante ese fin de semana, apenas regresado del Japón, había escuchado rumores sobre coimas recibidas por algunos directores del Banco de la Nación Argentina, pero ahora Kohan era mucho más preciso, y parecía conocer muy bien el tema. Le dije al Presidente que de inmediato les solicitaría la renuncia a los cuatro integrantes del directorio del Banco de la Nación Argentina y me retiré de la reunión.

En ese momento no noté la reacción de Kohan pero, por lo que sucedió después, comprendo que esperaba una actitud diferente de mi parte. En realidad, él no quería que yo les pidiera la renuncia a los integrantes del directorio del Banco, sino que me confabulara con él para tapar el asunto. Después de todo, estaban involucrados amigos íntimos de ambos.

Cuando logré comunicarme telefónicamente con Dadone y comencé a explicarle que acababa de recibir la peor noticia de mi gestión, él me dijo que estaba con Alberto Kohan y que conocía lo que había ocurrido en la reunión con el presidente Menem, pero que yo había entendido mal las expresiones del secretario general de la Presidencia. Según Dadone, Kohan no habría hablado de las coimas en tono afirmativo sino en potencial y, al ver mi reacción, se había alarmado y por eso estaba ahora con él, explicándole que todo había sido una gran confusión.

Dadone le pasó el teléfono a Kohan, y éste trató de argumentar en el mismo sentido que lo acababa de hacer el presidente del Banco de la Nación Argentina, pero yo no les creí. El solo hecho de que estuvieran reunidos acentuaba mi convicción de que lo que había escuchado en la reunión con el Presidente era la verdad o, por lo menos, algo muy cercano a la verdad. Por eso le dije a Dadone que me trajera las cuatro renuncias.

Cuando éste se presentó en mi despacho, y yo insistí en preguntarle qué era lo que realmente había ocurrido, se puso muy tenso y, casi llorando, balbuceó :

—No me preguntes más, no te puedo contar.

Esa escena fue para mí realmente desgarradora: por primera vez en tantos años de amistad vi a Dadone quebrado, como si estuviera abrumado por un peso que se le tornaba, en ese instante, absolutamente insoportable.

Entretanto, en IBM se había desatado un escándalo. Fue despedido el gerente de Operaciones, Gustavo Soriani, mientras que al presidente Martorana y al gerente de Finanzas, Javier Orcoyen, les permitieron renunciar. En la casa matriz de los Estados Unidos los consideraban responsables de la irregularidad. Después de poner en posesión del cargo a Roque Maccarone como nuevo presidente del Banco de la Nación Argentina, me pregunté si debía informar al juez Bagnasco sobre los dichos de Kohan, y llegué a la conclusión de que no tenía sentido hacerlo, porque Kohan los había desmentido apenas unos minutos después. Por otro lado, el juez ya conocía el pedido de renuncia a los cuatro directores y tenía en su poder toda la información aportada por la DGI, más los datos sobre la cuenta suiza que yo había conseguido, y ello debería permitirle descubrir la verdad objetiva.

Esta opinión me pareció más válida aún cuando vi que la Justicia norteamericana le pidió al juez que, en relación con el tema IBM-Banco de la Nación Argentina, le tomara declaración testimonial, entre otras personas, al secretario general de la Presidencia. Cuando el juez Bagnasco lo hiciera, podría obtener la información que Kohan había dicho disponer en la reunión con el Presidente y conmigo.

Lamentablemente el juez nunca citó a Kohan como testigo, pero consideró necesario citarme a mí, precisamente cuando los jueces de Corach y Jassán me empezaron a acosar judicialmente. Entonces debí narrar la reunión con Kohan y el Presidente ante la pregunta del juez sobre las razones del pedido de renuncia a los cuatro directivos del Banco de la Nación Argentina. Kohan creyó leer en mi declaración testimonial una acusación contra él. Yo me limité a honrar el juramento dado al inicio de mi declaración testimonial.

Maccarone, por su parte, realizó una evaluación del estado de implementación del Proyecto Centenario y, luego de escuchar a los nuevos directivos de IBM que aportaron explicaciones y propuestas, llegó a la conclusión de que el Proyecto Centenario debía cancelarse. La empresa IBM, que atribuía las demoras a la falta de apoyo del Banco, planteaba que necesitaría casi dos años más para llevar a buen término el proyecto, a pesar de que ya habían transcurrido dieciocho meses desde la firma del contrato, y que el plazo original era de veinticuatro meses. Además, ahora dudaban de que el *Hogan* fuera finalmente implementable, tanto por las características del banco oficial como por la organización del sistema financiero argentino, diferente en una gran cantidad de aspectos del de otros países donde el *Hogan* había funcionado exitosamente.

Fue un triste final para lo que había sido una gran ilusión del equipo económico, enderezada a bajar las tasas de interés a través de una ejemplar modernización del Banco de la Nación Argentina.

A pesar de no haber podido terminar con su informatización, y detrás de las sombras de sospecha surgidas al calor del escándalo con IBM, los avances que pudimos conseguir en la banca oficial fueron notables.

Entre 1990 y 1996 el total de préstamos del Banco de la Nación Argentina se multiplicó más de diez veces, de 660 a 7.300 millones de pesos, liderando siempre la baja en la tasa de interés del sistema financiero argentino. En forma coherente con nuestra estrategia económica general, nueve de cada diez pesos prestados por la entidad tuvieron como destino los sectores agropecuario e industrial. Esto implicó una opción: priorizar los créditos para inversiones, comercio exterior o capital de trabajo de las empresas, con el fin de ayudar a la expansión de la oferta de bienes y servicios, por sobre los créditos para consumo, segmento éste que se hallaba bien cubierto por la banca privada.

A fin de redistribuir el crédito entre un número mayor de empresas se estableció un límite máximo para el monto de créditos al sector productivo (de 1,5 millones de pesos al principio, y luego de 1 millón de pesos). Ese tope permitió que más del 80% de los créditos fueran otorgados a pequeñas y medianas empresas de todos los sectores de la producción, incluso con una mejor distribución geográfica, ya que se verificó una desconcentración de los préstamos en favor de las economías regionales.

La operatoria de cédulas hipotecarias permitió refinanciar a largo plazo 1.500 millones de pesos correspondientes a pasivos del sector agropecuario y a tasas de interés de alrededor del 10% anual. Este apoyo crediticio, el único para el sector, ayudó a revitalizar el dinamismo de la producción agropecuaria. También fueron importantes el servicio de créditos para la prefinanciación de las exportaciones, los programas de refinanciación para los casos de emergencia agropecuaria, los planes de asistencia crediticia a PyMEs a tasas subsidiadas (con subsidios explícitos fijados por la Ley de Presupuesto y a cargo del Tesoro nacional), las líneas especiales de apoyo a la modernización tecnológica de las empresas, las acciones ligadas al denominado "Bono para la Creación de Empleo" con que se asistió a nuevos emprendimientos productivos, y la creación de la primera "Sociedad de garantía recíproca" (uno de los modelos más utilizados en Europa para agilizar los créditos a las PyMEs).

Fueron asimismo relevantes otros servicios al público tales como la administración de las acciones propiedad de los empleados en las empresas privatizadas, la incorporación de una amplia red de cajeros automáticos y del servicio de pago de sueldos de organismos públicos y compañías privadas, y la inserción en el mundo de las tarjetas de crédito atendiendo a un sector de más bajos ingresos que, habitualmente, queda fuera del interés de la banca privada.

Finalmente, el Banco de la Nación Argentina participó de un modo decisivo en algunas actividades encomendadas por el gobierno nacional y que fueron fundamentales para la solidez del programa económico. Una de ellas fue la creación de la Administradora de Fondos de Jubilaciones y Pensiones (y de las sociedades de seguros de vida y retiro), cuya concreción fue sumamente importante para lograr que el nuevo sistema previsional de capitalización llegara a buen puerto en su discusión en el Congreso. La otra tuvo que ver con su participación en la administración de los fondos para asistir a bancos con problemas de liquidez en el marco de la "red de seguridad bancaria" que operó durante la crisis financiera de 1995.

Todos los importantes logros obtenidos, sin embargo, se vieron oscurecidos por el triste caso de corrupción alrededor del contrato del Banco con IBM. Sin duda, el Proyecto Centenario fue la mayor frustración de mi gestión como ministro de Economía. La conducta de quienes habían sido mis amigos por muchos años, además de una gran desilusión, significó para mí y para el equipo económico un verdadero misil en la línea de flotación, porque se transformó en el caballito de batalla de todos aquellos interesados en destruir la bien ganada imagen de honestidad que habíamos construido a través de nuestra gestión.

El Proyecto Centenario fue el intento más ambicioso de modernización de una institución del sector público a partir de un avanzado sistema informático. No logró implementarse, y terminó en un gran escándalo, pero intuyo que de todas maneras tendrá un efecto positivo hacia el futuro. El descubrimiento del pago de coimas por parte de Consad ha desnudado lo que parece haber sido un sistema habitual y de larga data en las contrataciones de servicios informáticos y de servicios de comunicaciones por agencias gubernamentales argentinas. Puede ser también la explicación del elevado costo y los pobres resultados que ese proceso ha demostrado hasta ahora.

A través de las muchas preguntas que en el último año hice a conocedores del mercado informático argentino, llegué a la convicción de que el tipo de corrupción que se puso en evidencia en el Proyecto Centenario fue bastante común a lo largo de las dos últimas décadas.

Por lo menos dos personas jugaron el rol de importantes "abrepuertas" y facilitaron las negociaciones, actuando como subcontratistas: uno de ellos, más vinculado al gobierno radical, Roberto "Pipi" Iglesias; el otro, Juan Carlos Cattáneo, más ligado al gobierno justicialista. A veces trabajando juntos; otras, separados; su modalidad fue siempre la misma: lograr contratos a precios altos con algún organismo gubernamental, y cobrar comisiones a través de subcontratos para, luego, pagar con esos dineros los favores de los malos funcionarios.

Precisamente a través de estas indagaciones llegó a mis manos un contrato entre Startel y la Administración Nacional de la Seguridad Social (ANSeS) por servicios de comunicaciones. Los precios eran cuatro veces más elevados que los cobrados poco tiempo después por servicios similares prestados al correo oficial. Startel —según tuve conocimiento— se habría comprometido a abonar a Iglesias una comisión del 35%. La DGI debería estar investigando qué pagos contabilizó Iglesias contra semejantes ingresos. También llegaron a mis manos datos sobre la compra de un equipo hecho por ENTel a IBM y que diera lugar a denuncias judiciales contra Iglesias que habrían generado, en su momento, gran preocupación al propio presidente Alfonsín.

Sobre las aventuras de Cattáneo actuando como proveedor informático, los diarios han dado mucha información en los últimos tiempos, y tanto la Justicia como las autoridades de la DGI y los organismos de control están analizando el contrato entre la DGI e IBM-Banelco por la provisión de los servicios informáticos relacionados con la recaudación previsional a partir de la puesta en vigencia del nuevo régimen del fondo de pensiones. Se trata de un contrato por un monto que duplica el del Proyecto Centenario, aunque, por lo menos, y a diferencia de éste, logró implementarse y funciona en forma eficiente. Sin embargo, la presencia de Consad como subcontratista y el papel que Cattáneo y esa empresa jugaron como proveedores de la DGI con anterioridad levantan justificadas sospechas.

En el futuro es importante que todas las conclusiones a las cuales se arribe en estas investigaciones sirvan para mejorar el régimen de contratación de los servicios informáticos y de comunicaciones, y no para demorar o impedir la modernización del sector público argentino. Es necesario erradicar la corrupción en este tipo de contrataciones, pero la informática y las comunicaciones son imprescindibles para aumentar la eficiencia y reducir las oportunidades de corrupción en prácticamente todas las áreas de gobierno.

La conquista de la estabilidad

La construcción de una economía popular de mercado habría quedado en un simple deseo si antes no hubiéramos resuelto el mayor problema que había sufrido la economía argentina desde mediados del corriente siglo: la inflación. Se trataba de un cáncer que no sólo distorsionaba toda la asignación de recursos de la economía y empobrecía a la sociedad, sino que también encubría y facilitaba una gran cantidad de escenarios de corrupción.

Ya en 1952 se había aplicado el primero de los planes de estabilización. Estos se habían sucedido uno tras otro y en los últimos tiempos con mayor frecuencia, porque su fracaso era seguido por un aumento del escalón inflacionario, con la consiguiente angustia de la población. Enseguida las autoridades de turno impulsaban un nuevo intento, sin éxito. La última gran desilusión había sido el Plan Austral que, luego de producir un alivio durante los años '85 y '86, entró en crisis en el '87, para terminar desembocando en la hiperinflación de 1989.

Cuando yo me hice cargo del Ministerio de Economía, a fines de enero de 1991, si bien el gobierno de Menem había logrado frenar la aceleración del proceso —que había alcanzado su máxima expresión entre marzo de 1989 y el mismo mes de 1990—, la inflación se mantenía todavía a ritmos muy elevados, superiores al 1.000% anual. Para colmo de males, la escapada del dólar durante enero de

1991 estaba siendo tomada por los agentes económicos y la ciudadanía en general como indicio de que entrábamos en una nueva explosión inflacionaria.

En ese contexto le llevé a Menem la propuesta del Plan de Convertibilidad. No era la primera vez que presentaba la iniciativa al gobierno. En el Año Nuevo de 1990 había tratado de explicarle la idea a Erman González para que la aplicara como forma de asegurar que el Plan Bonex —que le habían sugerido Roque Fernández y Alvaro Alsogaray— no provocara un nuevo golpe inflacionario. Incluso le había redactado la parte del discurso en la que debía anunciar la convertibilidad y le había propuesto los nombres de Carlos Sánchez y Felipe Murolo, dos técnicos de gran nivel, para que lo ayudaran en su implementación. Pero Erman González no lo entendió. Por el contrario, comenzó a aplicar políticas totalmente diferentes, desoyó mis consejos y se desprendió en pocas semanas de los funcionarios que le había recomendado.

Menem se entusiasmó de inmediato con la idea de la convertibilidad y me brindó pleno apoyo para llevarla adelante. Hacía poco que yo había asumido el cargo de ministro de Economía y verlo tan decidido a acompañarme en mi propuesta fue para mí un gran aliciente. Convinimos mantenerla en secreto hasta que lográramos que, en un contexto de flotación relativamente libre, el dólar encontrara una cotización susceptible de ser tomada como punto de partida del plan.

La preparación del Plan de Convertibilidad fue realizada por un equipo que conformé con Carlos Sánchez, Juan Llach y Horacio Liendo, apenas llegué a Economía. Ya en la segunda semana de marzo, incorporamos al equipo a Roque Fernández y Felipe Murolo, presidente y vicepresidente del Banco Central respectivamente. Le solicitamos a Daniel Marx, que era el representante financiero en Washington, que preparara la presentación de la idea en el exterior y empezara a armar el plan financiero externo.

Trabajamos con la máxima reserva durante varias semanas. El domingo previo al lanzamiento del plan cité en mi casa a Horacio Liendo, y junto con Juan Llach terminamos de ultimar algunos aspectos técnicos. Liendo, que conocía todos los detalles de la ley de creación de la Caja de Conversión de Carlos Pellegrini en 1890, se fue con la instrucción de preparar el proyecto de ley. Al día siguiente, antes de mediodía, lo tenía en mis manos. Por la tarde, Liendo y

Llach terminaron de preparar el mensaje que acompañaba el proyecto que enviaríamos al Congreso. Finalmente, el miércoles 14 de marzo presentamos en público el plan.

Logramos que ambas Cámaras trataran el proyecto de ley con una velocidad inusitada. Así, la ley entró en vigencia efectiva el 1° de abril, día en que comenzó a funcionar el nuevo sistema monetario. Mirada a la distancia, se trata de una ley admirable porque en sólo catorce artículos cambió el sistema monetario de la Argentina y produjo transformaciones trascendentales y perdurables en la conducta de la población.

El trabajo técnico y político que llevó a la puesta en vigencia del Plan de Convertibilidad a sólo dos meses de haber asumido como ministro de Economía me convenció de que habíamos logrado conformar un equipo eficiente y con habilidad política.

Durante los dos meses previos habíamos adoptado una enorme cantidad de decisiones puntuales, conducentes todas al mismo objetivo, pero que lograron confundir hasta al más prevenido de los analistas económicos, tal el caso de Miguel Angel Broda.

Erman González había postergado pagos para mostrar una reducción del gasto público y, como consecuencia, se había acumulado una gran cantidad de libramientos impagos en la tesorería. Como era importante que la convertibilidad comenzara sin que una abultada deuda flotante se erigiera en amenaza de futuras emisiones sin respaldo, uno de los últimos días de febrero, en una reunión de gabinete económico, ordené al secretario de Hacienda, Saúl Bouer, que pagara todo lo adeudado y requiriera para ello los adelantos necesarios del Banco Central. Yo tenía la sensación de que la cotización del dólar en las semanas anteriores ya reflejaba el efecto de la eventual monetización de esa deuda flotante. Bouer se sorprendió al recibir exactamente la orden opuesta de la que le había dado Erman González en los meses anteriores. Si bien intentó discutir un poco mi decisión, al ver que yo estaba muy convencido, comenzó a implementarla.

Ese mismo día Bouer recibió una de las habituales llamadas telefónicas de Miguel Angel Broda, que había estado ayudando al equipo de Erman González y que habitualmente comentaba la evolución de la coyuntura económica con el secretario de Hacienda. En el marco de ese tipo de conversación, Saúl Bouer le comentó a Broda que no entendía por qué yo había dispuesto pagar de golpe toda la deuda flotante, acudiendo a la emisión monetaria. No se trató de una infidencia del funcionario, porque por la forma en que habían trabajado en los meses anteriores Broda era considerado, casi, un integrante del equipo económico de Erman González.

Pero en realidad, Broda era un consultor que utilizaba toda la información que conseguía para asesorar a sus clientes. Tanto es así que, apenas concluyó la comunicación con Bouer, comenzó a llamar a los bancos y a decirles que Cavallo se había vuelto loco, porque había dispuesto emitir descontroladamente, y que, por lo tanto, el austral se devaluaría nuevamente. El corolario de su reflexión era obvio: "Señores, compren dólares".

Al día siguiente, un viernes, el Banco Central tuvo que vender 300 millones de dólares porque se había producido una enorme corrida en contra del austral. Por la tarde, los principales comentaristas económicos apostaban a que yo el lunes siguiente presentaría mi renuncia.

Me enteré de la corrida mientras estaba almorzando, pero decidí no prescindir de mi habitual siesta cordobesa. Cuando me desperté, llamé a Roque Fernández, quien me informó sobre la venta de dólares que se había producido y los comentarios que circulaban en la City porteña. Le dije que no se preocupara y que nos reuniríamos esa misma noche para tomar algunas decisiones.

Cuando llegué a Olivos, Menem me comentó que había recibido llamadas de operadores financieros que lo habían asustado. Lo tranquilicé: le dije que durante la semana siguiente compraríamos muchos más dólares que los que el Banco Central había vendido ese viernes. Por la noche, me reuní con Roque Fernández, a quien sugerí disponer una fuerte suba del encaje sobre los depósitos bancarios y provocar un aumento de la tasa de interés. La medida fue anunciada por el Banco Central el sábado y publicada en los diarios el domingo. A su vez, bajamos de 9.800 a 9.500 australes el piso de la banda de flotación que habíamos establecido durante febrero.

A partir del lunes, quienes habían comprado dólares a algo más de 10.000 australes el viernes, debieron venderlo al Banco Central a 9.500 soportando una pérdida de 5%. En realidad, los bancos no tenían otro recurso para cumplir con el encaje que vender los dólares que previamente habían comprado. Al cabo de tres días habíamos recuperado los 300 millones vendidos el viernes, y luego de una semana, las reservas del Banco Central habían aumentado otro tanto.

A partir de esta experiencia, los operadores financieros comenzaron a tomar con más seriedad nuestros anuncios de política económica. Es decir, ganamos la primera pulseada fuerte.

Durante el mes de marzo, cuando ya habíamos anunciado el proyecto de Ley de Convertibilidad y estábamos planeando las reformas arancelarias e impositivas, los técnicos del Fondo Monetario que evaluaban la posibilidad de acompañar nuestro programa con un préstamo *Stand By* me manifestaron su oposición a que termináramos con las retenciones agropecuarias. Como no teníamos tiempo para encarar largas discusiones, les sugerí que siguieran analizando el tema en Washington y que volvieran en mayo o en junio, porque para entonces ya tendrían evidencia del impacto fiscal de las medidas que adoptaríamos.

No sólo la cautela del FMI era equivocada. La mayor parte de los analistas económicos interpretó el Plan como una nueva tentativa de estabilizar la economía por medio de la fijación del tipo de cambio, ya intentada en tantas otras oportunidades. Por eso, en general se mostraron escépticos sobre los resultados. Su error consistía en creer que la convertibilidad era una mera fijación arbitraria del tipo de cambio. Otros, también erróneamente, la interpretaban como la dolarización de la economía.

Lo que estábamos haciendo era, en realidad, otra cosa: transformar una economía inflacionaria y dolarizada de hecho en una economía estable y con una moneda nacional sólida. El plan propuesto surgía de una lectura realista del escenario vigente.

Luego de la gran suba de enero, el tipo de cambio se había estabilizado en 10.000 australes por dólar, y los australes en circulación se correspondían aproximadamente con el nivel de las reservas de oro y divisas, que eran de 4.000 millones de dólares. Ciertamente, se trataba de una monetización mínima de la economía, como siempre ocurre al cabo de una hiperinflación, porque, justamente, la explosión inflacionaria se produce cuando la gente decide desprenderse rápidamente de la moneda que llega a sus manos porque sabe que se desvaloriza minuto a minuto.

Esta mínima circulación de moneda nacional se debía a que la economía estaba utilizando una cantidad mucho mayor de dólares billetes, que había pasado a ser la moneda más importante del país. La gente recordaba más los precios en dólares que los precios en australes, porque éstos cambiaban todos los días, y últimamente, todas las horas. En otros términos, la hiperinflación del austral había llevado a una dolarización de hecho de la economía.

En este contexto, la idea de la convertibilidad surgía naturalmente. Era necesario introducir una moneda local que la gente llegara a considerar tan buena como el dólar. Ese era el sentido del peso convertible: una garantía para la gente de que, en cualquier momento, el propietario de un peso podría cambiarlo por un dólar en un banco o casa de cambio, o directamente en el Banco Central.

¿Qué hicimos entonces?

En primer lugar, establecimos que el Banco Central mantuviera permanentemente reservas en oro y divisas por un monto igual o mayor al de los pesos en circulación. Esto significaba que, en adelante, sólo podrían crearse pesos si los tenedores de dólares decidían llevarlos al Banco Central y recibir el valor equivalente en moneda local. Eso fue exactamente lo que pasó. En los meses y años siguientes al lanzamiento de la convertibilidad, la gente decidió usar más y más pesos, y vendió cada vez mayor cantidad de dólares para obtenerlos. Así, los pesos en circulación, y por ende las reservas del Banco Central, pasaron de 4.000 a más de 20.000 millones en los últimos seis años. El hecho de que la gente use pesos y no dólares permite al Banco Central hacer colocaciones transitorias de las reservas y ganar intereses del orden del 4 o 5% anual, lo que significa un ingreso para el país de 500 a 700 millones de pesos adicionales al año.

En segundo lugar, establecimos que las reservas externas estuvieran prendadas como garantía de permanencia del valor de los pesos en circulación. Esto ha sido reconocido explícitamente por los acreedores externos de la Argentina.

En tercer lugar, una decisión muy importante que adoptamos, junto con la introducción del peso convertible, fue la de permitir que el dólar y cualquier otra moneda extranjera pudieran seguir utilizándose, tanto para las operaciones financieras como comerciales, y que los contratos realizados dentro de la Argentina tuvieran que cumplirse en la moneda en que fueron originariamente pactados. Es decir, que la utilización del peso por parte de los argentinos no resultó de una obligación establecida por el gobierno sino de una elección individual que se basa naturalmente en la confianza.

Sé que muchos critican mi empecinamiento en la defensa de determinadas políticas. Pero el ejercicio del gobierno no es una tarea para timoratos ni la lucha contra la inflación puede hacerse sin una gran decisión. Si en aquel momento de principios de 1991 nos hubiéramos plegado a las dudas del FMI o a las prevenciones que ponían muchos economistas profesionales, habríamos terminado como tantos otros que, con las mejores intenciones —y muchas veces gran capacidad académica—, dudaron a la hora de actuar.

Existían dos cuestiones en las que se jugaba gran parte de la suerte del plan que poníamos en marcha, dado que tenían que ver con la forma en que la gente procesaría las nuevas reglas de juego. Se sabe que si la sociedad mantiene prácticas y hábitos inflacionarios, cualquier esquema estabilizador —por mejor concepto técnico que tuviera— corre un alto riesgo de terminar en un fracaso.

Una de ellas era la de la paridad peso-dólar. La gente contaba sus activos y sus pasivos en dólares, los comercios expresaban sus precios en dólares, los abuelos ayudaban al ahorro de sus nietos con dólares. Dado que no estábamos pensando ni en una tablita de paridades ni en un tradicional congelamiento del tipo de cambio oficial, sino en un escenario de plena libertad para la compra y la venta de moneda extranjera y una paridad fija basada en el carácter convertible de la moneda nacional respecto de la divisa en que la sociedad más confiara, era importante determinar una relación peso-dólar que rápidamente fuera internalizada por la población.

Por entonces, habíamos puesto dos bandas de flotación del tipo de cambio. Era una forma precaria de generar certidumbre y evitar corridas inflacionarias. Esas bandas marcaban un piso y un techo entre los que la divisa flotaría sin intervención del Banco Central, que participaría comprando o vendiendo dólares cuando la cotización tendiera a salirse de esos márgenes.

Que justamente al poner en marcha el plan el nivel se encontrara en alrededor de 10.000 australes por dólar fue una feliz casualidad. Nos permitió establecer la relación 1 peso = 1 dólar, mediante el arbitrio de sacarle cuatro ceros al austral, y así ayudar a la popularización de la nueva paridad. Si todos los precios de la economía estaban dolarizados de hecho, este tipo de cambio iba a ser muy útil para que la gente se acostumbrara rápidamente al nuevo sistema.

Algunos técnicos me sugerían fijarlo en 11.000 o 12.000 australes por dólar. Pero yo me negué porque estaba convencido de que todo aumento por encima de ese valor sería rápidamente absorbido por los precios y, además, perderíamos el beneficio psicológico que implicaba la sencillez de los cuatro ceros menos. El funcionamiento de la economía posterior me daría la razón.

El segundo problema desde la perspectiva de la habituación de la gente a una situación de estabilidad era la indexación. La sociedad estaba acostumbrada a que las deudas y las acreencias tuvieran además de un interés —como en cualquier economía del mundo— un índice de actualización paralelo motivado por la inflación. Ese indexador tenía a la vez el contraefecto de que, por su propia lógica, alimentaba el mismo proceso inflacionario.

Decidimos prohibir todo tipo de indexación. Para que los términos estuvieran más claros y la prohibición del uso de cláusulas de corrección monetaria no resultara injusto, fijamos la libre elección de la moneda para los contratos. En otros términos, los agentes económicos debían utilizar en sus contratos la moneda que le permitiera asegurar el valor de las transacciones sin tener que recurrir a la aplicación de índices correctivos.

Tomamos esta decisión a sabiendas de que una medida de tal naturaleza afectaría muchos intereses. Lo comprobaríamos durante los días inmediatos, con los reclamos de los colegios privados, la medicina prepaga, los constructores y, en general, todos aquellos que tenían créditos en dólares. Obviamente había un sector que se sentía especialmente afectado por la medida. Era el de las empresas que habían ganado las primeras privatizaciones realizadas antes de que yo asumiera el Ministerio de Economía, cuyos contratos contenían fórmulas matemáticas para indexar sus tarifas.

Las compañías telefónicas y las concesionarias de los 9.200 kilómetros de ruta privatizados por Roberto Dromi estaban a la cabeza de las demandas. Sucedía que, tras el pico hiperinflacionario ocurrido sobre el final de la gestión de Erman González, los esquemas indexatorios llevaban las tarifas a valores absurdamente elevados, que, de haberse aplicado, además de afectar a los consumidores, habrían provocado una enorme desventaja competitiva para la economía argentina.

Por eso nos mantuvimos firmes ante las presiones y renegociamos uno a uno los contratos vigentes. En el caso de los peajes, en cuya rediscusión tuvo gran valor el trabajo de William Otrera, les demostramos a las empresas que estábamos dispuestos a dar por terminadas las concesiones si no se avenían a la nueva realidad. Allí, por ejemplo, se pretendía llevar los precios a niveles de 4 dólares por cada 100 kilómetros, lo cual implicaba, por ejemplo, que viajar de Buenos Aires a Rosario (unos 300 kilómetros) costaría aproximadamente 10 pesos, sin incluir el Acceso Norte de la Capital Federal (la Panamericana) que aún no había sido privatizada y reformada.

Lo mismo sucedió con las telefónicas, con las cuales tuvimos que renegociar también los términos de actualización de tarifas fijados por el contrato original. Pero en todos los casos nosotros teníamos una sólida convicción. Cualquier activo, cualquier crédito, cualquier ingreso, por más esquema indexatorio sobre su valor que existiera, en hiperinflación no valía absolutamente nada. La sociedad, los empresarios, los asalariados, lo comprendieron y fueron, mediante sus decisiones diarias de consumo, ahorro e inversión, quienes dieron el voto favorable para que nuestro programa estabilizador alcanzara un éxito contundente.

La estabilidad cambió los hábitos de las familias. La gente comenzó a darles valor a las monedas y a pedir el vuelto, práctica que había perdido vigencia desde que se instaló la alta inflación.

El ahorro familiar y la inversión financiera comenzaron a tener nuevamente sentido, porque la inflación ya no los desvalorizaba. Empezó a ser posible comparar precios y directamente no comprar cuando el precio solicitado por el vendedor aparecía como demasiado alto. Nuevamente, cobró sentido postergar algunas compras esperando precios más bajos, algo que durante décadas no se había dado.

La gente pudo realizar compras en cuotas, desde los electrodomésticos hasta el automóvil. Poco a poco, reapareció la posibilidad de acceder a una vivienda a través de un crédito a largo plazo, algo que la inflación había hecho imposible. La eliminación de la inflación y de la indexación facilitó el cálculo económico de las familias, es decir, una mejor programación de su presupuesto familiar.

Los comercios volvieron a hacer publicidad por medios escritos, radiales y televisivos con el precio en pesos de la mercadería y ofreciendo financiación de la compra en la misma moneda nacional (a tasas cada vez más similares a las que cobraban en dólares). Los taxis que antes funcionaban con fichas volvieron a marcar el valor del viaje en dinero, y así el usuario podía saber a simple vista —sin tablas que sólo veía el conductor— cuál era el precio que debía pagar por el servicio.

Los trabajadores ya no necesitaron solicitar reajustes permanentes en su salario para compensar los aumentos en los precios y las discusiones laborales pasaron a basarse mayormente en consideraciones de productividad, en el razonamiento de los empleadores, y de ingreso real, en el planteo sindical.

Es paradójico, pero la población en general entendió más la convertibilidad que la burocracia del Banco Central, a la cual la inflación había convencido de que el dinero no era algo importante para la economía. A causa de esta mentalidad, el Banco Central demoró mucho la impresión y distribución del nuevo peso en sus distintas denominaciones. Así, la campaña publicitaria que lanzamos en enero de 1992 bajo el eslogan "La Argentina vuelve a tener peso" no pudo rendir todos sus frutos porque la gente sólo veía los nuevos billetes y monedas en los avisos publicitarios, pero nunca llegaban a sus manos y debía seguir utilizando los australes.

Varios años después de entrar en funcionamiento la convertibilidad, la Secretaría de Transporte estableció un sistema de pago automático de los boletos de colectivo mediante la utilización de monedas. También las compañías telefónicas incorporaron en los teléfonos públicos la posibilidad de usar monedas, algo que era muy común en la mayoría de los países y que la inflación (y sus cambios diarios de precios) había hecho imposible en la Argentina. Las máquinas expendedoras de alimentos y bebidas —que sólo quienes hacían turismo en el exterior conocían— empezaron a ser comunes en universidades, empresas y oficinas en general.

Que todo ello no haya sido posible antes se debió a la ineficacia del Banco Central y su lentitud en poner en circulación las monedas, que originariamente eran de 1, 5, 10, 25 y 50 centavos. Las monedas de 1 centavo, los típicos "pennies" de color cobre que en los Estados Unidos circulan mucho, no llegaron a ponerse en circulación en forma masiva, por lo que en la práctica los precios debieron redondearse para que los centavos terminaran en 5 o en 0.

Otra cuestión que me generó más de una discusión con el Banco Central fue la situación de nuestra moneda en el resto del mundo. Se trata de un problema que habrá percibido cualquier argentino que sale del país en viajes de turismo o negocios. A pesar de que el peso argentino tiene un valor asegurado, en el exterior las casas de cambio no lo canjean por otras monedas, por la simple razón de que el Banco Central nunca se preocupó por ofrecer facilidades para que los operadores en moneda extranjera del exterior pudieran a su vez canjear sin costo los pesos excedentes. Los argentinos parecen haberse resignado a esta situación pero deben saber que no es difícil cambiarla.

Un tema que complicó el desarrollo de la convertibilidad en su primera etapa fue el de los errores de diseño del nuevo signo monetario. Por un lado, el papel utilizado no fue de calidad suficiente como para evitar que los billetes se deterioraran rápidamente. Por el otro, las monedas de distinto valor tenían tamaños tan parecidos que resultaban difíciles de distinguir para los usuarios; por eso, aunque estuvieran en circulación millones de unidades, el Banco Central decidió cambiar el color de las de 25 y 5 centavos.

En lugar de mejorar la calidad del papel, en 1994 el Banco Central decidió sacar de circulación y reemplazar por una moneda el billete de un peso, aquel que con la imagen de Carlos Pellegrini se había constituido en el símbolo de la convertibilidad. En realidad, el uso de la imagen de aquel líder bajo cuya dirección la Argentina había desarrollado hace un siglo otro sólido peso convertible había sido una de las casualidades más simpáticas con que nos encontramos al lanzar el plan.

Recuerdo que fue Horacio Liendo quien observó, en marzo de 1991, que cuando se lanzó el Austral se había fijado que los billetes que se fueran emitiendo llevarían la imagen de los sucesivos presidentes constitucionales argentinos. La desvalorización del austral había llevado a que se emitieran billetes de valores crecientes a cada uno de los cuales le había correspondido el rostro de alguno de esos presidentes. Así aplicado el criterio, le había llegado el turno a Pellegrini. Era, pues, un honor poner su rostro en una moneda tan fuerte como la que él había emitido un siglo antes.

Por eso sentí que la decisión de sacar de circulación el billete de un peso había sido una pésima idea. Ante mi reclamo, Roque Fernández prometió que volverían a imprimir los billetes de un peso con su formato original, pero en papel de mejor calidad. Han pasado más de tres años y ello aún no ha ocurrido.

Todo esto demuestra que la inflación confundía no sólo a la población, sino hasta a las propias autoridades monetarias. Cuando una economía sufre alta inflación, la calidad de billetes y monedas locales pierde importancia porque su valor se deteriora más rápido que el papel con el que están confeccionados, y las monedas son despreciadas. En una economía estable, la calidad de los billetes y monedas, no sólo en el sentido de su capacidad para mantener el valor sino también en términos de sus características físicas, la facilidad de su adquisición y canje y, en fin, los servicios que brindan haciendo fluidos los pagos y los cobros en la economía, adquiere una gran importancia.

A pesar de que éste fue un tema que discutimos muchas veces con los funcionarios del Banco Central en reuniones de gabinete económico, aún hoy tengo la sensación de que siempre tuvieron dificultad en convencerse de que en un régimen de convertibilidad la principal función de la autoridad monetaria es asegurar la calidad y el valor del dinero.

Se trata de la misma dificultad que llevó a los bancos a no darle importancia a la organización de un sistema eficiente de pagos y cobros como servicio al resto de los sectores de la economía real, a pesar de ser una de las principales funciones que debería cumplir el sistema financiero en una economía estable.

El establecimiento de este nuevo sistema monetario significó la virtual proscripción de lo que los economistas denominan política monetaria. Esto es, la creación de dinero local, no por canje con monedas extranjeras sino como contrapartida de créditos otorgados por el Banco Central al gobierno o a las entidades financieras.

Era precisamente esa posibilidad, que existía en el pasado, la que llevaba a los agentes económicos, y al propio gobierno, a creer que el Banco Central podía influir sobre las tasas de interés y sobre la cotización de la moneda local. Si quería que las tasas de interés subieran y la moneda se apreciara, se restringía el crédito interno; es decir, el Banco Central tenía que conseguir que sus deudores le devolvieran créditos otorgados con anterioridad. A la inversa, si se quería bajar las tasas de interés y lograr una depreciación de la moneda, se aumentaba el crédito interno, con más financiamiento al gobierno o a las entidades financieras a partir de la emisión monetaria.

El uso y abuso de este instrumento había llevado a la inflación y a la desmonetización de la economía. Nuestra decisión fue eliminar la posibilidad de que en la economía argentina se utilizara este tipo de política monetaria.

El nuevo sistema monetario funcionó muy bien y sirvió no sólo para erradicar la inflación de la economía argentina, sino para que cambiaran malos hábitos económicos de los ciudadanos y de los dirigentes. Así, los diferentes niveles de gobierno tomaron conciencia de que existe —y es fundamental— el Presupuesto y, con él, la restricción presupuestaria. Antes, cuando el sector público gastaba más de lo que recaudaba, el déficit —las más de las veces— se financiaba con emisión monetaria.

A partir de la convertibilidad, las autoridades económicas del gobierno generador del déficit, sea el nacional, el de alguna provincia o el de una municipalidad, debieron pedir prestado a los bancos o colocar bonos en el mercado de capitales. En estos casos, la evolución del endeudamiento registra mes por mes la marcha de las cuentas fiscales. De la misma manera, los empresarios privados, y por supuesto los bancos, comenzaron a concientizarse acerca de que el crédito sólo puede ser otorgado a partir del ahorro de la población y que quien solicita el crédito debe inspirar confianza a quien se lo va a conceder.

Hasta la convertibilidad, gobiernos, banqueros y empresarios creían que aunque no existieran ahorros el crédito podía crearse por emisión monetaria. Esto era una ilusión. La emisión monetaria sólo creaba inflación, y el crédito que, supuestamente, algunos conseguían no era otra cosa que ahorro forzoso que se le sustraía a sus titulares a través del impuesto inflacionario. Es decir, sólo generaba transferencias arbitrarias de riqueza, las más de las veces regresivas, que, por supuesto, provocaban fuertes pujas entre los que querían cobrar el impuesto inflacionario y los que se resistían a pagarlo. Esas pujas daban lugar a la aceleración inflacionaria y finalmente a la hiperinflación.

El escepticismo de los economistas profesionales argentinos, con algunas excepciones como Ricardo Arriazu, Alejandro Estrada y Adolfo Sturzenegger, en el momento de lanzarse el plan, reflejaba a su vez el pensamiento más frecuente de los especialistas en macroeconomía de las principales universidades del mundo. Todo el instrumental que ellos manejan apunta a determinar cuál es la combinación más adecuada de las políticas monetaria y fiscal, para tratar de mantener a la economía con estabilidad de precios y crecimiento sostenido, con la mayor atenuación posible del ciclo económico.

Si bien, Milton Friedman, primero, y la escuela de las expectativas racionales, después, han pregonado dejar de lado la política monetaria discrecional o anticíclica para reemplazarla por una regla tal como un ritmo predeterminado del crecimiento de la cantidad de dinero, o la fijación del tipo de cambio nominal, entre los macroeconomistas prácticos siguió primando la idea de la política monetaria activa. Ellos argumentan que cuando una economía está sujeta a shocks, tales como cambios en los precios relativos de exportación e importación o en los niveles de productividad, existe siempre una combinación de política monetaria y fiscal que facilita los cambios necesarios en los precios relativos internos, preservando la estabilidad y evitando pérdidas de ingreso real.

Esta discusión entre teóricos de la política monetaria es relevante para países como los Estados Unidos, Alemania y Japón, y eventualmente para otras naciones con tradición de baja inflación. Pero se trata de una discusión de menor significación para los países de América latina o para los del Este de Europa o la ex Unión Soviética.

La razón es muy sencilla. En la mayor parte de las economías emergentes, el uso y abuso de la política monetaria en el pasado llevó no sólo a la inflación sino a acentuar la inestabilidad del ingreso real. Por ello la política monetaria activa o discrecional sólo crea incertidumbre, y su mera existencia reduce el producto potencial de la economía. Este es sin duda el caso de las economías que han pasado por la hiperinflación. Por eso, proscribir la política monetaria pasa a ser un ingrediente importante en la reorganización de las economías emergentes.

Luego de seis años de experiencia con el Plan de Convertibilidad, la mayor parte de los economistas profesionales argentinos han comprendido la conveniencia de que el Banco Central esté impedido de crear crédito interno, y de que el peso no pueda devaluarse frente al dólar, es decir, que no pueda existir política monetaria discrecional.

Entre los especialistas de políticas macroeconómicas del exterior ese convencimiento también existe, pero limitado a las economías que han sufrido la hiperinflación. Siguen pregonando la conveniencia de las políticas monetarias activas en los países de inflación moderada. Yo creo que dentro de algunos años se van a terminar de convencer de que el régimen de convertibilidad que aplicamos en la Argentina es conveniente también para erradicar las inflaciones moderadas.

Entre los dirigentes de las corporaciones que representan intereses económicos, pocos se animan a hablar en contra de la convertibilidad, aunque sin duda los que estaban acostumbrados a gozar de fuertes protecciones cuando vendían en el mercado interno preferirían una moneda más devaluada.

Piensan que la flexibilización laboral, que no se consigue por vía de la modificación de las leyes que regulan exageradamente a los mercados laborales, podría obtenerse mediante la devaluación del peso. En esa posición se encuentra, por ejemplo, Jorge Born. Muy pocos de ellos se animan a decir en público lo que pretenden con la devaluación: una reducción lisa y llana del salario real de los trabajadores.

Entre los dirigentes políticos de la oposición han predominado tres posturas respecto de la convertibilidad.

Los que se creen más técnicos, como Rodolfo Terragno, del radicalismo, consideran que el Plan de Convertibilidad fue como un yeso con muletas que sirvió para sacar al país de la hiperinflación, pero que al quitarle a la economía flexibilidad, que según los macroeconomistas puede lograrse con una adecuada mezcla de política fiscal y monetaria, le hacen soportar pérdidas de ingreso real y provocan desocupación. En una visión similar pero mucho más retrógrada, Raúl Alfonsín directamente reivindica todas y cada una de las políticas con que su gobierno llevó a la Argentina hasta uno de los mayores estancamientos de la historia y, en su etapa final, a la hiperinflación. Es llamativo que Alfonsín no reivindique algunas de sus iniciativas de cambio estructural que, aunque muy tardías en su mandato, iban en la dirección correcta, tales como las privatizaciones de ENTel y Aerolíneas Argentinas y la desmonopolización de algunas actividades petroleras. Pienso que ese "olvido" de ciertas políticas correctas que llevó a cabo tiene que ver con su idea de perfilarse como "diferente" más que con lo que íntimamente sabe que debería hacer en caso de volver a ser gobierno.

En una posición más moderada, Carlos "Chacho" Alvarez reconoció estar arrepentido de haber votado en contra de la Ley de Convertibilidad. Sin embargo, los economistas de su partido expresan posturas similares a la de Terragno. En realidad, el Frepaso ha hecho una serie de planteos sobre temas puntuales y, al igual que la UCR, ha votado en contra de la mayor parte de los proyectos de leyes de la reforma económica que enviamos al Congreso, pero nunca presentó —al menos ante el gran público— una propuesta global que nos permita identificar adecuadamente en qué coincidimos y en qué disentimos.

Del lado de la fuerza gobernante, sin embargo, el grado de acompañamiento de la reforma económica no ha sido constante. Si bien es cierto que las principales leyes que el presidente Menem envió al Congreso recibieron un tratamiento favorable —en algunos casos con gran rapidez, como sucedió con la propia Ley de Convertibilidad—, también es cierto que en no pocas oportunidades el Presidente debió apelar a todo el poder de persuasión que le daban los votos recibidos para lograr que los legisladores del PJ votaran esos proyectos.

No sólo la demora en el tratamiento de leyes claves para consolidar la estabilidad como la del nuevo régimen previsional —o las propias leyes laborales— fue un obstáculo puesto por muchos "oficialistas" —que habían llegado al Congreso a caballo de los votos de la gente a favor del programa económico y que vivían prodigando lisonjas al Presidente—, sino que varios de ellos también se dedicaron a promover leyes en el sentido contrario a la reforma (como en el caso del marco regulatorio para el sector postal) o a introducir más y más gasto público sin financiamiento en cada una de las discusiones anuales de la Ley de Presupuesto.

Como la población demostró aprobar la política de estabilización en todas las elecciones nacionales desde 1991 en adelante, y los agentes económicos manifiestan su apoyo en los mercados prác-

188

ticamente todos los días, en el momento de las campañas electorales ninguna fuerza política con aspiración de poder propone abandonar el régimen de convertibilidad.

Este es un logro muy importante, porque ha llevado a que la dirigencia argentina sea consciente de que los ciudadanos no permitirán que se reinstale la inflación en la economía. Pero no es suficiente. Para que la estabilidad de los precios se mantenga por décadas en la Argentina es muy importante que en la discusión del problema de la desocupación y de la pobreza no se vuelva a engañar a la gente con el argumento de que una política monetaria activa y discrecional puede ayudar a resolver esos problemas. Afortunadamente los argentinos estamos cada vez mejor preparados para advertir que sería un engaño.

Además, a medida que pasen los años es posible que la paridad entre el peso y el dólar ya no sea fija, pero ello recién ocurrirá cuando el peso se aprecie frente al dólar, tal como lo hicieron el marco alemán y el yen japonés a partir de 1971. Desde ese momento, podremos volver a pensar en políticas monetarias como las que aplican los Estados Unidos, Alemania o Japón, porque para entonces ya seremos un país con larga tradición de estabilidad.

La recuperación del crecimiento

El cambio en las reglas de juego de la economía y la victoria contra la inflación no habrían sido suficientes para lograr el consenso social expresado por el voto popular en las sucesivas elecciones entre 1991 y 1995, si no hubiéramos respondido exitosamente a una de las principales promesas electorales de Carlos Menem durante su campaña de 1989: *la revolución productiva.*

Luego de varias décadas de estancamiento y de retroceso del Producto Bruto Interno (durante los 80 había caído a razón de casi el 1% por año), desde 1991 en adelante la producción de bienes y servicios experimentó una expansión como sólo se había dado en las últimas décadas del siglo pasado y en las primeras de éste: durante los últimos seis años, la economía argentina creció a un ritmo superior al 5% anual, valor alcanzado por pocos países del mundo.

En términos del aumento de la productividad, la expansión fue aún mucho más impresionante. Mientras en los primeros años de este siglo crecía al 2,5% anual, en los últimos seis años lo hizo al 4% por año. Esta cifra es espectacular a nivel mundial: a las economías que han tenido un crecimiento de la productividad del 1 al 2,5% en períodos de treinta años se las ha llamado "milagros económicos".

Esta formidable expansión no fue impulsada a través de incentivos artificiales como los que generaba el esquema de sustitución de importaciones, ni creando mercados cautivos, ni tampoco otor-

191

gando subsidios tributarios o financieros, métodos que la mayor parte de las veces concluyeron con un shock de corrupción y no con un shock de producción. Por el contrario, motorizamos esta expansión por medio de la oferta de bienes y servicios, removiendo trabas que en el pasado habían cerrado oportunidades de inversión, limitado el aprovechamiento de los recursos naturales, encarecido la producción y deteriorado la calidad de los productos.

La estrategia para provocar la revolución productiva fue conceptualmente sencilla, aunque no fácil de implementar. La apertura de oportunidades de inversión antes cerradas a la iniciativa privada se logró, básicamente, por la combinación de la desregulación y las privatizaciones. Hasta la década de los 90, la posibilidad del sector privado de invertir en petróleo y gas era muy limitada, y casi imposible en el sector eléctrico, ferrocarriles, puertos, telecomunicaciones y en provisión de agua potable y servicios cloacales. La inversión en infraestructura, en general, estaba sujeta a gran cantidad de restricciones. Desde 1990 en adelante, en cambio, el grueso de la inversión en estos sectores fue hecha por el sector privado, quien asumió todos los riesgos de esas decisiones.

La productividad del capital en la Argentina —tal como lo demostró Carlos Givogri en un libro que lleva precisamente ese título— había sido extremadamente baja durante las décadas en que la inversión fue exclusivamente pública. En contraste con esta realidad del pasado, las mediciones sobre las inversiones privadas habilitadas por los procesos de desregulación y privatización revelan que, a nivel del sector industrial, hoy se necesita aproximadamente 20% menos de capital invertido para lograr la misma cantidad de producto que a fines de la década pasada.

La gente percibe claramente este fenómeno en el aumento de la cantidad y de la calidad de los bienes y servicios producidos. Sabe, por su experiencia cotidiana, que conseguir un teléfono público que funcione ya no es una aventura, que se puede confiar en la puntualidad y frecuencia de trenes y subterráneos, que bajó la probabilidad de accidentarse por el mal estado de las rutas, y que ya no hay que temer por los cortes de luz masivos a los cuales nos habíamos acostumbrado en los últimos tiempos de Alfonsín.

Hasta 1991 la discusión sobre privatizaciones se hizo en la Argentina a partir de enfoques ideológicos. Por un lado, estaban quienes sostenían que la propiedad estatal aseguraba que la operación de las empresas respondería al interés general y no a la búsqueda del lucro privado. Por el otro, enfrentados a esta posición, estaban quienes argumentaban que la propiedad privada era la única forma de asegurar eficiencia. Pero en general, ambas posiciones hablaban de actividades de naturaleza monopólica.

En el contexto de esta discusión, las posiciones privatistas fueron prevaleciendo a partir de las fuertes pérdidas que generaban las empresas estatales (alrededor de unos 10.000 millones de dólares al año durante los 80), que se manifestaban en parte como aportes presupuestarios y en parte como aumentos de endeudamiento.

Frente a esta situación de falta de eficiencia —que ni los más ideologizados estatistas negaban—, hacia fines de la década del 70 surgieron las denominadas privatizaciones periféricas, por las cuales empresas privadas se asociaban mediante contratos con empresas públicas con el objeto de proveer servicios, en forma complementaria y con contratos de exclusividad o mercados sin competencia. La experiencia no fue exitosa porque no había ningún aliento a la eficiencia y las negociaciones entre los contratistas y las empresas públicas generaron múltiples oportunidades de corrupción.

Uno de los casos de privatización periférica, cuyas consecuencias negativas llegan hasta nuestros días, es el de la adjudicación por parte de Encotel del servicio de transporte y correspondencia en todo el país a la firma Villalonga Furlong SA, propiedad del empresario Alfredo Yabrán mediante testaferros, realizada por el último gobierno militar.

Las enormes irregularidades del trámite de licitación y adjudicación hicieron que, en diciembre de 1984, el síndico general de la Nación, Juan F. Linares, formulara una gran cantidad de observaciones, sobre la base de las cuales en junio de 1985 se dispuso la rescisión del contrato. La empresa promovió acciones judiciales que siguieron su curso hasta que, ya durante el gobierno de Menem, tomaron otro rumbo gracias a una extraña decisión de los ministros de Obras y Servicios Públicos, Roberto Dromi, y de Economía, Erman González, quienes mediante una resolución conjunta, en marzo de 1990, aprobaron una transacción con la firma reclamante por la suma de 66.000 millones de australes.

El Tribunal de Cuentas de la Nación, con fecha 3 de agosto de 1990, formuló serias observaciones sobre esa decisión. Por ejemplo, que frente a una erogación estimada por cinco años —término del contrato original— en 10 millones de dólares, la transacción estipulaba 25 millones de dólares; que se aceptaba indemnizar despidos de personal, cuando en las planillas de Villalonga Furlong no constaba indemnización alguna, y que el propio pliego de la licitación incluía la renuncia expresa a reclamar el lucro cesante que ahora los ministros González y Dromi concedían.

Nosotros conseguimos anular esta decisión de quienes nos precedieron, lo que hizo que la empresa recurriera a la Justicia. Allí ha logrado un fallo favorable en primera instancia —que ha sido apelado—, el cual hace mérito precisamente de los antecedentes y consideraciones de la transacción frustrada.

Al inicio de la gestión del presidente Menem, se creyó ver en las privatizaciones un mecanismo para comenzar a resolver el problema de la deuda externa. La idea era que vendiendo las empresas públicas se podría rescatar deuda. Por ello el énfasis estaba puesto en obtener el máximo precio posible por esos activos. Sobre la base de ese criterio se planearon las privatizaciones de Aerolíneas Argentinas y de ENTel.

A su vez, la concesión de los caminos y la denominada privatización de la obra pública se concebían todavía como una forma de hacer lugar a la iniciativa privada, pero básicamente a través de una relación contractual entre un proveedor contratista y el Estado, como había ocurrido con las privatizaciones periféricas. Este tipo de concesiones —adjudicación directa, monopolio, renta garantizada— también rigió el leonino proyecto de "privatización de las cobranzas de servicios públicos domiciliarios" —convenio entre la Caja Nacional de Ahorro y Seguro y una Unión Transitoria de Empresas liderada por Ocasa— que, tal como lo describimos en otro capítulo, pude dejar sin efecto cuando asumí como ministro.

Esta visión de las privatizaciones era la que tenían tanto Roberto Dromi como Erman González, quienes —más allá de sus diferencias de tipo personal— trataban estas cuestiones de manera similar. Si su concepción hubiera continuado en vigencia, todo el empeño privatizador del presidente Menem habría sido un fracaso.

A partir de 1991, la combinación de las ideas de desregulación, que conformaban el núcleo de la denominada economía popular de mercado, con la estabilización generada por el Plan de Convertibilidad dio paso a un nuevo modelo de privatizaciones. La venta de los activos de las viejas empresas públicas o la concesión de los servicios tendría como propósito reorganizar los sectores sobre la base de la producción en competencia y, en los casos en que hubiera algún ingrediente de monopolio natural, estableciendo una separación fundamental entre el ente que velaba por el cumplimiento de las regulaciones y las empresas productoras de los bienes o prestadoras de los servicios.

Nuestra propuesta consistía en establecer pública y anticipadamente, mediante leyes sancionadas por el Congreso, dos aspectos fundamentales. Por un lado, la manera en que el Poder Ejecutivo llevaría adelante la reestructuración, privatización y regulación de estas empresas. Y por otro, las condiciones técnicas, económicas y legales que necesariamente deberían cumplir las empresas concesionarias, logrando un justo y transparente marco regulatorio, donde tanto el Ente Regulador como los usuarios contaran con herramientas reales de control sobre las tarifas, las inversiones y la calidad del servicio.

Dos de las diferencias fundamentales entre el modelo Dromi y el que impulsamos nosotros fueron: el dictado de un marco regulatorio previo —con las reglas de juego a las que debían atenerse quienes ingresaran en estos mercados— y la conformación de un Ente Regulador —autárquico y profesionalizado—. Nuestra idea era dar, mediante estas herramientas, suficiente relieve a los usuarios y seguridad jurídica a los inversores.

Así, la privatización comenzó a ser un ingrediente de la creación de la economía popular de mercado. Este enfoque, que en 1990 sólo se observaba en las propuestas y decisiones de Luis Prol y José Estenssoro en relación con el sector de los combustibles, a partir de 1991 fue implementado por el nuevo secretario de Energía, Carlos Bastos, el secretario de Transporte, Edmundo del Valle Soria, y el secretario de Obras y Servicios Públicos, William Otrera.

La organización de un mercado para el petróleo crudo fue el punto de partida de la transformación del sector petrolero. Para que funcionara como un mercado con competencia, se necesitaba diversificar la oferta que, hasta 1990, estaba prácticamente monopolizada por YPF. Ello se logró a través de la licitación de las denominadas áreas marginales para que pasaran a ser explotadas por empresas privadas. Paralelamente, los viejos contratos de servicios que ligaban a los contratistas con YPF se convirtieron en contratos de asociación, con libre disponibilidad del crudo para las empresas privadas encargadas de la operación de cada zona.

Esto, junto con la concesión por licitación de nuevas áreas para la exploración y eventual explotación de los hidrocarburos, llevó a que en pocos años sólo el 50% del petróleo extraído fuera propiedad de YPF. Las empresas destiladoras del petróleo ya no dependieron como en el pasado de las asignaciones de crudo que hiciera la entonces firma estatal, sino que comenzaron a comprar en el nuevo mercado. El precio del crudo se estableció por interacción de la oferta y la demanda, y, a partir de ahí, se movió según la evolución del precio internacional, ya que si los precios locales se desalineaban de los internacionales, los productores de petróleo tendrían la alternativa de exportarlo, y los compradores de importarlo.

YPF comenzó a vender las instalaciones de destilación y los servicios que se consideraron no estratégicos para la empresa. Esta reestructuración, junto a las fuertes inversiones que comenzaron a hacer las empresas destiladoras privadas, llevó a que también en el mercado de los derivados del petróleo se desplegara mucha competencia.

Finalmente, en 1992, el Congreso aprobó la ley que autorizó la venta de las acciones de YPF, empresa que en sólo dos años había logrado mostrar balances trimestrales atractivos para los inversores en los mercados de capitales del mundo. Propusimos que la venta de las acciones de YPF fuera destinada a recomprar los bonos con los cuales se había saldado una vieja deuda de la Nación con las provincias petroleras por regalías hidrocarburíferas, así como también los bonos de consolidación con los que se había pagado a los jubilados la antigua deuda por diferencia de haberes. Y así conseguimos el apoyo de los legisladores a esta iniciativa.

La venta de las acciones de YPF por oferta pública en mayo de 1993 fue un verdadero hito en el reingreso de la Argentina a los mercados de capitales del mundo. En sucesivas presentaciones sobre YPF y la Argentina, que en la jerga de la banca de inversión se denominan *road shows,* José Estenssoro y yo mostramos la nueva realidad argentina a los potenciales inversores. David Mulford, quien había sido subsecretario de finanzas internacionales de dos secretarios del Tesoro —James Baker y Nicolas Brady— y había conducido desde el Tesoro norteamericano la entrada de México,

Venezuela y la Argentina al Plan Brady, presentaba a la reforma económica argentina, y en particular a la transformación del sector petrolero, como el caso más exitoso de estabilización y simultánea reinserción de una economía emergente en la economía mundial.

Los resultados obtenidos gracias a la privatización, que a su vez motivó un profundo proceso de reorganización del mercado del petróleo, fueron extraordinarios. Del antiguo monopolio estatal se pasó a la existencia de 173 concesiones petroleras que actúan en un mercado en competencia. La producción, después de años de estancamiento y algunos retrocesos a fines de la década pasada, creció más del 50% entre 1991 y 1996.

Los jubilados también se vieron beneficiados. Recuerdo las críticas que tuvimos cuando fijamos en 19 pesos por acción el valor para la subasta pública de YPF. Hoy, quienes optaron por cobrar la deuda previsional que el Estado mantenía con ellos mediante esas acciones de YPF, han incrementado su capital en un 50%: al cierre de este libro, el precio de mercado de cada una de ellas alcanza los 27 pesos.

Además, el éxito de la colocación de las acciones de YPF permitió que la Argentina pudiera salir luego con otra innovación en el mercado de crédito: el Bonex Global. Este operativo, conducido por Daniel Marx, dio lugar al primer bono cotizable en los principales mercados del mundo emitido por un país emergente.

Las privatizaciones de la electricidad y del gas fueron algo diferentes de la del petróleo, pero produjeron también excelentes resultados. Carlos Bastos, con el asesoramiento de Carlos Givogri —quien, aunque muy enfermo, siguió trabajando en el tema hasta su muerte—, preparó sendos proyectos de ley que sentarían las bases para la organización de los mercados mayoristas de la energía y el gas, y las regulaciones que se aplicarían al transporte y la distribución.

Los dos proyectos se transformaron en leyes, y establecieron una clara distinción entre empresas generadoras de electricidad y productoras de gas —donde la competencia es perfectamente posible—, las de transmisión y transporte y las de distribución —las que componen monopolios naturales.

En sucesivas licitaciones se vendieron los activos o las concesiones para la generación, que pertenecían a las empresas Hidronor,

Agua y Energía, y Segba, dando lugar a la conformación de más de veinte empresas generadoras de electricidad, que pasaron a ser las oferentes en el mercado eléctrico mayorista junto con Salto Grande —que como ente binacional continúa en manos del Estado— y las centrales nucleares, cuya privatización aún no ha sido autorizada por el Congreso. Así, el precio de la electricidad a nivel mayorista se comenzó a fijar a través de la interacción de la oferta y la demanda, como en cualquier mercado con competencia.

La privatización de las facilidades de transmisión se llevó a cabo previa determinación de las reglas de acceso abierto que estableció el marco regulatorio. A su vez, se licitó la distribución eléctrica en el Gran Buenos Aires y La Plata, que había estado a cargo de Segba, para lo cual se dividió la región en tres partes, dando lugar a sendas empresas de distribución. El marco regulatorio establece los márgenes que estas empresas pueden cargar al precio mayorista para determinar el precio de venta minorista de la electricidad.

Los medianos y grandes consumidores eléctricos pueden comprar en el mercado mayorista, y en ese caso pagan el servicio de transporte a las empresas de transmisión y distribución. Las tarifas están determinadas en el marco regulatorio. Un organismo de alto nivel técnico, denominado Ente Nacional de Regulación Eléctrica (ENRE), es el encargado de interpretar las normas de regulación y controlar su cumplimiento.

De manera semejante, las empresas oferentes del gas natural en el mercado mayorista son varias, y surgieron del proceso de privatización de las áreas petroleras, en las cuales el gas se extrae juntamente con el petróleo.

Como en los casos anteriores, el precio del gas en el mercado mayorista se determina por competencia, aunque en este caso hay una intervención mayor del Ente Nacional de Regulación del Gas (ENARGAS), porque la mayor parte de las ventas se plasman en contratos que hacen las empresas distribuidoras con las productoras, y que deben guardar relación con los precios de venta al público y las tarifas de transporte que autoriza el ente de control. Por su parte, los gasoductos y las empresas de distribución del gas se privatizaron con procedimientos semejantes a los utilizados en los respectivos servicios eléctricos.

La privatización del sector energético fue un éxito total, tanto en términos de las cantidades producidas y vendidas como de las calidades y, por supuesto, de los precios a los consumidores finales. Un claro indicio de los beneficios para estos últimos surge de las mejoras en el servicio de suministro de electricidad que se manifiestan en la drástica caída de los cortes de luz. Es el caso de Segba sudeste, hoy Edesur, en cuya área se producían en promedio más de siete cortes de luz por año con una duración media de casi veinticuatro horas: tras su privatización los cortes se redujeron a menos de dos al año con una duración de sólo tres horas promedio.

No sólo hubo una mejora en la calidad del servicio sino también una reducción en las tarifas residenciales de alrededor del 14%. Si comparamos las tarifas que pagan los usuarios de electricidad en el área del Gran Buenos Aires y las provincias que ya han completado la privatización de la distribución con las de aquellas provincias que aún tienen empresas estatales de distribución, los resultados son igual de exitosos. Córdoba quizá sea el caso más claro: allí, para el caso de un consumo familiar promedio de 200 Kwh, una familia cordobesa abona por año a la empresa estatal de energía (EPEC) unos 180 pesos más de lo que pagan por el mismo consumo los usuarios de Edesur, una de las firmas privadas que se hizo cargo de la ex Segba.

Las empresas privadas hicieron inversiones adicionales, tanto en producción como en transporte y distribución, y la eficiencia de estas inversiones resultó más de diez veces superior a las que hacían las viejas empresas del Estado. El presupuesto nacional se vio aliviado en casi 2.000 millones de dólares al año porque desaparecieron las pérdidas y ya no se necesitó financiamiento público para las nuevas inversiones. Sólo debieron mantenerse las partidas presupuestarias durante algunos años para financiar la continuación de Yacyretá y de Atucha II, la tercera central nuclear.

En 1994 se decidió proponer al Congreso la privatización de Yacyretá y de las centrales nucleares. Para hacer posible la concesión del ente binacional argentino-paraguayo fue necesaria una difícil negociación, porque en sucesivas modificaciones al contrato original, la Argentina se había comprometido a comprar la electricidad a un precio que podría llegar a triplicar el del mercado mayorista. Además, nuestro país era responsable de aportar el financiamiento para la terminación de la obra.

Logramos un muy buen acuerdo con el Paraguay, que limitó los aportes de la Argentina a los necesarios para generar electricidad en cota 78. Se estableció que el financiamiento de las obras complementarias para elevar la cota debería provenir del proceso privatizador. Además, el concesionario de la presa estaría facultado para vender libremente la electricidad, y sólo podría obtener precios mayores a los del mercado local a través de la exportación al Brasil, pero no a costa del erario argentino.

Lamentablemente, los fuertes intereses ligados a la construcción de Yacyretá, obra a la que el presidente Menem con razón llamara "monumento a la corrupción", influyeron para que el Congreso no haya aprobado todavía el acuerdo con el Paraguay. Por consiguiente, Yacyretá está comenzando a generar electricidad sólo a cota reducida, y las obras complementarias están paralizadas.

Tampoco se ha podido avanzar en la terminación de Atucha II, porque el proceso de privatización está también demorado en el Congreso nacional. A pesar de las evidencias tan claras de los enormes beneficios que ha producido la privatización de la energía en la Argentina, los legisladores siguen cediendo ante los lobbistas, cuyo objetivo parece ser continuar vendiéndole caro al Estado, como en los viejos tiempos. Afortunadamente, el presupuesto nacional ya no contempla partidas para ese tipo de gastos y, por consiguiente, la consecuencia de las demoras en el tratamiento parlamentario no será otra que la postergación y eventual cancelación de las inversiones.

Los ferrocarriles fueron durante varias décadas los símbolos más elocuentes de la ineficiencia estatal. Generaban pérdidas del orden de los 1.000 millones de dólares al año, y la falta de inversiones llevó a un deterioro tal de los servicios que, hacia 1991, los pasajeros transportados y las toneladas/kilómetro de cargas movidas por los ferrocarriles eran menos de un tercio de lo que habían llegado a ser en los 50.

En muchas oportunidades se habían producido iniciativas para cerrar los ferrocarriles. La última había sido presentada por un conjunto de bancos apenas asumió Menem, y la idea central consistía en utilizar el producido de la venta de la tierra ocupada por los ferrocarriles para pagar las indemnizaciones al personal. En 1990 se había decidido llamar a licitación para concesionar las distintas líneas a empresas que prestarían el servicio de transporte de cargas, y estarían obligadas a hacer un cierto número de inversiones destinadas a mantener en buen estado un conjunto predeterminado de kilómetros de vías. También se había llamado a licitación para otorgar en concesión el servicio de transporte de pasajeros en el área metropolitana, incluyendo el de los subterráneos de la Capital Federal.

Los concesionarios aceptaron hacerse cargo de menos del 20% del personal que tenía Ferrocarriles Argentinos, por lo cual entre 1991 y 1994 fue necesario producir una reestructuración que, tras los lógicos tironeos y resistencias, pudo realizarse con la cooperación de los sindicatos —en especial la Unión Ferroviaria— que comprendieron que sin esa transformación la empresa hubiera ido hacia su cierre definitivo.

Hacia 1994 se había logrado transferir a inversores u operadores privados todos los servicios, excepto los del ferrocarril Belgrano, que presta servicios al Noroeste argentino, y para el que no se encontró empresa privada interesada. Por consiguiente se formó una compañía que sigue al mando del Estado, y que recibe como aportes del Tesoro el monto de las inversiones necesarias para mantener en funcionamiento las vías.

Las nuevas empresas ferroviarias, tanto de pasajeros como de cargas, lograron impresionantes aumentos de productividad. Entre 1992 y 1996 las toneladas/kilómetros transportadas se duplicaron y los pasajeros en el área metropolitana se multiplicaron por tres.

Hacia el futuro, se podría lograr un enorme mejoramiento del servicio de transporte de pasajeros metropolitano si se realizaran inversiones para evitar los numerosos pasos a nivel que interrumpen la trama de calles urbanas de la Capital Federal y el Gran Buenos Aires. Esas obras no deberían financiarse con las tarifas pagadas por los pasajeros sino a través de una contribución a cargo de todos los ciudadanos, ya que éstos se beneficiarían con el mejoramiento no sólo de los ferrocarriles sino también de todo el sistema de tránsito urbano.

No sólo en ferrocarriles la Secretaría de Transportes, a cargo de Edmundo Soria, desarrolló una tarea muy importante. También fue fundamental su papel en la privatización de los elevadores de granos en todos los puertos del interior, y la transformación y privatización completa del puerto de contenedores de Buenos Aires.

El puerto de Buenos Aires es uno de los casos más exitosos en materia de privatización y desregulación, pero también lo fue, y paralelamente, desde el punto de vista de la lucha contra la corrupción. El administrador general de Puertos, Rafael Conejero, tuvo mucho que ver con este arduo proceso de cambio.

Cuando empezamos nuestra gestión, el puerto de Buenos Aires

estaba calificado como "puerto sucio", nombre que en la jerga de la navegación se da a aquéllos cuya falta de eficacia y transparencia en su operatoria hace poco recomendable su utilización. Cuando un barco quería entrar en él sabía a lo que se atenía: alto índice de robos, tarifas extraordinariamente caras, burocracia, desorganización. Todo eso se traducía en un alto riesgo de tener que permanecer más días que los necesarios en el puerto, con los consiguientes efectos negativos sobre sus costos.

Entre los motivos que explicaban esa pésima situación portuaria, ocupaban un lugar importante las regulaciones laborales y empresariales que afectaban sus diversas actividades. Un ejemplo muy claro de esos problemas era el practicaje. El práctico es un profesional autónomo que tiene como misión subirse a los barcos que llegan desde alta mar en el punto donde concluye el océano y comienza el Río de la Plata, para desde allí guiarlos hasta el puerto. Es una especie de baqueano que conoce los vientos, las corrientes y las condiciones generales del río.

En el caso del puerto de Buenos Aires, las regulaciones sobre la actividad eran sorprendentes. Había una lista de prácticos que llevaban un orden predeterminado, por lo que, cuando un barco llegaba, no tenía otra opción que contratar al que le tocara. Cobraban una tarifa única y elevada, que era fijada por la corporación. Otras normas sobreponían las facultades del práctico por encima de las del capitán del barco, quien, en alta mar, es la autoridad máxima total del navío. En su conjunto, todas estas reglas implicaban tanto sobrecostos como ineficiencias y oportunidades de corrupción. Nuestra política fue clara: desregular y abrir a la competencia. Hoy los barcos pueden elegir qué práctico toman, los servicios han mejorado y las tarifas han bajado.

Con la desregulación y la privatización logramos que el de Buenos Aires pasara a ser considerado entre los mejores puertos de carga general del mundo, según los indicadores de seguridad, limpieza, transparencia burocrática y calidad de servicios. Las terminales portuarias —que operan en competencia— ofrecen ahora sus servicios a precios que son un 80% inferiores a los anteriores, y la velocidad de las operaciones de carga y descarga de los buques se ha multiplicado varias veces. Antes de la reforma, las naves esperaban días y días, tanto para entrar como para salir. Hoy, en cambio, si un barco llega a horario y la terminal no está preparada, se le paga una multa como indemnización por el tiempo que el puerto le hace perder, algo impensable en la antigua organización.

La transformación portuaria ha permitido también el aumento de la eficiencia de los ferrocarriles de carga: en los últimos años, porcentajes crecientes de granos han vuelto a transportarse hasta los elevadores. Por su parte, el dragado del río Paraná, que también ha sido privatizado, está permitiendo una utilización mucho más eficiente de los puertos de las provincias del litoral.

Gracias a toda esta reforma del transporte de media y larga distancia, la Argentina está ofreciendo a sus sectores productivos una ventaja comparativa en relación con el resto de los países de la región, en los que aún no se ha producido una transformación tan profunda. Hay un caso que resulta sintomático. Los inversores en minería de Bajo La Lumbrera (Catamarca) están desarrollando por su propia iniciativa un poliducto para enviar los minerales extraídos hasta San Miguel de Tucumán; allí se los cargará en un tren privatizado que irá hasta la Terminal 6, un puerto privado al norte de Rosario; desde él, será transportado hacia el océano por un barco también privado, a través de un canal dragado en el Paraná por otra empresa privada que percibe un peaje por sus servicios. Esto es posible sin subsidios, privilegios, ni protecciones. Lo conseguimos sólo con reglas de juego claras, competencia y seguridad jurídica.

La Secretaría de Obras y Servicios Públicos, a cargo de William Otrera, condujo el proceso de privatización del agua potable y los servicios cloacales en el área de la Capital Federal y el Gran Buenos Aires, así como todo el sistema de accesos a la ciudad de Buenos Aires y otros emprendimientos tales como la construcción y reparación de caminos y puentes, con una estrategia totalmente diferente de la utilizada por Roberto Dromi al concesionar los primeros 9.200 kilómetros de red caminera que concretó el gobierno de Menem.

Los criterios de transparencia, seguridad jurídica y beneficio del usuario primaron en todos estos procesos donde no existieron ni adjudicaciones directas ni complicadas fórmulas indexatorias como las que había establecido Dromi.

Una de las principales diferencias de nuestra forma de privatizar respecto de las anteriores fue la fijación de una variable única y objetiva para determinar el ganador de una licitación. Antes se utilizaban fórmulas complicadas de puntaje. Eso hacía que pesara mucho la "buena voluntad" de los funcionarios que calificaban la propuesta: poner un punto más o uno menos a cuestiones tan subjetivas como "antecedentes del oferente" podían hacer que la concesión quedara en manos de una u otra firma, subvalorando cuestiones más de fondo como el servicio o el precio propuesto. Esta metodología es la que prefieren empresarios poco amigos de la competencia, famosos por su capacidad de ganar licitaciones con precios altísimos, gracias a esos entrecruzados métodos de calificación, que "inocentemente" preparan las diversas áreas de gobierno.

En el caso de la concesión de la ex Obras Sanitarias establecimos que ese indicador objetivo para la adjudicación sería la rebaja sobre la tarifa vigente: quien, bajo las mismas exigencias, propusiera reducir en mayor medida la tarifa que cobraba la compañía estatal se quedaría con la empresa. Los nuevos operadores, además de comprometerse a ejecutar un plan de inversiones diez veces más ambicioso que el que se había implementado en el decenio anterior, ofrecieron prestar los servicios cobrando una tarifa 27% más reducida que la que aplicaba la empresa estatal. Esta exitosa privatización del gobierno nacional está siendo tomada como ejemplo por algunos gobiernos provinciales, aunque, hasta ahora, con resultados no tan buenos.

Las autopistas de acceso a la Capital Federal y la Avenida General Paz que la circunvala están siendo ampliadas y reconstruidas por empresas privadas que financian las obras con el peaje que comienzan a cobrar recién cuando las inversiones producen un nivel predeterminado de mejoramiento en la calidad del servicio. Sin embargo, el proceso de adjudicación de estos proyectos (Panamericana, Ricchieri-Cañuelas, Acceso Oeste) no fue nada sencillo. Los inconvenientes que fue necesario superar para llegar a firmar el contrato de esta importante obra forman parte del anecdotario de la "máquina de impedir".

Primero hubo que terminar con un megaplán de construcción de los accesos elaborado por un conjunto de firmas bajo el régimen de iniciativa privada heredado del gobierno anterior. Si bien nosotros teníamos un programa más ambicioso que el propuesto por ese consorcio y creíamos en la competencia y la transparencia en las concesiones, nos encontrábamos ante la realidad de un plan de obras que contaba con la correspondiente preadjudicación desde 1990. Se trataba de un proyecto que contemplaba una escasa inversión para toda la Red de Accesos Metropolitanos (RAM), que no incluía calles colectoras para la circulación gratuita y que aceptaba una tarifa muy elevada.

Frente a este panorama, propusimos al consorcio una renegociación del convenio. Nuestra contrapropuesta planteaba, por ejemplo, un aumento en el número de carriles, más bocas de salida, calles colectoras, una sola cabina de peaje en todo el trayecto y la ampliación de la General Paz; y esto significaba, en suma, mayor inversión y menor tarifa. Nos respondieron: "Es una barbaridad, es un proyecto faraónico". Apenas estaban dispuestos, según nos dijeron, a aumentar de 80 a 120 millones la inversión total. No hubo acuerdo y se anuló el RAM —tal la denominación del proyecto—. Bajo las nuevas condiciones, con competencia y con un tope tarifario como factor definitorio (quien ofrecía la menor tarifa por debajo de ese nivel), lanzamos una nueva licitación.

Las presiones recibidas fueron enormes, se agrandaban en vista a las características electorales del año 1993, en el que, además, se jugaba la viabilidad o no de una reforma constitucional que habilitara la reelección del presidente Menem. Pero seguimos adelante. Así, una semana antes de las elecciones del 3 de octubre, y contra todos los agoreros que anticipaban el fracaso, se abrieron los sobres con las ofertas para la Panamericana. La obra fue finalmente adjudicada a uno de los grupos que ya había participado en un proyecto previo, pero que ahora, en competencia, ofrecía una inversión mucho más elevada (el total para los accesos llegó a unos 700 millones de pesos) y una tarifa sustancialmente más baja.

No todo terminó allí. Los vecinos de algunos barrios atravesados por los accesos se oponían a la iniciativa con argumentos razonables respecto de la vieja propuesta de las empresas del RAM. Esas objeciones fueron tomadas en cuenta en nuestro proyecto, a pesar de lo cual la protesta de algunos intendentes opositores y núcleos de vecinos continuó hasta que la obra se transformó en una realidad irreversible. La oposición y las críticas fueron paulatinamente sustituidas por el reconocimiento de las ventajas y beneficios que gozan los usuarios.

Otro caso muy interesante es el de la autopista Buenos Aires-La Plata. El contrato inicial era de la época del gobierno radical y reflejaba su visión sobre la materia: incluía subsidios públicos para la empresa constructora (a pesar de lo cual el plazo de ejecución era larguísimo y el peaje llegaba a casi 7 pesos) y avales del Estado para los créditos que la compañía tomara en el mercado. Esa política no era la nuestra, por lo que decidimos renegociar el contrato. La concesionaria se despachó con una magra oferta: reducción del subsidio en un 40%, aumento en la tarifa, prórroga en el plazo de concesión y seis años para construirla. Nuestra respuesta fue contundente: ningún subsidio ni aumento de tarifa (sólo prórroga en la concesión) y, además, reducción del plazo de seis a tres años. Bajo esas condiciones se realizó la obra, la cual, además (igual que la Panamericana) se concluyó antes de la fecha prevista (casi un año menos).

Las trabas a la inversión no se limitaban a aquellos sectores que en muchos países habían sido estatizados, sino que existían también en relación con sectores que, en la mayor parte del mundo, son responsabilidad de la actividad privada.

En algunos casos, la presencia de empresas que, o eran públicas o habían surgido de programas promocionales con control estatal, se constituía en una valla para inversiones de riesgo auténticamente privadas. Ese era el caso de la siderurgia y la petroquímica. La eliminación de las regulaciones sin sentido económico que afectaban a estos dos sectores, y la privatización de Somisa y del Polo Petroquímico Bahía Blanca, removieron estos obstáculos, y hoy tanto la siderurgia como la petroquímica —cuyos volúmenes de inversión alcanzan los 6.000 millones de pesos— son sectores en franca expansión que continúan atrayendo fuertes inversiones.

El caso quizás más importante de apertura de oportunidades de inversión se dio en la minería a través del cambio de legislación. La combinación del viejo Código de Minería, que reconocía la propiedad de los recursos a las provincias, y las regulaciones que éstas habían establecido, junto a legislación especial que declaraba de carácter estratégico la exploración y explotación de los minerales en extensas áreas del territorio nacional, habían impedido la gran inversión minera privada en el país.

Entre 1992 y 1993, a través de la tesonera gestión del secretario de Minería, Angel Eduardo Mazza, logramos la sanción de tres leyes, una de ellas en convenio con el conjunto de las provincias, que cambiaron totalmente el panorama. El objeto central fue otorgarle mayor previsibilidad a la actividad, en razón de sus condiciones de producción de largo plazo. Así, por ejemplo, la ley le brindó estabilidad fiscal por el término de treinta años a la prospección, exploración, extracción e industrialización minera, lo que implicaba que no habría aumentos en las contribuciones tributarias ni en las tasas impositivas que afectan a las empresas del sector.

Como resultado, más de cien empresas mineras del mundo iniciaron tareas de exploración, y se están haciendo fuertes inversiones para producir minerales que en pocos años se constituirán en un gran rubro exportador. La Argentina es vista hoy por los inversores especializados en minería de países como Canadá, Estados Unidos, Australia, Sudáfrica y Japón, como la última frontera minera del mundo.

La revolución productiva también se valió del fortalecimiento de la iniciativa privada en otros ámbitos más tradicionales, como la agricultura, la ganadería y la pesca. Las gestiones sucesivas en la secretaría dedicada a esos sectores de Marcelo Regúnaga y Felipe Solá ayudaron a dinamizarlos. Se trata de ámbitos favorecidos no sólo por la eliminación de las retenciones a las exportaciones sino también por la nueva política de puertos, la privatización de los elevadores de granos en los puertos del interior y, en general, la desregulación económica.

En la agricultura se está produciendo un impresionante cambio tecnológico a partir de la utilización más intensiva de los fertilizantes y del riego en el área pampeana, así como de un gran énfasis en el cuidado de la calidad, la sanidad y la naturalidad de los productos en las áreas frutihortícolas de las denominadas economías regionales. Este proceso de modernización tecnológica fue impulsado por el abaratamiento de los insumos que se logró mediante una política tributaria favorable a la incorporación de nuevos equipos, y programas de asistencia técnica a los pequeños productores tales como "Cambio Rural", que ya convoca a unos 40.000 agricultores.

El sector ganadero aún no ha conseguido logros tan impresionantes como la agricultura en materia de inversión y producción, pero la erradicación de la aftosa, gracias a la aplicación, desde 1990, de un programa que abre grandes posibilidades para el futuro, los mercados de mayor poder adquisitivo del mundo volverán a estar abiertos a las carnes argentinas.

La producción de leche y de productos lácteos, para los que se reconocen fuertes ventajas comparativas en la Argentina, ha atraído gran parte de las inversiones nuevas que llegan desde el resto del mundo. El espectacular aumento en la producción y la productividad —fruto de la incorporación de tecnología ya que la superficie destinada al tambo es hoy la mitad de la de dos décadas atrás— ha hecho que nos acerquemos a los grandes países lecheros como Nueva Zelanda: si en 1990 las vacas neocelandesas eran 50% más productivas que las argentinas, hoy esa brecha prácticamente ha desaparecido.

En el sector pesquero también se produjo un fuerte aumento de la producción y exportación. La pesca marítima se duplicó entre 1990-1995, superando ampliamente el millón de toneladas en 1995. Un claro ejemplo de las perspectivas de la pesca es el caso del calamar, rubro en el cual las nuevas inversiones permitirían alcanzar una explotación de 250 mil toneladas anuales, casi diez veces más que en 1990.

La Secretaría de Industria, liderada sucesivamente por Juan Schiaretti y Carlos Magariños, trabajó para que —a la par que se desmantelaban los viejos regímenes de promoción sectorial y regional— las empresas encontraran posibilidades de adaptación al clima de mayor competencia que creó la apertura económica. Por eso, en algunos sectores, como el automotor, los textiles, la indumentaria y el calzado, se utilizaron como mecanismos transitorios cuotas de importación o derechos específicos.

En el caso de la industria automotriz se alentó la especialización en un grupo reducido de modelos bien actualizados, y se avanzó, a través de una negociación con el Brasil, en dirección a lograr que la expansión del sector en el Mercosur posibilitara una buena proporción de inversores y puestos de trabajo en la Argentina. Los resultados del régimen automotriz fueron impresionantes. Entre 1990 y 1994 se cuadruplicó la producción, mejoró la calidad de los vehículos, se crearon 15.000 nuevos puestos de trabajo y las exportaciones aumentaron treinta veces (las importaciones sólo cuatro). También aumentó el consumo interno al tiempo que bajaban los precios: el auto más económico, que en 1992 se adquiría con diecisiete salarios industriales medios, ya en 1993 podía adquirirse con sólo once.

En todas las ramas de la industria manufacturera se produjo una transformación que tiene como característica común la especialización en algunos productos, y el consiguiente abandono en la producción de otros que podían conseguirse a precios más convenientes en el exterior. En los primeros cuatro años de aplicación de esta política, se dio la mayor tasa de crecimiento de la producción industrial de todo Occidente y la tercera del mundo, sólo detrás de China y Tailandia, con valores similares en cuanto al incremento del valor agregado.

La Secretaría de Comercio e Inversiones, liderada por Carlos Sánchez, condujo el proceso de apertura comercial externa y de desregulación para la modernización comercial interna. En el sector comercial la transformación fue quizás más acentuada que en la industria manufacturera. El abaratamiento de los costos de transporte, la simplificación arancelaria y la eliminación de impuestos distorsivos provocaron la explosión del comercio exterior. El comercio dentro del país también se vio favorecido por la desregulación en general, por la baja de los costos de transporte, y por la instalación de grandes hipermercados que mejoraron significativamente la calidad de los servicios en materia minorista.

Entre las empresas que quebraron y desaparecieron, muchas habían crecido al amparo del Estado y sus regulaciones, y eran propiedad de rentistas antes que de empresarios: cuando cambiamos las reglas de juego y nos preocupamos por defender al consumidor, mediante la competencia y la transparencia, se les acabó el negocio.

Es cierto también que muchas otras, que eran el fruto de años de trabajo de familias emprendedoras, a pesar de tener la firme intención de adaptarse a un clima de competencia y apertura, debieron cerrar sus puertas. Hubo algunas razones para ello y es parte de la autocrítica que me hago. Una, fue la lentitud de reconversión del sistema financiero —a lo cual me refiero en otro capítulo— que hizo que muchas PyMEs siguieran sintiendo a los bancos como enemigos antes que como herramientas de apoyo. Otra, la carencia de suficiente asistencia técnica para la reconversión: en estos casos, la falta de información es un déficit difícil de compensar para cualquier empresario, por más honesto y sacrificado que sea.

Una tercera razón es más responsabilidad del Congreso que nuestra, y tiene que ver con los proyectos de ley de reforma laboral, que no se trataron o salieron tarde y con muchos cambios respecto de lo que propusimos desde el Ejecutivo. Los principales perjudicados por las demoras y la indecisión de los legisladores fueron justamente aquéllos a quienes éstos decían defender, porque las grandes empresas, valiéndose de su poder, avanzaron por su cuenta en acuerdos de flexibilización. En cambio, las firmas pequeñas que, además, son las que tienen una mayor incidencia de la mano de obra dentro de sus costos totales, siguieron viéndose ahogadas por regímenes de accidentes de trabajo, despidos y otras regulaciones de los convenios colectivos, que en general reflejan más las posibilidades de las compañías de mayor tamaño que las de las PyMEs.

Las empresas constructoras que habían sufrido la crisis de los años 80, con la consiguiente paralización de obras y demoras en los pagos por parte del Estado, comenzaron a encontrar oportunidades de expansión de sus actividades en las inversiones privadas vinculadas a la privatización de las viejas empresas públicas.

La revolución productiva se extendió a numerosos campos en los que la Argentina tenía gran retraso. Un ejemplo muy notable es el del turismo, donde la desregulación y la privatización abarataron no sólo costos de transporte sino también los insumos para los servicios turísticos. Aumentó mucho la capacidad hotelera, así como la cantidad y calidad de restaurantes y negocios que ofrecen servicios a los turistas, reflejando inéditos niveles de inversión en el sector. En 1996 los volúmenes invertidos duplicaban los que se registraban en 1990, sustentando la fuerte expansión de la oferta turística nacional. La llegada de turistas extranjeros se incrementó en un 50% entre 1991 y 1996, superando los 4 millones de personas.

En suma, toda esta transformación productiva de la Argentina refleja una rápida adaptación de los empresarios privados a las nuevas reglas de juego de la economía popular de mercado en condiciones de estabilidad.

En muchas oportunidades se produjeron reclamos y manifestaciones de protesta por parte de cámaras empresarias de los diversos sectores. La queja más frecuente se relacionó con la ausencia de crédito accesible para las pequeñas y medianas empresas —a lo cual ya me referí antes.

También fueron resistidas por algunos grupos empresariales las medidas de apertura a las importaciones, y aún hoy se escuchan algunas voces que siguen reclamando más protección al mercado interno. Pero las mismas quedan cada vez más diluidas en el entusiasmo que generan las nuevas actividades orientadas a la exportación o vinculadas a la mayor calidad y diversidad de servicios para las familias en el mercado interno.

El impacto de la crisis financiera de 1995 sobre prácticamente todos los sectores productores de bienes y servicios fue muy severo, porque los bancos comenzaron a exigir a las empresas la devolución de créditos y aplicaron elevadísimas tasas activas de interés. La recesión alcanzó su máxima profundidad hacia la mitad del segundo semestre de 1995, y recién comenzó a revertirse a partir del segundo trimestre del '96. Vivirla fue una experiencia útil: nos permitió comprobar la solidez de la *revolución productiva* que la Argentina experimentó durante el primer lustro de los años 90.

Las nuevas reglas de juego de la economía que se conformaron a partir de 1991 han revertido décadas de inflación y estancamiento en la Argentina, y constituyen una organización económica capaz de asegurar crecimiento vigoroso con estabilidad por muchos años hacia el futuro. Para ello es conveniente profundizar el camino de la desregulación y las privatizaciones que marcó la primera mitad de los 90.

Desde 1991 en adelante, todas las privatizaciones funcionaron sin dar lugar a la corrupción. En general, los entes reguladores, cuyo personal fue mayoritariamente seleccionado por concurso, han llevado a cabo su tarea con reconocida eficacia. De tiempo en tiempo, aparecen iniciativas para crear toda una superestructura burocrática por arriba de los entes de control, iniciativa que, de prosperar, abre el riesgo de politizar una tarea que ha sido muy bien manejada a nivel técnico.

En las únicas áreas en las que el proceso de privatización no ha podido avanzar es en aquéllas en las cuales operan grupos económicos que, con el argumento de haber participado en procesos de seudoprivatización periférica en el pasado, han venido obstaculizando los procesos de desregulación y privatización transparentes, que con tanto éxito se implementaron desde 1991. Este es el caso de los aeropuertos y los servicios postales. Se trata de dos cuestiones que, de no resolverse adecuadamente, pueden poner en riesgo la continuidad y la credibilidad de la reforma económica y, con ello, hacer trastabillar los éxitos en materia de inversión y producción que vislumbro en la Argentina de los próximos años.

La crisis financiera

Desde el lanzamiento del Plan de Convertibilidad, la economía experimentó cuatro años de crecimiento ininterrumpido a un ritmo de casi el 9% anual promedio. La inflación bajó en forma sostenida y las tasas de interés acompañaron este descenso, salvo para reflejar las variaciones de las tasas internacionales. Como tendencia, la brecha entre las tasas de interés en pesos y las tasas de interés en dólares en la Argentina tendió a cerrarse, reflejando la creciente confianza en la convertibilidad del peso. Esta tendencia sólo fue interrumpida en noviembre de 1992, cuando en Nueva York comenzaron a circular rumores de una posible devaluación del peso, pero apenas desmentimos esa posibilidad se restableció la tendencia anterior.

Sin embargo, desde los últimos días de diciembre del '94, luego de que se iniciara la crisis del *Tequila* —la devaluación del peso mexicano había movido la estantería económica de ese país y provocado desconcierto en los mercados mundiales sobre todas las economías emergentes, en especial las latinoamericanas— comenzó a observarse en la Argentina un rápido proceso de salida de capitales y retiro de depósitos del sistema bancario. El efecto inmediato de estos fenómenos fue un fuerte aumento de la tasa de interés. Las tasas en pesos se elevaron notoriamente, pero también aumentaron —aunque en menor proporción— las tasas en dólares, reflejando un importante ascenso en la percepción externa del riesgo país. Y todo eso llevó a que, lógicamente, se desplomara el precio de los bonos y acciones argentinos.

El aumento de las tasas de interés produjo un impacto sobre el nivel de actividad económica ya en el primer trimestre de 1995. Sin embargo, en comparación con el primer trimestre de 1994, la economía continuó expandiéndose al 3% anual. El efecto pleno de la crisis se observó recién en el segundo y tercer trimestre del '95, cuando, en comparación con los mismos períodos del año anterior, el producto bruto interno cayó el 5 y 8% respectivamente. La caída, aunque menor, continuó en el cuarto trimestre del '95 y en el primer trimestre del '96.

La economía volvió a crecer, en comparación con el mismo período del año previo, en el segundo trimestre de 1996, y alcanzó ritmos similares a los anteriores a la crisis recién en la segunda mitad de ese año. A fines del '96 ya se había completado la recuperación del terreno perdido por los efectos de la crisis financiera.

En el primer trimestre del corriente año, 1997, la economía parece haber recuperado el dinamismo de los cuatro primeros años de la convertibilidad. Pero, durante un período de doce meses consecutivos, el país soportó una severa recesión.

Muchas fueron las interpretaciones que se hicieron en el país y en el exterior sobre la crisis del '95. Pero dos años después de que la misma se iniciara, ha quedado claro que lo que entró en crisis no fue el programa de transformaciones económicas de los 90, y mucho menos el Plan de Convertibilidad de 1991. Lejos de haberse abandonado el conjunto de reglas de juego económicas que se fueron conformando a partir del inicio de la gestión del presidente Menem, los agentes económicos, incluidos los inversores extranjeros, apuestan claramente a su continuidad. Así, desde principios del '96, los intereses retomaron claramente la tendencia descendente, y la brecha entre tasas en pesos y tasas en dólares se ha vuelto a cerrar.

En realidad, lo que entró en crisis en 1995 fue el sistema financiero argentino que, a pesar de la convertibilidad, no había sido capaz de corregir los problemas que arrastraba desde los años de alta inflación. Las causas de este tembladeral deben buscarse justamente en la debilidad de las instituciones financieras, y en algunos defectos de las normas que el Banco Central había aplicado durante los años anteriores. Por esto, sostuvimos que la devaluación del peso mexicano fue el detonante que hizo que una crisis financiera, que estaba latente en la Argentina, se transformara en una crisis abierta.

Sin embargo, los detractores del Plan de Convertibilidad y los críticos permanentes del manejo fiscal realizado desde el Ministerio de Economía entre 1991 y 1994 pensaban diferente. Unos argumentaban que la crisis argentina tenía el mismo origen que la mexicana, esto es, el déficit en Cuenta Corriente de la Balanza de Pagos, consecuencia, en opinión de ellos, del atraso cambiario. Otros agregaban que la causa era el déficit fiscal que había comenzado a aparecer en el segundo trimestre del '94. Sostenían, además, que habíamos equivocado nuestra política respecto del Fondo Monetario Internacional, con el cual, en la visión de estos críticos, habíamos producido una "ruptura" a mediados de aquel año.

Todas estas interpretaciones eran incorrectas. El déficit en Cuenta Corriente de la Argentina apenas superaba el 3% de PBI, una proporción que Chile había tenido sin problemas en varias oportunidades durante su programa de reformas económicas. Se trataba de un déficit que era bastante menos que la mitad del que en los años anteriores había soportado México. Es precisamente esa diferencia la que explica por qué mientras en México, para cerrar esa brecha, se requirió una muy fuerte devaluación de su moneda, en la Argentina el déficit en Cuenta Corriente bajó a menos del 1% del PBI durante los años '95 y '96 sin ninguna alteración en el valor del signo monetario.

En relación con el déficit fiscal que había comenzado a aparecer en el segundo semestre del '94, su corrección por el lado del gasto ya había sido anunciada antes de que se iniciara la crisis, mediante el envío del proyecto de Ley de Solidaridad Previsional al Congreso. El único motivo por el cual el gasto público había crecido por arriba de lo planeado, creando déficit fiscal, era el aumento de las erogaciones del viejo sistema de jubilaciones y pensiones, problema que empezaría a solucionarse una vez aprobado aquel proyecto de ley. Por lo demás, el déficit fiscal de los años '95 y '96 no se debió a aumentos adicionales del gasto público sino a caídas en la recaudación, que fueron provocadas por la recesión.

Por su parte, la idea del enfrentamiento o ruptura con el FMI que hacían circular ciertos críticos era también equivocada. La mejor demostración de que la Argentina no había roto con el Fondo Monetario Internacional la daba el hecho de que, en medio de la crisis, conseguimos que esa institución no sólo nos enviara de inmediato los dos tramos pendientes del préstamo anterior, sino que también lo prorrogara por un año más, autorizando desembolsos adicionales por más de 1.000 millones de dólares.

Las causas de la crisis fueron otras, y tienen que ver con la incapacidad que demostró el sistema financiero para adquirir solidez durante los casi cuatro años consecutivos de remonetización de la economía que siguieron al lanzamiento del Plan de Convertibilidad. Esto se explica tanto por errores de manejo de las propias instituciones financieras como del Banco Central.

La Ley de Convertibilidad había cambiado drásticamente las funciones del Banco Central. En la práctica, éste debía transformarse en una caja de conversión combinada con una superintendencia de bancos. Sin embargo, hasta la crisis de 1995, sus autoridades se habían concentrado en la primera tarea y no habían logrado cumplir la segunda función con eficacia.

En la sanción de la nueva carta orgánica del Banco Central y de la reformada Ley de Entidades Financieras se deslizaron varios errores. El más grave fue la carencia de un sistema de garantía de depósitos que evitara el pánico de los pequeños ahorristas. Pero también fue un error importante el no contemplar instrumentos adecuados para situaciones de crisis simultánea o en cadena de varias entidades financieras.

Roque Fernández consideraba —con razón— que la garantía estatal a los depósitos bancarios, ilimitada y gratuita, había sido una de las causas de las crisis financieras de los 80, por lo cual propuso que, en la nueva legislación, la misma fuera eliminada. Pero en casi todos los países existe algún sistema —normalmente limitado y oneroso— de garantía para los depósitos bancarios inferiores a cierto monto. La ley sancionada por el Congreso no contempló ningún mecanismo de este tipo. Fue una omisión que trajo graves consecuencias.

Para el caso de la liquidación de entidades financieras, Roque Fernández consideraba que era muy importante evitar que el Banco Central se mezclara en el manejo de esas instituciones, de tal manera que en ningún caso corriera el riesgo de tener que afrontar pasivos derivados de la liquidación. Por eso, se dispuso que a los bancos se les aplicara la legislación general sobre quiebras y que las liquidaciones fueran responsabilidad de la Justicia.

Esto era muy razonable, luego de las enormes pérdidas que había tenido que afrontar el Banco Central durante los años 80. Pero el único instrumento que la autoridad monetaria se reservó para manejar la crisis de entidades financieras fue la posibilidad de suspender sus actividades por un plazo de 30 días (prorrogable por apenas otro período igual), al cabo del cual sólo se dejaban abiertas dos posibilidades: o la entidad conseguía funcionar normalmente, o debía disponerse su liquidación. En la práctica, esto significaba que el Banco Central se encontraba totalmente desguarnecido para enfrentar una eventual crisis simultánea de varias instituciones financieras, que pudiera tener efectos contagiosos sobre el resto del sistema.

La otra limitación importante que la legislación imponía al Banco Central para el manejo de una crisis financiera surgía del propio régimen de convertibilidad. Este impide que se utilicen las reservas que dan respaldo a los pesos en circulación como fuente de financiamiento de las instituciones bancarias. Por eso, la capacidad de la autoridad monetaria para actuar como prestamista de última instancia para los bancos está limitada al monto de las reservas externas excedentes.

El Banco Central había creído que el establecimiento de altos encajes sobre los depósitos podría atenuar esta restricción. Pero, lamentablemente, estableció altos encajes para las cuentas corrientes y los depósitos en cajas de ahorro, mientras que los depósitos a plazo fijo y las obligaciones de los bancos con el exterior, aunque fueran a plazos cortos, no estaban alcanzados por la obligación de constituir encajes.

La crisis del '95 demostró que los depósitos a plazo fijo y el financiamiento externo son pasivos mucho más inestables que las cuentas corrientes y los depósitos en cajas de ahorro. Las instituciones que operaban fundamentalmente a partir de recursos captados por estos tipos de operatoria, como los bancos mayoristas, tenían muy poca liquidez. A su vez, la obligación para los bancos minoristas de mantener encajes muy elevados por los depósitos en cuenta corriente y en caja de ahorro desalentaron la expansión de esta clase de instrumentos monetarios que, junto con los billetes y monedas en circulación, constituye la base de un eficiente sistema de pagos para cualquier economía.

Por aquel tiempo, en medio de la emergencia en que nos hallábamos, recuerdo haber sido por demás insistente acerca de la necesidad de variar esa política de encajes. Las noticias que cada mañana recibíamos sobre las instituciones que tambaleaban me daban la razón. No era ésa la visión de la autoridad monetaria, que mantenía una posición de escasa actividad frente a tan crítica situación. Muchas veces pienso que, si bien su actitud fue variando en la medida que los acontecimientos iban dando la razón a nuestro punto de vista, pudimos salir de la crisis financiera no gracias al Banco Central, sino a pesar de él.

Además de estos problemas derivados de la legislación y de la forma con que la autoridad monetaria administró el régimen de liquidez de los bancos, se agregaron otros defectos: los emergentes de la lentitud del Banco Central para organizar un sistema eficaz de superintendencia de bancos.

En los casi cuatros años de expansión de la monetización, y por ende de la intermediación financiera, el Banco Central no había logrado evitar que los bancos de provincia asumieran compromisos muy onerosos, particularmente con bancos mayoristas y entidades del exterior de segunda línea y prestaran asistencia financiera a los gobiernos locales violando principios elementales de solvencia.

No sólo en la captación de fondos los bancos venían cometiendo errores inmensos. Por un lado, mostraban una gran ineficiencia administrativa: los costos de intermediación financiera eran un 50% más altos, en promedio, a los de las entidades privadas, con los bancos públicos de Córdoba a la cabeza entre los menos eficientes. Por el otro lado, la fiesta de créditos concedidos sin suficiente cuidado —muchas veces vinculados a favores políticos— se tornaba inmanejable. Los bancos provinciales tenían, en promedio, un 15% de créditos irrecuperables, contra el 1% en la banca privada. La cartera irregular, formada por todos los créditos con riesgo de incobrabilidad (irrecuperables más morosos), alcanzaba cifras insólitas en algunas entidades públicas de provincia, como el Banco de Salta, donde el 94% de sus financiaciones ocupaba dicha categoría.

Pero no sólo el Banco Central había fracasado en la supervisión de los bancos provinciales. Tampoco había detectado que algunas entidades financieras privadas estaban haciendo un manejo muy imprudente del crédito, asistiendo desmesuradamente a empresas vinculadas y utilizando operatorias *off shore* —sobre plazas del extranjero— para esconder las maniobras que afectaban su solvencia.

Felipe Murolo, el primer superintendente de bancos desde la sanción de la nueva ley, me había alertado que Roque Fernández no le daba importancia a la designación de personal idóneo para inspeccionar las entidades financieras y poder evaluar la calidad de sus carteras de crédito. Por eso, Murolo renunció tempranamente a su función. Pero yo confiaba en el buen criterio del presidente del Banco Central que, por otro lado, para entonces, era ya una autoridad autónoma y no recibía instrucciones de mi Ministerio.

La debilidad del sistema financiero no se originaba sólo en los defectos de legislación y en las decisiones equivocadas del Banco Central, sino que se debía también a que, a diferencia de lo que ocurrió con el empresariado agropecuario, industrial y de los servicios reales, los dirigentes bancarios no sintieron la obligación de hacer a sus instituciones más eficientes porque el proceso de remonetización y el consiguiente aumento de depósitos les generó una bonanza mucho mayor que al resto de la economía.

No se notaron grandes avances en informatización de las entidades ni en la modificación de los muy onerosos sistemas de correspondencia, de transporte de caudales, de comunicaciones y de otros servicios colaterales, que habían encarecido desmesuradamente los costos bancarios durante las décadas precedentes. Tampoco avanzaron en la popularización de sus sistemas de cuenta corriente y cajas de ahorro, ni en la organización de sistemas eficientes de cobros y pagos como servicio para el resto de los sectores económicos.

Se limitaron a hacer la tradicional intermediación entre depositantes y tomadores de crédito, cargando a estos últimos altas tasas activas para cubrir los costos operativos elevados y poder contabilizar ganancias. Obviamente, estas prácticas no favorecieron el aumento de la solvencia de las entidades porque los clientes de crédito que aceptan tan altas tasas de interés necesariamente implican altos riesgos para las entidades.

En síntesis, a diferencia de los sectores productores de bienes y servicios reales, los prestadores de servicios financieros no generaron avances significativos de productividad dentro de su sector. Por supuesto que hubo algunas excepciones, pero ellas sólo alcanzan a confirmar la regla, que, sin duda, fue la de la mediocridad y el conformismo con las utilidades que devenían de la reintermediación financiera provocada por el Plan de Convertibilidad.

La crisis de 1995 se inició con la caída de los bonos y de las acciones argentinas que cotizaban en los mercados internacionales, y con la cancelación de líneas de financiamiento que bancos del exterior habían dado a los bancos mayoristas de la Argentina. Estos fueron a su vez los más afectados por la caída de los bonos y de las acciones, porque, a diferencia de los bancos minoristas, más que atender la demanda de crédito de las empresas y familias, se habían concentrado en la compra de aquellos valores.

Los préstamos más importantes de algunos bancos mayoristas habían tenido como destinatarios a los bancos provinciales o a los gobiernos locales. Dado que, por la estructura de sus depósitos y el régimen de encajes, los bancos mayoristas prácticamente no tenían liquidez, ante la pérdida súbita de financiamiento sólo pudieron adoptar dos decisiones: exigir a sus deudores la devolución de los préstamos que habían recibido, y solicitar adelantos de liquidez al Banco Central.

Los bancos provinciales constituyeron el segundo tipo de instituciones que entraron en crisis, porque además de enfrentar el pedido de devolución de créditos que les habían otorgado los mayoristas, comenzaron a perder, como aquéllos, las líneas de crédito del exterior. Los depositantes de estos dos tipos de instituciones, al enterarse de que estaban teniendo problemas, comenzaron a retirar sus depósitos, y varias de las entidades debieron suspender el pago de los mismos por falta de recursos.

La noticia de que algunos bancos no podían afrontar la devolución de sus depósitos asustó a la mayor parte de los ahorristas, que comenzaron a retirarlos también del resto de las entidades. Hacia fines de marzo, los depósitos del sistema financiero argentino habían caído 18%.

Se trataba ciertamente de una crisis muy grave. Basta recordar que la crisis financiera iniciada en octubre del '29 en Wall Street, al cabo de tres años, provocó una caída de los depósitos del 25%, y llevó a los Estados Unidos y al resto del mundo a la gran depresión de los años 30. En la Argentina, en sólo tres meses, los depósitos habían disminuido casi tanto como en aquella gran crisis mundial.

El manejo de los bancos de provincia había sido desastroso no sólo por el desorden fiscal de los gobiernos locales sino también por la existencia de operatorias corruptas que eran inducidas por organismos nacionales. Un caso importante fue el de la Administración Nacional del Seguro de Salud (ANSSal), institución que tenía excedentes que por ley sólo podía depositar en bancos oficiales. Sin embargo, por arreglo con algunos bancos privados, desde la ANSSal se les ofrecía a los bancos provinciales depósitos importantes con la condición de que el 50% de los mismos se represtaran a ciertos bancos privados. Varias de estas instituciones quebraron durante la crisis financiera con la consiguiente pérdida para los bancos oficiales, que debieron responder por los depósitos de la ANSSal.

En aquellos días, las autoridades del Banco Central me explicaron que habían descubierto que esta operatoria había sido impulsada desde el organismo nacional. Sin embargo, por alguna razón que hasta ahora desconozco, omitieron hacer la respectiva denuncia penal. Yo me enteré de esta omisión a fines de 1996, cuando los defensores del Dr. Walter Dorflinger, ex presidente del Banco de la Provincia de Córdoba, me comentaron que el Banco Central no contestaba un oficio del juez que había dispuesto la detención de este prestigioso economista cordobés.

El Banco Central no contesta el oficio porque no quiere explicitar la omisión de denuncia, y a pesar de que existe una documentada presentación del diputado nacional por Mendoza Carlos Balter ante el juez Claudio Bonadío, éste no se ha ocupado de investigar el tema. En consecuencia, Dorflinger está detenido por una operatoria que se le impuso desde la ANSSal y los verdaderos responsables de las pérdidas de los bancos provinciales siguen en funciones en el gobierno nacional.

Mientras yo recorría el mundo tratando de convencer a los inversores de que no se desprendieran de los bonos y las acciones argentinas porque nuestra situación era muy diferente de la de México, y de que no existía riesgo ni de devaluación del peso ni de incumplimiento de las obligaciones externas del país, el Banco Central comenzó a utilizar los pocos instrumentos que tenía disponibles.

En primer lugar, liberó los encajes de los bancos, a fin de que los más líquidos pudieran asistir a aquellos que estaban enfrentando retiros de depósitos. Lamentablemente, no alcanzó sus objetivos porque el mercado de préstamos interbancarios prácticamente dejó de funcionar por el exagerado riesgo que significaban los tomadores de fondos.

Además, suspendió por treinta días a las instituciones que aparecían como más afectadas por la crisis, e hizo un gran número de adelantos de liquidez y compra de cartera a alrededor de cien instituciones bancarias. Algunas de estas decisiones, lejos de atenuar la crisis, la acentuaron. La suspensión de entidades comenzó a alarmar a los depositantes, que temían quedar atrapados si esa medida afectaba a la entidad a la cual habían llevado sus ahorros. Los bancos menos afectados por la crisis, y que se mantenían solventes y líquidos, comenzaron a tomar las listas de las instituciones asistidas por el Banco Central como fuente de información para medir el riesgo en el mercado interbancario. Eso significó que cuando una entidad comenzaba a recibir dinero del Banco Central perdía cualquier otra fuente de financiamiento.

El cuarto instrumento que imaginó el Banco Central fue el aliento a la absorción de entidades con problemas por parte de los bancos que aparecían como más solventes. Pero esta medida chocó con la ineficacia de la Superintendencia de Bancos en la evaluación de las entidades. Así, por ejemplo, alentaron a bancos como el Integrado Departamental y el Cooperativo de Caseros a absorber entidades con problemas, cuando la situación de ellos era tan mala como la de los absorbidos. Para peor, este proceso se financió con préstamos del Banco Central que, por supuesto, se transformaron en irrecuperables.

Hacia mediados de febrero, las autoridades monetarias aparecían totalmente desorientadas, y el secretario de Finanzas, Bancos y Seguros, Roque Maccarone, que hasta poco tiempo atrás había sido un experimentado banquero privado, me informó que en su opinión podrían llegar a quebrar cien bancos que representaban entre el 20 y el 30% de los depósitos totales del sistema.

Ante ese panorama tan grave decidí, por sugerencia de Daniel Marx, solicitar asesoramiento al ex presidente del Banco de la Reserva Federal de Nueva York, Gerry Corrigan. Se trataba de la persona con más experiencia en el mundo en el manejo de crisis financieras. Durante nueve años había sido superintendente de bancos del mayor centro financiero del mundo, y había presidido un comité que, desde el Banco de Ajustes Internacionales de Basilea (BIS), había diseñado los nuevos procedimientos de superintendencia de los principales bancos centrales del mundo. Se trataba de una persona que además nos había ayudado mucho en momentos críticos de nuestra reestructuración de la deuda externa.

Corrigan aceptó de inmediato viajar a nuestro país para interiorizarse de la situación. Su diálogo con los directivos del Banco Central no fue fácil, pero, afortunadamente, logró establecer una comunicación muy fluida con el secretario Legal y de Coordinación del Ministerio de Economía, Horacio Liendo, funcionario a quien yo le había encomendado que investigara cómo superar las limitaciones que imponía la legislación vigente al manejo de la crisis.

A partir de este asesoramiento de Gerry Corrigan, y de la muy eficaz tarea de preparación de proyectos de reformas a la legislación que llevó adelante Horacio Liendo, pudimos decidir la estrategia con la cual superaríamos la crisis financiera.

Primero, era necesario modificar la carta orgánica del Banco Central, para extender el período de suspensión de las entidades y ampliar el plazo de financiamiento.

En segundo lugar, se necesitaba dotar al Banco Central de atribuciones para reestructurar entidades financieras. Esto se lograría mediante la atribución para escindir activos y pasivos que pudieran transferirse a otras entidades. De esta forma, se facilitarían los procesos de liquidación judicial de las entidades, que, en la práctica, quedarían como empresas residuales luego de que los pasivos con mayor privilegio fueran atendidos con los activos que seguían teniendo valor cuando eran adquiridos y administrados por entidades solventes. Este método permitía, entonces, reducir significativamente la pérdida de los depositantes de las entidades con problemas.

En tercer lugar, era preciso crear, hacia el futuro, pero con vigencia inmediata, un sistema de garantía de depósitos para las entidades financieras, que, a diferencia de los regímenes del pasado, fuera obligatorio, oneroso y limitado para los depositantes. Esta era una medida indispensable para recrear la confianza de los ahorristas.

En cuarto lugar, debía cambiarse el régimen de encajes bancarios para que dejara de discriminar en contra de las cuentas corrientes y las cajas de ahorro y no premiara a los depósitos a plazo fijo y a las obligaciones externas de corto plazo de los bancos.

Quinto, debían conseguirse préstamos externos de largo plazo para financiar la privatización o liquidación de los bancos provinciales y la reestructuración de las instituciones financieras privadas.

Y, finalmente, antes de ponerse en vigencia la garantía de los depósitos, y una vez que el Banco Central dispusiera de la facultad para escindir activos y pasivos de los bancos, debía disponerse la liquidación de las entidades que el Banco Central consideraba incapaces de recuperar la confianza de sus ahorristas por estar en una situación de insolvencia irreversible.

Horacio Liendo se encargó de preparar los proyectos de ley y de explicárselos a los legisladores en comisión. Fue muy eficaz y en pocos días dispusimos de despachos de comisión favorables en ambas Cámaras.

Yo tomé a mi cargo la búsqueda de los recursos externos y me di cuenta, a través de conversaciones telefónicas con las autoridades del Banco Interamericano de Desarrollo (BID) y del Banco Mundial, de que sólo lo lograríamos si éramos capaces de conseguir un explícito apoyo del Fondo Monetario Internacional, por un lado, y una clara demostración de confianza del empresariado argentino y de los principales bancos comerciales del exterior hacia nuestra gestión, por el otro. En estas tareas me secundaron Daniel Marx y Joaquín Cottani.

Michel Camdessus, el director gerente del Fondo, entendió rápidamente la situación y encomendó a Stanley Fischer, el subdirector ejecutivo, que se ocupara personalmente del problema argentino. Este envió una misión a Buenos Aires que trabajó con el secretario de Programación Económica, Juan Llach; con el secretario de Hacienda, Ricardo Gutiérrez, y con el presidente del Banco Central, Roque Fernández, con tal eficacia que, entre lunes y martes, a través de conversaciones telefónicas, Stanley Fischer y yo pudimos cerrar el acuerdo que daría lugar a un nuevo e importante apoyo del Fondo Monetario Internacional a la Argentina.

Apenas establecidos los términos de la carta de intención enviada al FMI, Enrique Iglesias, el presidente del BID, se encargó personalmente de planear el apoyo de esa institución e incluso de convencer a los altos funcionarios del Banco Mundial para que tomaran decisiones en ausencia del presidente de la institución, Lewis Preston, quien estaba gravemente enfermo.

Hice un viaje al Japón para gestionar el mismo financiamiento paralelo al del FMI que el Eximbank de ese país nos había brindado en 1992. Conseguí una respuesta afirmativa gracias a la invalorable ayuda de Makoto Utsumi, el ex subsecretario de Finanzas Internacionales de Japón que también nos había dado gran apoyo para la entrada de nuestro país al Plan Brady.

George Soros —financista húngaro muy respetado en los mercados internacionales, que estaba realizando importantes inversiones en nuestro país— me había sugerido que consiguiéramos un préstamo puente del Banco de Ajustes Internacionales de Basilea (BIS) para marcar una diferencia con México, que no había conseguido ese apoyo. Visité a los ministros de finanzas y presidentes de bancos centrales de casi todos los países del denominado "Grupo de los diez", que son quienes toman las decisiones del BIS, para convencerlos de la importancia de ese apoyo. También en este caso obtuve una respuesta afirmativa. Contamos con la eficaz ayuda de Andrew Croquet, el presidente del Banco de Basilea, que durante su anterior gestión como funcionario en el Banco de Inglaterra ya nos había ayudado en 1992.

Mientras encarábamos estas gestiones con organismos internacionales y gobiernos extranjeros, empresarios y banqueros argentinos nos ofrecieron suscribir un bono por 1.000 millones de dólares, a tres años de plazo, y con tasas de interés semejantes a las que habían regido hasta antes de la crisis, al que decidimos denominar "bono argentino". Se trató de una importante muestra de confianza, que nos alentó a intentar colocar un papel semejante entre los principales bancos del mundo que operaban con la Argentina.

Con la ayuda extraordinariamente eficaz de Bill Rhodes, *vicechairman* del Citibank que había presidido el comité de bancos acreedores durante la crisis de la deuda, logramos la suscripción externa del bono argentino. Así, entre fines de febrero y principios de abril de 1995, armamos un paquete financiero de más de 11.000 millones de dólares, que fue clave para que se comenzara a superar la crisis financiera, cosa que ocurrió precisamente a partir de mediados de abril.

En medio de todas estas gestiones externas, fue necesario conseguir que el Congreso aprobara no sólo las leyes de reforma a la legislación del Banco Central y las entidades financieras, sino también los recortes de gastos y las medidas impositivas que conformaron el programa negociado con el FMI. Ante las críticas de la oposición, decidí concurrir al recinto de la Cámara de Diputados a explicar la situación. Estábamos no sólo en medio de una crisis financiera muy severa, sino a escasos dos meses de la próxima elección presidencial, con todas las pasiones que circunstancias como éstas desatan.

Decidí apostar fuerte, explicando con crudeza los peligros que enfrentábamos. Aclaré a los legisladores que el Banco Central había prácticamente agotado las reservas excedentes y que por lo tanto ya no podría seguir asistiendo a las entidades que perdían depósitos. Sostuve que, si no se aprobaban las leyes, quebrarían muchos bancos y cientos de miles de ahorristas perderían sus depósitos, y el país caería en un abismo, salir del cual le llevaría muchos años, quizás décadas. También expliqué cómo superaríamos rápidamente la crisis si el Congreso daba su apoyo.

Cuando, luego de largas horas de discusión, dejaba el recinto de la Cámara de Diputados, Rodolfo Terragno me dijo que había cometido una grave imprudencia al hablar sin tapujos de la gravedad de la situación, y que los mercados se desplomarían en los días siguientes. Afortunadamente se equivocó. Mi franqueza y los indicios de apoyo parlamentario que inmediatamente comenzaron a aparecer ayudaron a que la situación de los mercados no desmejorara, y en pocos días conseguimos la sanción de las leyes que necesitábamos, incluida la Ley de Solidaridad Previsional, que tanta oposición había levantado durante las últimas semanas del año anterior.

En ese momento comenzamos a superar la crisis financiera de 1995, aunque su impacto sobre la economía real recién empezaba. Las leyes nos dieron los instrumentos, y los organismos internacionales, los gobiernos extranjeros, los empresarios argentinos y los principales bancos del exterior proveyeron el financiamiento. Pero las medidas tenían que implementarse, y ello fue una ardua tarea que llevaron adelante, en forma simultánea, el Banco Central y las secretarías de Programación Económica y de Finanzas, Bancos y Seguros. Estas secretarías organizaron e hicieron funcionar los fondos fiduciarios, uno para apoyar la privatización de los bancos provinciales, y otro para la reestructuración del sistema bancario privado, que fueron claves para la superación de la crisis.

A diferencia de lo que había pasado durante todas las décadas anteriores, no fue el Banco Central el que asistió financieramente al Tesoro nacional, sino éste y las secretarías especializadas del Ministerio de Economía los que apuntalaron a las autoridades monetarias para que pudieran sacar al sistema financiero de la delicada situación en la que había caído. Se trata de otra clara evidencia de los grandes cambios de organización y de comportamiento que produjo el Plan de Convertibilidad en la Argentina.

La crisis de 1995, si bien provocó severos costos en términos de la economía real, tuvo también su lado positivo. Sirvió para que se pusieran en evidencia las debilidades del sistema financiero y se cambiaran las normas y las disposiciones legales del Banco Central que habían contribuido a generar o mantener esos problemas. También propició un proceso de reestructuración saludable de las entidades financieras.

Gerry Corrigan, a solicitud del Ministerio de Economía, preparó a comienzos de 1996 una propuesta para que en los próximos cinco años el sistema financiero argentino supere de manera definitiva los problemas que lo han venido caracterizando, entre ellos la existencia de un alto porcentaje de créditos incobrables, particularmente en el caso de los bancos oficiales, y la falta de un sistema eficiente de pagos al servicio, no sólo de las propias entidades financieras y sus clientes, sino también de todo el resto de los sectores reales.

La disminución de los índices de incobrabilidad requiere, según su enfoque, no sólo de la organización de una central de riesgos capaz de proveer buena información sobre los clientes de los bancos, sino también de un mejoramiento de los sistemas judiciales y extrajudiciales de solución de controversias y punición de los incumplimientos de obligaciones. En ese sentido, quienes fuimos responsables del Ministerio de Economía, creemos haber dejado algunos avances importantes. Me refiero a la nueva Ley de Quiebras, a la ley que ha simplificado la ejecución de las hipotecas, y a otras normas recientes sobre cheques y documentos comerciales.

El plan de Corrigan incluye, por supuesto, la idea de completar la privatización de los bancos provinciales, pero también la de los nacionales. Una eficaz superintendencia de bancos es otro de los ingredientes clave de su propuesta.

Este proyecto ha sido presentado no sólo a las autoridades del Banco Central y del Ministerio de Economía, sino a las diversas cámaras que nuclean a los bancos privados, y debería constituirse en la base de un programa para modernizar el sistema financiero argentino y dotarlo de altos niveles de eficiencia, compatibles con las exi-

gencïas de productividad y competitividad que la nueva organización económica exige a los sectores de bienes y servicios reales.

Esta propuesta todavía es una tarea por realizar. La crisis de
1995 ha servido para que se tome conciencia de su importancia.

Las reformas sociales pendientes

Durante la década del 80 la producción de bienes y servicios cayó 10%, pero el empleo siguió aumentando. En lo que va de la década del 90, la economía creció casi el 40%, pero el empleo se estancó. La cantidad de gente que quiere trabajar aumenta a un ritmo rápido y, por lo tanto, ha ido creciendo la desocupación, con toda la angustia que ello significa para las familias de los desempleados y para las de aquellos que, aun teniendo trabajo, comienzan a temer por la estabilidad de sus ingresos. Sin duda, la desocupación es el problema económico que más preocupa a las familias argentinas y la causa principal del desasosiego social que hoy se vive en el país.

Pero el desempleo no se resolverá volviendo a las políticas de la década del 80, cuando aun con depresión económica el empleo seguía aumentando. Ese fenómeno no reflejaba otra cosa que la creación artificial de puestos de trabajo improductivos por parte de los distintos niveles de gobierno, de las empresas públicas y de algunas empresas privadas que, por estar fuertemente protegidas de la competencia, podían darse el lujo de mantener personal en esa clase de tareas. Crear empleos de esa forma requería periódicas devaluaciones de la moneda que causaban fuertes recortes en los salarios reales.

Ese modo engañoso de generar empleo del decenio pasado, algún día se tenía que pagar. Fue precisamente la fuerte caída de la

229

productividad media por trabajador ocupado, que se produjo en dicha década, la causa del lento crecimiento del número de puestos de trabajo desde que iniciamos las reformas económicas que le permitieron al país reconquistar la estabilidad de precios y recuperar el crecimiento económico. Buena parte de la expansión de los últimos seis años apenas alcanzó para recuperar los niveles anteriores de productividad media del trabajo y sólo promovió un tímido aumento neto de los empleos en la economía. Asimismo, el mayor ritmo de crecimiento económico hizo que gente que había dejado de buscar trabajo, desalentada, entre otras cosas, por los bajos salarios y las condiciones de contratación, volviera al mercado laboral.

En otras palabras, el enorme aumento del desempleo abierto, que alcanzó su punto más alto en mayo de 1995, cuando superó el 18%, tuvo que ver, en gran parte, con la eliminación de puestos de bajísima productividad —que tan bien caracterizara Antonio Gasalla en su representación de la "empleada pública"— y con el retorno a la búsqueda de trabajo remunerado de miles de personas —mujeres o jóvenes, sobre todo— estimuladas por los mejores salarios que se empezaban a pagar. No, obstante, sería engañoso pensar que sólo eso fue lo que pasó: la realidad indica que fue muy reducida la capacidad de crear empleos de los sectores donde se produjo un mayor aumento en la inversión y, en general, en el nivel de actividad.

Por consiguiente, el gran desafío de los próximos años es conseguir que, además de que la economía crezca rápidamente, se creen empleos a un ritmo mucho mayor del de la primera mitad de esta década.

El ordenamiento económico que surge de la introducción de competencia en todos los mercados de bienes y servicios y la transparencia que se consigue con la estabilidad monetaria obliga a los organismos estatales y a las empresas públicas y privadas fuertemente ineficientes a ajustar sus planteles de personal. Por eso, en casi todos los países del mundo las reformas económicas que persiguen eliminar la inflación crónica y sacar a la economía del estancamiento secular provocan destrucción de empleos en los sectores que en el pasado habían sido responsables de fuertes déficits presupuestarios y en aquellos que, teniendo muy bajos niveles de productividad, sólo podían sobrevivir a partir de protecciones o subsidios que significaban una fuerte carga para todo el resto de la sociedad.

Así, en Argentina, la reforma del Estado nacional significó que de aproximadamente 750 mil personas ocupadas, sólo quedaran en ese nivel de gobierno alrededor de 320 mil. De los 380 mil empleos de la Nación que desaparecieron, aproximadamente 120 mil se transfirieron a las provincias y a la Municipalidad de la Ciudad de Buenos Aires, al pasar a esas jurisdicciones las escuelas y los hospitales. A su vez, las empresas privatizadas mantuvieron en total aproximadamente 80 mil empleos. De ese modo, en términos netos, la reforma del Estado y las privatizaciones significaron una reducción de 180 mil puestos de trabajo.

En general, eran empleos de muy baja productividad, pero para las familias afectadas por los retiros voluntarios o despidos significó la pérdida de la principal fuente de ingreso familiar. La existencia de puestos de trabajo improductivos no implicaba, por supuesto, que quienes los ocupaban fueran personas naturalmente inútiles o incapaces. En muchos casos, se trataba de gente que estaba subaprovechada de acuerdo con su capacidad y esmero. El trabajador no era el culpable de la irresponsabilidad de los funcionarios (o los empresarios de la economía cerrada y sobrerregulada) que inventaron esos puestos. Pero, lamentablemente, fue quien, cuando se acabó la fiesta, terminó pagando los platos rotos con la pérdida de su empleo.

El aumento de la productividad en actividades como el petróleo, la siderurgia, los teléfonos, las centrales eléctricas, las empresas de distribución de electricidad y gas, los ferrocarriles y los puertos, es impresionante y demuestra la profundidad de la transformación económica argentina. Pero la otra cara de la moneda es, precisamente, la disminución de cuarenta mil puestos de trabajo en YPF, ocho mil en Somisa, veinte mil en la vieja ENTel, diez mil en las ex Segba y Agua y Energía, setenta mil en ferrocarriles y cinco mil en los puertos, entre otros.

En el sector privado se produjo un fenómeno semejante, particularmente cuando debieron cambiarse tecnologías y prácticas antiguas para dar lugar a modalidades comerciales e industriales más eficientes. Por ejemplo, el auge de los hipermercados y grandes centros comerciales obligó a muchos pequeños almacenes de barrio y otros negocios minoristas a cerrar sus puertas. Lo mismo ocurrió con grandes, medianas y pequeñas empresas industriales que seguían existiendo gracias a la prohibición de importaciones y a la protección arancelaria.

También se quedaron sin trabajo muchos profesionales o personas que habían recibido un grado importante de educación formal

—media, universitaria— pero que, al no estar preparados para adaptarse a las nuevas tecnologías, perdieron en la competencia por empleos con gente menos experimentada pero con mayor facilidad de asimilar los cambios. Este tipo de desempleo se dio fundamentalmente en centros urbanos con una economía de servicios más desarrollada y competitiva, tal el caso de la Capital Federal, donde seis de cada diez desocupados tienen, por lo menos, estudios medios.

Toda esta reducción en el nivel de empleo se da en casi todos los procesos de reforma económica, pero no por ello deja de ser un drama social al que deben prestar primordial atención los gobiernos. A la par que obligan a las actividades de baja productividad y fuertemente deficitarias a reajustar sus niveles de empleo, la estabilidad y la competencia abren nuevas oportunidades de inversión para producir mayor cantidad de bienes y servicios, de mejor calidad, que a la postre van a ofrecer nuevos puestos de trabajo, altamente productivos, en un número muy superior al de los empleos destruidos. Pero estas nuevas oportunidades no surgen mágicamente: requieren financiamiento y preparación de los propios recursos humanos, tanto a nivel empresarial como del personal que va a trabajar en relación de dependencia.

El problema de la desocupación pasó inadvertido durante los primeros años porque la estabilización económica produjo un inmediato mejoramiento de los ingresos a causa de la desaparición del impuesto inflacionario, que licuaba gran parte del poder de compra de los salarios. Así, durante los primeros años de la convertibilidad, se manifestó un descenso importante de la pobreza.

Esa mejora en la calidad de vida de los más pobres pudo verse en el clima de paz social que se vivía en zonas donde un par de años antes, durante la hiperinflación de Alfonsín, los robos de supermercados y las ollas populares daban cuenta de un estado de violencia y malhumor social impresionante. Ni la muy baja tasa de desempleo abierto ni sus antiguos programas asistencialistas masivos, como el Plan Alimentario Nacional, le habían permitido al radicalismo contrarrestar esa maquinaria de empobrecimiento que es la inflación, cuyo impacto político sufrió en las urnas en 1989.

Por el contrario, las bondades del Plan de Convertibilidad sobre la vida de los sectores de la población más desfavorecidos fueron la clave de las sucesivas victorias del gobierno nacional. Durante mi gestión en el Ministerio de Economía, el presidente Menem sorteó con éxito las cuatro elecciones nacionales a las que se enfrentó: 1991 —diputados y gobernadores—, 1993 —diputados—, 1994 —constituyentes— y 1995 —presidente, gobernadores y diputados.

Un caso muy notorio es el de la provincia de Buenos Aires. Los peronistas tradicionales suelen asignar a la exitosa política social del gobernador Eduardo Duhalde los triunfos electorales del PJ en esa provincia. Los opositores suelen imputar ese predominio a la forma con que éste administra la masa de subsidios sociales más importante que la Nación provee a provincia alguna: el Fondo de Reparación Histórica del Conurbano Bonaerense. Pero, en cualquier caso, de un lado y de otro, se pone el acento en la capacidad del gobernador por mantener satisfechos a los grupos de menores recursos, que tienen gran relevancia desde el punto de vista electoral en el Gran Buenos Aires, donde se definen los resultados del sufragio.

Es verdad que el gobernador Duhalde goza de un gran prestigio y que su gestión de gobierno tiene un alto grado de aprobación. También es cierto que en su popularidad tiene mucho que ver su obra pública, encarada en gran parte gracias al Fondo de Recuperación Histórica, que es importante y ha ido creciendo, entre otras cosas, a causa de nuestra eficaz tarea recaudadora, ya que dicho programa se financia con un porcentaje fijo de lo recolectado como Impuesto a las Ganancias.

Pero una verdad que no se dice es que el justicialismo se impuso en la provincia antes de que la obra de Duhalde pudiera verse y que su triunfo, además, no fue un simple hecho inercial. En efecto, Duhalde ganó las elecciones para su primera gobernación en 1991, en el marco de una ola nacional favorable al oficialismo, impulsada por la gran aceptación del plan económico. No se aplicaba un fondo del conurbano cuando los pobres votaron masivamente por el PJ en el '91 y tampoco el peronismo venía de éxitos rotundos: un año antes, Antonio Cafiero había sufrido un terrible revés en las urnas cuando, mediante un plebiscito, había intentado infructuosamente el apoyo a una reforma constitucional que habilitaba su reelección.

Por supuesto que el carisma de Duhalde puede haber influido positivamente para el triunfo del '91, pero no debe olvidarse que si se alentó su candidatura, fue, antes que nada, por su identificación con el gobierno nacional —era el vicepresidente de Menem—, ya que existía el convencimiento general de que la gente apoyaba nuestro programa.

Al mismo tiempo que las familias de ingresos más bajos percibían el beneficio de la estabilidad, sectores de clase media empezaban a sentir el impacto de otra fase de la reforma económica sobre sus ingresos: el del fin de muchos subsidios distorsivos que los beneficiaban y el del crecimiento abusivo de los precios de ciertos servicios que no estaban sujetos a competencia externa como los alquileres, la educación privada y la medicina prepaga.

Si bien hicimos esfuerzos para evitarlo —desde la misma Ley de Convertibilidad y su prohibición de indexar hasta resoluciones posteriores tendientes a limitar prácticas indexatorias encubiertas—, esos precios se escaparon y resintieron el poder adquisitivo de la clase media. La consolidación de la estabilidad económica y el clima de competencia, la política de vivienda y, también, la recesión de 1995, empezaron a hacer que esos valores se ajustaran progresivamente hacia abajo. Pero, en aquellos primeros años, no pudimos frenarlos —no era nuestra idea hacerlo artificialmente, por ejemplo, a través de controles de precios— y eso repercutió negativamente sobre los sectores medios.

Sin embargo, el mejor indicador de satisfacción que existe en una democracia, el voto popular, nos mostró que también la clase media aprobaba el camino que habíamos adoptado. Esta situación fue muy clara en la ciudad de Buenos Aires —un distrito históricamente refractario al justicialismo—, cuya composición social tiene un predominio importante de los sectores medios. Así, en 1993, cuando, junto a los beneficios de la estabilidad, la gente empezaba a sentir las ventajas de la economía popular de mercado (entre el '92 y el '93 habíamos avanzado mucho en materia de desregulación y privatizaciones), el PJ volvió a triunfar en la Capital Federal, tras dos derrotas consecutivas, en 1991 y 1992.

A pesar de los exitosos indicadores económicos y los resultados electorales, nunca nos quedamos sentados en los laureles frente a problemas que veíamos venir. Sabíamos por la experiencia internacional comparada que esta clase de reformas genera dificultades en materia de empleo. También teníamos claro que un proceso de desregulación de los diferentes mercados de bienes y servicios como el que estábamos desarrollando no podía desenvolverse correctamente en el tiempo si no se daban cambios correlativos en el mercado del trabajo, que se hallaba ampliamente sobrerregulado.

La mayoría de los convenios colectivos que regían los distintos sectores provenían de la primera mitad de la década del 70 y se habían prorrogado por el principio denominado "de ultraactividad" que fija que, vencido el plazo de un acuerdo entre empresario y sindicatos, las cláusulas siguen vigentes hasta tanto se firme uno nuevo. Como los acuerdos relativos a escalas salariales, condiciones y organización del trabajo y beneficios adicionales que pueden acordarse en el marco de una economía cerrada, protegida e inflacionaria son muy distintos de los adecuados para una economía abierta, desregulada y estable, existía un enorme desfasaje entre la letra de los convenios y las nuevas reglas de juego.

Sin embargo, la inercia del "no negociar" era más fuerte que la necesidad social y económica. Del lado empresario, porque las compañías más grandes flexibilizaban de hecho las relaciones laborales, con la vista gorda de los sindicatos, preocupados por no perder la gran cantidad de afiliados a sus obras sociales que estas firmas concentraban. Del lado sindical, porque temían que un acuerdo por el cual se eliminara una serie de rigideces y de beneficios que habían conseguido a costa de una enorme pérdida de competitividad de la economía —y que terminaba pagando el conjunto de la sociedad— se tradujera en un gran costo político respecto de sus representados.

Apenas iniciada la convertibilidad, nos encontramos con la primera luz de alerta: la UOM, tradicionalmente el gremio líder para las negociaciones salariales —lo que ellos firmaban era tomado como referencia por el resto de los sectores—, intentó forzar un aumento salarial acorde con el arrastre inflacionario que el país había soportado todavía durante los primeros meses del plan de estabilización. De hecho, eso implicaba continuar prácticas indexatorias que habían sido prohibidas por la ley a partir del 1° de abril de 1991.

Fue en esa ocasión cuando decidimos impulsar un decreto que fijaba que, en adelante, sólo podrían otorgarse aumentos salariales en la medida en que se comprobaran aumentos de la productividad. No se trataba de una preocupación sólo por la estabilidad —que en sí misma era importante— sino también por los puestos de trabajo que se perderían, ya que en una economía abierta, si los salarios crecen sin que se registren correlativos aumentos de productividad, el ajuste viene por el lado del número de empleos.

Después de casi dos años de discusiones e idas y venidas, el Congreso sacó una Ley de Empleo, sumamente lavada, cuyas principales novedades eran, para ayudar a la creación de puestos de trabajo, las llamadas "modalidades promovidas de contratación" y, para apoyar a quienes lo perdieran en medio de la reconversión, un seguro de desempleo, que atendería durante un período determinado a quienes fueran despedidos sin justa causa.

Esa ley, sin embargo, no pudo tener los efectos deseados sobre el empleo, básicamente por dos motivos. Primero, porque la presión sindical hizo que los legisladores establecieran que para que las modalidades promovidas de contratación —que favorecían la incorporación de nuevos trabajadores— se hicieran efectivas era necesario que las mismas fueran habilitadas en el marco de la negociación colectiva de cada sector; y, tal como dijimos antes, la voluntad de negociar era mínima. Segundo, porque el Fondo Nacional de Empleo, que se creaba para financiar el seguro y otros planes de empleo transitorio y formación profesional, se solventaba con un nuevo impuesto al trabajo —el 1,5% de la nómina salarial—, tributo que, a su vez, operaba como un desincentivo tanto para la toma como para el blanqueo de trabajadores.

Los gremios que se apuraron a negociar con los elementos brindados por la Ley de Empleo obtuvieron resultados muy importantes. Ese fue el caso de los empleados de comercio, sector en el que gracias a las adaptaciones al nuevo marco económico de su convenio colectivo, los puestos de trabajo crecieron de un modo muy importante, acompañando la expansión de nuevos negocios tales como los shoppings y los hipermercados, surgidos a partir de la desregulación puesta en marcha.

Pero como no todos los sectores respondían de igual manera, y la práctica de la negociación colectiva —uno de los caminos naturales para la adecuación del mercado del trabajo a las nuevas reglas— o se había perdido o seguía haciéndose contemplando sólo las posibilidades de las empresas líderes de cada sector, impulsamos una serie de proyectos de ley complementaria a la anterior.

Tuvimos poca suerte con los principales, que fueron cajoneadas en el Congreso con argumentos electoralistas miopes y sin tener en cuenta que postergar el remedio no hace desaparecer la enfermedad sino que la agrava. Cuando el empleo, sin los debidos anticuerpos, se enfrentó con la recesión de 1995, las cifras de desocupación estallaron. En esas circunstancias, el Legislativo empezó a aprobar algunos proyectos de la reforma laboral. Sin embargo, aun siendo importantes (especialmente, la ley que facilita la contratación de trabajadores a nivel de pequeñas y medianas empresas), resultaron tardíos: un descongestivo puede ser muy bueno para curar un resfrío, pero es menos eficaz si éste se ha convertido en una neumonía.

Indudablemente, la demora en las leyes laborales ha sido tan negativa para el empleo como la tardanza en la reforma previsional para el gasto público, el nivel de ahorro de la economía y la suerte de los jubilados. En los últimos años logramos la reforma a la Ley de Accidentes de Trabajo y propusimos un nuevo régimen de capitalización que sustituya el de indemnizaciones, que es hoy una de las grandes trabas para las contrataciones de personal.

Esa vieja ley de indemnizaciones también sirvió para desbalancear más la situación de los distintos segmentos de desocupados. Por un lado, aquellos que venían de tener un contrato legal de trabajo, al ser despedidos accedían a una doble compensación: la indemnización más el seguro de desempleo. Pero, por el otro, el amplio espectro de gente que perdía su empleo, tras haber trabajado en negro, no recibía ninguno de los dos beneficios.

Una de las críticas que recibimos más frecuentemente fue la poca inversión que realizábamos en materia de empleo y formación profesional. Básicamente se hacía alusión al hecho de que invertíamos en el Fondo Nacional de Empleo un valor muy bajo en relación con el PBI, sobre todo tomando en cuenta lo que destinaban a ese fin otros países del mundo desarrollado. Pero estas críticas eluden una discusión en la cual las políticas de empleo son sólo una parte: la de los recursos que destina el Estado a inversión en capital humano, el (mal llamado) "gasto social".

Desde que se inició nuestra gestión los recursos para servicios sociales se incrementaron constantemente. Tomando en cuenta los presupuestos de la Nación, las provincias y los municipios, entre 1991 y 1996 el gasto social creció en unos 3 puntos del PBI.

A pesar de ello —y del hecho de que gran parte del nuevo gasto fuera hacia el sistema previsional—, la eficacia con que los ministerios sociales nacionales y los gobiernos provinciales administraron esos fondos fue muy baja. Los estudios que veníamos realizando sobre ejecución presupuestaria así lo advertían, pero los beneficios que para la gente traía la estabilidad económica y el consiguiente mejoramiento del salario real disimulaban el deterioro en esas prestaciones.

Muchos de los problemas eran heredados (por ejemplo, la corrupción en la burocracia de la seguridad social), pero otros se agravaron durante el gobierno de Menem, tal el caso del PAMI —al que nos referimos en otro capítulo—. Las obras sociales sindicales seguían siendo un barril sin fondo, que además contaba con la complicidad de una supervisión —la Administración Nacional del Seguro de Salud (ANSSal)— demasiado dispuesta a "acordar" con los fiscalizados, que eran quienes, en realidad, "armaban" el directorio de este organismo.

La suma de estos casos de administración ineficaz y poco transparente fue constituyéndose en una bola de nieve, cuyo peso negativo empezó a ser sentido por la población de un modo muy evidente cuando llegó la recesión de 1995, y los servicios de salud, educación, nutrición y apoyo a los desocupados se tornaron imprescindibles.

Es cierto que se han logrado algunos avances: la Ley Federal de Educación —que empieza a poner énfasis en la escolarización del total de la población y en la mayor adecuación de la escuela a la nueva realidad social y económica del país— y, por supuesto, el nuevo sistema previsional.

Pero aún el gasto social sigue disperso en medio centenar de programas, que reparten subsidios sin control ni coordinación y con escasa transparencia. Los diputados y senadores siguen más preocupados por mantener las absurdas pensiones graciables que administran que por ayudar a una mejor asignación y supervisión del gasto social. Al presidente Menem, mientras tanto, lo siguen llevando a actos con bombos y choripanes donde se entrega algún subsidio para dar la idea de que se están haciendo cosas por los pobres.

La estabilidad y el crecimiento de la economía son casi las únicas "políticas sociales" indiscutiblemente exitosas que puede exhibir el gobierno de Menem. Su impacto redistributivo podría incluso haber sido mayor —y soportar con éxito los costos sociales de la recesión— si desde el resto de las políticas de inversión en capital humano se hubiera tenido una eficiencia similar a la que se tuvo para terminar con la inflación.

Si se expanden las actividades intensivas en mano de obra, el empleo tenderá a aumentar, pero para que este proceso adquiera velocidad y resuelva los problemas de desocupación generados a partir de la reestructuración económica y el aumento de la productividad, es también imprescindible que tanto la educación formal como los esfuerzos de capacitación personal y de reentrenamiento laboral preparen a los jóvenes que se incorporan a la fuerza laboral y a las personas que han perdido su empleo anterior para desempeñar las tareas y funciones que requieren las actividades en expansión. Por lo tanto, la educación, en un sentido amplio, es un servicio que debe aumentar tanto cuantitativa como cualitativamente, como parte de la lucha contra la desocupación y, ciertamente, de la lucha contra la pobreza.

La experiencia mundial demuestra que la única forma efectiva y sostenida en el tiempo para erradicar la pobreza es la creación de capital humano en el ámbito de las familias que no alcanzan a satisfacer sus necesidades básicas. El acceso de los niños pobres a escuelas primarias y secundarias de alta calidad, y de sus padres a programas de reentrenamiento laboral y formación profesional, es sin duda el mejor aporte que la sociedad puede hacer en la lucha contra la pobreza.

Por eso, un déficit de las políticas públicas para el empleo, hasta el presente, ha sido la falta de suficiente interconexión entre el seguro de desempleo y los programas de formación profesional. Sin duda, la capacitación y la información son dos tareas centrales en este tipo de procesos de reconversión. Y, en el caso argentino, tanto del lado del Estado como del lado del sector privado, hay una deuda pendiente en esta materia.

Un caso muy positivo fue el convenio de formación profesional suscripto entre el Ministerio de Trabajo y Seguridad Social y Fiat Auto, que alentamos desde el Ministerio de Economía, al conocer el interés de esta empresa por radicarse en nuestro país. Dicho acuerdo produjo una adecuada combinación de soporte al entrenamiento ocupacional con genuina inversión privada. De esa manera, alrededor de la mitad de los 5.000 trabajadores que tomará la firma al final de este proceso habrá pasado por los planes de formación acordados entre Fiat y el Ministerio.

Para crear conciencia sobre la importancia de la educación en la solución del problema del empleo, en 1993 decidimos impulsar desde el Ministerio de Economía el Proyecto Joven, estructurado a partir de una exitosa experiencia chilena con financiamiento del Banco Interamericano de Desarrollo. Se trata de una iniciativa que continúa junto a otros planes conexos para el desarrollo de microempresas y de ayuda para la inserción laboral.

El Proyecto Joven consiste en la capacitación mediante cursos prácticos en rubros demandados por el mercado. Cuenta con dos fases, una de formación en instituciones de capacitación (universidades, asociaciones comunitarias, academias, sindicatos) y otra de pasantía en empresas. Está destinado a jóvenes de bajos recursos con bajo nivel de instrucción, escasa o nula experiencia laboral, y que se hallan desocupados, subocupados o inactivos. Los participantes gozan de una retribución económica durante las dos fases y a las mujeres con hijos se les asigna una retribución adicional destinada a pagar servicios de guardería.

Para que el entrenamiento tenga que ver con los puestos de trabajo que efectivamente demanda la economía y no con el mero interés de un funcionario, las instituciones de capacitación postulan por fondos del programa con proyectos de formación que deben incluir la carta intención de una empresa que asume el compromiso de recibir a los jóvenes en una pasantía laboral. Las entidades capacitadoras que logran que un mayor número de jóvenes queden con trabajo efectivo son las que, en las siguientes licitaciones, tienen mayores posibilidades de financiación para sus cursos.

A principios de 1997 ya habían pasado por este programa casi 100.000 jóvenes de todas las provincias, en cursos que, progresivamente, han ido adquiriendo un mayor grado de complejidad. A la fecha, más del 40% de los jóvenes capacitados por el plan ha quedado con un puesto de trabajo en el sector privado.

'Los logros del Proyecto Joven, que entra ya en su tercer año de implementación, hablan a las claras de lo mucho que las políticas públicas pueden hacer por la solución de los problemas de desempleo cuando se deja de lado el estilo político clientelista y se piensa en la gente apelando a su sentido de responsabilidad y afán de superación.

Hacia el futuro, la transformación de la compensación por desempleo en una compensación de entrenamiento laboral, que ha impulsado el ministro Armando Caro Figueroa, será una excelente idea si se complementa con mayores recursos para financiar estos programas y mayor control de calidad de los cursos de capacitación ofrecidos a los desocupados. Podría llegar a permitir que todos los desocupados percibieran un ingreso mientras dedican su tiempo a entrenarse para su futura actividad laboral. Este es el único seguro de desempleo concebible para un país como la Argentina, que no puede darse el lujo de alentar la vagancia, como ocurre en los países donde el pago a los desocupados no está vinculado al reentrenamiento laboral y la capacitación profesional, sino a la simple constatación de que la persona no trabaja.

La modificación de la legislación laboral para que los trabajadores y los empleadores puedan negociar con mayor libertad el contrato laboral que los vincula para la actividad productiva, junto con la reducción hasta la eliminación de los impuestos que gravan el trabajo, son también piezas importantes en la lucha contra la desocupación, particularmente porque las nuevas actividades creadoras de empleo requieren la organización de pequeñas y medianas empresas, que deben responder con precisión y flexibilidad a las demandas de las familias.

Pero, en definitiva, la creación de empleos y la reducción de la desocupación será el resultado de los avances que como sociedad seamos capaces de producir en materia de educación, salud y vivienda, tan vinculadas a la calidad de vida de las familias.

La estabilidad y el crecimiento económico crean una oportunidad inédita para la eliminación del déficit habitacional y de infraestructura urbana. La clave para que esto se logre está en el aumento del ahorro de mediano y largo plazo. Es decir, de aquel ahorro que, por la motivación que lo provoca, sólo va a ser utilizado luego de varios años de haber estado generando intereses o dividendos para su titular.

Goza de estas características el ahorro del trabajador, que tiene por objeto asegurarle un ingreso después del retiro de la vida activa, es decir, lo que se denomina el ahorro previsional. También el ahorro asociado con los seguros de vida, que deciden las personas que aportan la mayor parte de los ingresos al núcleo familiar, para darle protección a sus familiares en caso de muerte. La misma naturaleza tiene el ahorro que hacen las personas y las familias para enfrentar contingencias de salud y, ya a nivel de las empresas, el que éstas concretan para enfrentar eventuales costos de indemnizaciones al personal por despidos o accidentes del trabajo. En los países en los que existe conciencia de la importancia de la educación como creadora de capital humano y generadora de ingresos futuros hay, además, otro tipo de ahorro de mediano y largo plazo: el que realizan los padres para financiar la educación de sus hijos.

La estabilidad y el crecimiento económico más las reformas institucionales, tales como el nuevo régimen previsional basado en la competencia entre fondos de jubilaciones y pensiones, y el nuevo régimen de seguros de accidentes de trabajo están impulsando en la Argentina el ahorro de mediano y largo plazo, y ya se insinúa la aparición del crédito hipotecario como forma de financiar la compra de la vivienda familiar.

Para que esto fuera posible tuvo gran importancia el saneamiento y la reforma que hicimos del Banco Hipotecario Nacional (BHN). Cuando asumimos el Ministerio de Economía, sus gastos operativos superaban los ingresos por recupero de créditos otorgados y existían casi cincuenta mil viviendas paralizadas de los viejos planes en los que el BHN financiaba de un modo directo a las grandes empresas constructoras y no a las familias.

A partir de la reorganización administrativa, logramos mejorar sustancialmente el recupero de créditos otorgados, reducir los gastos operativos y tener remanentes para, en primer lugar, concluir las obras paralizadas y, en segundo lugar, relanzar al banco, ahora como un líder mayorista, en este segmento de créditos. Su eficaz operatoria indujo la baja de las tasas, extendió los plazos, aumentó la porción financiada y alivianó los requisitos para el acceso a los préstamos hipotecarios en todo el mercado privado. En 1995 sus préstamos alcanzaron los 400 millones de pesos anuales; en 1996, casi los 900 millones, y para 1997, afortunadamente bajo la misma conducción que designamos durante nuestra gestión —cuyo presidente es Pablo Rojo—, el banco proyecta una asistencia crediticia de unos 1.200 millones de pesos.

La realidad es que hoy en la Argentina se otorgan préstamos a 15 años —pronto se lo hará a 20— con tasas y costos bancarios y profesionales cada vez más bajos, con una fuerte competencia entre los bancos para otorgarlos, y ya no sólo en dólares sino también en pesos, sin cláusulas que hagan salvedad devaluatoria alguna. Esto que parecía "Argentina Año Verde" hasta hace poco, ya empieza a ser vivido por los argentinos como algo normal y corriente.

Este es un proceso incipiente, pero si se lo apuntala y se lo sostiene en el tiempo va a permitir un gran auge de la construcción de viviendas y de la infraestructura urbana, que no sólo permitirá eliminar los enormes déficits acumulados en el pasado sino que además asegurará que las viviendas construidas y la nueva infraestructura se adecuen a las necesidades de las familias, porque al acceder ellas directamente a las fuentes de financiamiento habrán adquirido el poder para elegir la solución que más les conviene y ya no dependerán de la dádiva de los dirigentes políticos en campaña electoral.

El aumento del ahorro de mediano y largo plazo no sólo ampliará el poder de las familias para satisfacer sus necesidades habitacionales y barriales, sino que se constituirá además en la principal fuente de creación de empleos altamente productivos.

La construcción de viviendas y de infraestructura urbana es una de las actividades más intensivas en trabajo humano. Se trata, junto con los servicios personales y comunales, del sector de la economía que ocupa a más trabajadores por unidad de producto, y que paga la más alta proporción de salarios dentro del valor agregado.

Pero el impacto ocupacional de la construcción de viviendas y el mejoramiento de la infraestructura urbana no se produce sólo en la etapa de la construcción, sino que tiene también un efecto permanente asociado con el mejoramiento de la calidad de vida urbana. A medida que aumenta el número y la calidad de las viviendas, y la infraestructura urbana que opera de soporte, las familias comienzan a demandar nuevos servicios, asociados, por un lado, al mantenimiento de las obras construidas, pero ligados también, por el otro, a la educación, la salud, los deportes, la vida cultural y otras necesidades recreativas. Se trata, en general, de servicios personales, barriales y comunales, que son prestados por pequeñas y medianas empresas, y por profesionales y trabajadores independientes que se adecuan a las demandas de cada hogar.

El acceso de las personas al crédito hipotecario individual y al financiamiento a mediano y largo plazo para inversiones complementarias, devuelve a las familias la libertad para elegir desde el lugar de su residencia hasta el tipo de servicios que satisfarán sus necesidades. Incluso para promover la extensión geográfica de la infraestructura, la posibilidad de acceder a financiamientos a largo plazo permite a los vecinos de un barrio organizarse y gestionar la construcción, sin que el municipio o la provincia puedan poner como excusa la falta de recursos, porque, en definitiva, este tipo de obra siempre se puede financiar con las contribuciones por mejoras que hacen los propios vecinos.

La libertad de elección de las familias en materia de vivienda y la organización vecinal para la expansión y mejoramiento de la infraestructura aseguran un control ciudadano mucho más directo de la contratación y construcción, y reduce significativamente las oportunidades de corrupción, de ineficiencias y de injusticia que tanto tienen que ver con el proceso de decisión y gestión de la obra pública tradicional.

Hay además muchas experiencias de autoconstrucción con grupos solidarios en barrios de familias de escasos recursos, donde la cooperación de los vecinos y la asistencia técnica de organizaciones no gubernamentales han permitido que pequeñas ayudas del presupuesto público logren un alto rendimiento.

La transferencia del poder de decisión y del acceso a los recursos desde los dirigentes políticos y los funcionarios públicos hacia los ciudadanos, las familias y las organizaciones vecinales ya ha comenzado, pero dista mucho de ser completa y efectiva, porque la vocación por el estilo político clientelista y por el enriquecimiento personal o la captación de recursos para la política a través de la corrupción han frenado este proceso. Las dificultades que ha tenido la descentralización del gasto público social constituyen un ejemplo claro de cómo confluyen estos intereses para que el poder de decisión no llegue al ciudadano.

En los sucesivos pactos fiscales firmados entre la nación y las provincias, desde el Ministerio de Economía y Obras y Servicios Públicos procuramos transferir a las jurisdicciones locales, con criterios de distribución automática y no discrecional, los recursos disponibles para financiar programas sociales. Esto alcanzó no sólo a los recursos y responsabilidades en materia de salud y de educación, sino también a los fondos para las viviendas y para infraestructura económica y social de los barrios.

La idea era, y sigue siendo, que las provincias, a su vez, transfirieran de manera automática la mayor parte de estos recursos a los municipios, y que éstos identificaran a las familias más necesitadas para hacerles llegar, en forma de un subsidio directo y personal, los fondos que —en algunos casos combinados con los ingresos que el propio beneficiario pueda obtener de su trabajo personal y el eventual acceso al crédito— les permitan encontrar la mejor solución a su necesidad habitacional.

Sin embargo, en muy pocos casos los recursos llegaron realmente a manos de las familias más necesitadas, porque los frenos y los intentos de retener el poder de disposición de los recursos en la burocracia estatal y la dirigencia política operaron en todos los niveles de gobierno.

En el gobierno nacional, los funcionarios del Ministerio de Salud y Acción Social se quejaron permanentemente de la pérdida de poder que significó la transferencia automática a las provincias, y en todo momento intentaron retrotraer la situación a aquella en la cual en la Secretaría de Vivienda de la Nación se contrataba la construcción, en cualquier punto del país, de barrios enteros de viviendas de mala calidad, que terminaban resultando muy caras y que, además, rara vez respondían a los gustos y necesidades de las familias que iban a ocuparlas.

Cada vez que discutíamos este tema en las reuniones del gabinete nacional, argumentaban que a causa de la transferencia de los recursos a las provincias se privaba a Menem del rédito político de repartir las viviendas entre los nuevos propietarios el día de inauguración de los barrios. Sostenían también que el Banco Hipotecario, en lugar de alentar el crédito individual para el comprador de la vivienda, es decir, financiar la demanda, debía seguir financiando la construcción y la oferta como en el pasado, para crear la oportunidad del acto político de entrega de las llaves a los numerosos nuevos propietarios en un gran complejo habitacional. Quedaba muy claro que la preocupación no era que el mayor número de familias resolvieran sus problemas, conforme a sus gustos y necesidades, sino poder continuar con el estilo político clientelista, al que son tan afectos muchos dirigentes políticos.

Este argumento, hecho con insistencia por funcionarios nacionales, encontraba respaldo en la modalidad adoptada por varios gobernadores y que reproducía a nivel provincial la vieja práctica ineficiente y corrupta de la Secretaría de Vivienda de la Nación: contratar la construcción de grandes complejos habitacionales, pensados mucho más para generar negocios rentables que beneficiaran a algunas empresas constructoras vinculadas al poder y para organizar actos proselitistas el día de entrega de las viviendas que con miras a resolver los problemas de la gente. ¿Qué decían, entonces, los funcionarios nacionales opuestos a la transferencia a las provincias? Muy simple: que lo único que se había conseguido era que el rédito político lo tuvieran los gobernadores en lugar del Presidente de la Nación.

Gracias a Dios, hay síntomas de que esta práctica tiende a limitarse. Los intendentes han comenzado a reclamar que los gobiernos provinciales redistribuyan a su vez estos fondos entre los municipios, y el Banco Hipotecario Nacional ya ofrece una operatoria combinada mediante la cual se otorgan préstamos individuales a aquellas familias de escasos recursos a las que las autoridades locales atienden con subsidios para el pago inicial que requiere la compra o construcción de una nueva vivienda.

Estas fuerzas que procuran mover el proceso de descentralización en la dirección correcta deberían ser apoyadas por una legislación nacional que obligue a que, en definitiva, sólo accedan a los recursos para vivienda quienes tienen las necesidades, y no dirigentes o funcionarios públicos que pretenden utilizar estos fondos para extraer rédito político. Adolfo Sturzenegger está trabajando con un grupo de profesionales que han estudiado la experiencia exitosa de otros países, para proponer un proyecto de ley que termine de transferir el poder de decisión en materia de vivienda a los ciudadanos. El éxito de esta iniciativa va a ser determinante para que el proceso de descentralización se complete y se transforme en irreversible, prodigando de esa manera beneficios a los millones de familias que aún no cuentan con un ambiente adecuado para la vida cotidiana.

El aumento del ahorro a mediano y largo plazo es en nuestro país el factor más importante para que en los próximos años la economía argentina pueda resolver el problema de la desocupación que angustia a tantas familias. En ese sentido, las reformas previsional y del régimen de accidentes de trabajo, si bien sufrieron demoras y requirieron fuertes esfuerzos de persuasión sobre el Poder Legislativo de mi parte y del ministro de Trabajo y Seguridad Social, finalmente están en funcionamiento y contribuyen no sólo a mejorar las perspectivas de los trabajadores en materia de jubilación y compensación en caso de accidente, sino que además están dando lugar a un aumento permanente de los ahorros acumulados de la población.

Pero en esta materia se deben impulsar reformas legislativas adicionales para que también aumente el ahorro para la educación y la salud, y se expanda la actividad de los seguros de vida y otras contingencias familiares. Juan Llach está trabajando en iniciativas legislativas que, con la experiencia ya acumulada a partir de la discusión del nuevo régimen de fondos de jubilaciones y pensiones y de aseguradoras de riesgos del trabajo, no deberían enfrentar tanta oposición y demoras como las que se dieron en aquellos casos.

Puede parecer paradójico que sea el propio ahorro familiar el mecanismo de financiamiento de la creación de los nuevos empleos, pero ello no debe sorprender a quienes entienden que, en definitiva, los problemas sociales se resuelven por el esfuerzo de los ciudadanos más que por el de los dirigentes. Estos muchas veces prometen soluciones desde las alturas del poder, pero no admiten que la gente disponga de las herramientas que le permitirían construir su propio futuro y alcanzar prosperidad para sí y para sus hijos.

La corrupción organizada

En todas las sociedades las personas adoptan un código moral que se transmite de padres a hijos y que termina de definirse a través de su experiencia de vida. Las asociaciones espontáneas de personas y familias desarrollan también códigos de conducta a los cuales adhieren sus miembros. La sociedad como un todo va conformando, a través del tiempo, un marco normativo que define las reglas de juego dentro de las cuales interactúan sus integrantes.

Cuando entre las personas, en las asociaciones espontáneas y en el marco de las instituciones, predomina el respeto de los códigos y normas, la sociedad produce buenos resultados. Cierto grado de deshonestidad y corrupción existen en todas las sociedades del mundo, pero hay circunstancias en las que el sistema de premios y castigos tiende a reducir la magnitud de esos males sociales. Si, por el contrario, los premios y castigos son muy débiles o, peor aún, tienden a invertirse, la sociedad entra en crisis.

Es evidente que la sociedad argentina vivió una crisis muy larga, que tuvo que ver precisamente con la generalización de la deshonestidad y de la corrupción, en un contexto en el cual ese comportamiento había terminado por considerarse normal y, por ende, no era castigado. Esa larga crisis tuvo su origen en la degradación de las instituciones políticas y económicas a lo largo de las décadas durante las cuales tendimos a aislarnos del resto del mundo y sufrimos gobiernos extremadamente centralizadores del poder y con fuerte vocación intervencionista en todos los aspectos de la vida social. A nivel individual, los argentinos no éramos menos honestos ni más corruptos que los ciudadanos de países exitosos, pero los defectos de la organización social se fueron acentuando a punto tal que la deshonestidad y la corrupción se transformaron en comportamientos habituales.

En la Argentina anterior a la convertibilidad, a la reforma del Estado y a la economía popular de mercado, las oportunidades de corrupción crecían prácticamente al mismo ritmo que el encerramiento de la economía y la inflación. Frecuentemente los empresarios y los consumidores encontraban formas de ganar dinero o gozar de alguna ventaja pagando coimas a algún funcionario público y éstos tenían muchas oportunidades para mejorar sus ingresos dejándose corromper.

Los mecanismos de corrupción eran simples y poco riesgosos. Los funcionarios con poder de decisión sobre el momento de pago de una factura a un proveedor podían hacerle ganar o perder 10% del monto de la factura, cuando la inflación era del 30% mensual, con sólo anticipar o demorar diez días el pago de la misma. Era muy sencillo conseguir que el proveedor estuviera dispuesto a pagar hasta el 10% para cobrar anticipadamente.

En una economía cerrada y con mercados internos extremadamente regulados, el número de proveedores de bienes y servicios a las empresas del Estado y a los organismos públicos tiende a ser reducido y crea oportunidades para que entre ellos se pongan de acuerdo y coticen precios altos. También permite que los compradores de esas empresas estatales y organismos redacten los pliegos de condiciones de forma tal que las compras y los contratos resulten dirigidos. Esto, sin duda, crea enormes oportunidades de corrupción.

Cuando los créditos bancarios eran subsidiados y su asignación estaba en manos de funcionarios de los bancos oficiales, la comisión que el demandante de crédito debía pagar resultaba prácticamente institucionalizada.

Los tipos de cambio múltiples, los impuestos a las exportaciones, los altos aranceles, las cuotas y las prohibiciones de importación, transformaban el contrabando en una actividad sumamente lucrativa, y los funcionarios aduaneros, que teóricamente debían controlar el ciento por ciento de los contenedores y bultos que ingresaban al país, con absoluta incapacidad operativa para hacerlo, tenían establecidas en la práctica las coimas que los exportadores e importadores debían pagar para mover la mercadería a través de la frontera.

El cambio continuo de los precios y la desvalorización de la moneda dificultaban extremadamente la interpretación de los balances y de las declaraciones impositivas, facilitando la evasión y creando también la posibilidad de que los inspectores pudieran hacer la vista gorda sin correr grandes riesgos, cuando el evasor estaba dispuesto a pagar una coima para que la inspección fuera inofensiva.

En síntesis, en una economía inflacionaria, cerrada, extremadamente regulada y con gran número de empresas públicas y muchas contrataciones a cargo del Estado, la corrupción era un fenómeno generalizado. Los funcionarios, los empresarios y hasta los consumidores eran tentados cotidianamente por las sencillas y abundantes oportunidades que las reglas de juego ofrecían.

Durante los años de la década del 80 el exceso de gasto originado en la operatoria de las empresas públicas y en la intervención estatal sobre los mercados ha sido estimado en más de 10.000 millones de dólares anuales, y se reflejaba en transferencias del Tesoro a favor de esas empresas, aumento del endeudamiento público y pagos de intereses a cargo del Banco Central por los depósitos con que se financiaban los redescuentos y adelantos irrecuperables que la autoridad monetaria otorgaba a las instituciones financieras y al Tesoro nacional. Esta pérdida, que pagaba toda la población a través del impuesto inflacionario, era el costo social de la corrupción y de la ineficiencia alentadas por las viejas reglas de juego de la economía.

Afortunadamente, el éxito del Plan de Convertibilidad en materia de abatimiento de la inflación, y la desestatización y simplificación de la vida económica que provocaron la reforma del Estado y la economía popular de mercado han reducido enormemente las ocasiones de corrupción y esto se ha reflejado en una drástica reducción del gasto público —con excepción del denominado gasto social— y en un fuerte aumento de la recaudación tanto impositiva como aduanera. Ello ha permitido que se eliminaran o redujeran a porcentajes pequeños los déficits del Estado que durante décadas constituyeron un problema persistente de la economía argentina.

Sin embargo, la corrupción no ha desaparecido y hay evidencias claras de que en los últimos tiempos se ha transformado en una herramienta de grandes corporaciones económicas, de asociaciones ilícitas y del crimen organizado para lograr favores de altos funcionarios ejecutivos, de legisladores, de comunicadores sociales y de jueces.

En otras palabras: lo que ha tendido a disminuir con la reforma económica es la pequeña y mediana corrupción, aquélla en la cual quien coimeaba o evadía impuestos o contrabandeaba era un individuo o una pequeña empresa, y quien recibía la coima era un funcionario o empleado de menor rango. Este viejo tipo de corrupción no requería del apoyo de altos funcionarios del Ejecutivo ni de legisladores, ni de periodistas y, ya que en la confusión creada por el desorden generalizado de la economía estos casos nunca llegaban a la Justicia, tampoco necesitaba de la complicidad de los jueces.

La corrupción que ahora ha cobrado más dinamismo —que para diferenciarla de la corrupción individual y ponerle un nombre breve se puede caracterizar como *"corrupción organizada"*— provoca no sólo costos sociales, sino que puede llegar a la desestabilización política y económica como consecuencia de la conformación de estructuras ocultas de poder más permanentes y más fuertes que la estructura formal del Estado. De ahí su peligrosidad.

La corrupción tradicional ligada a las compras y pagos del Estado no ha desaparecido totalmente. En las áreas gubernamentales donde aumentó el nivel de gasto público o el nivel de actividad se ha, incluso, expandido. Y el gasto ha crecido en diversos programas sociales, receptores de los recursos que pudimos ahorrar gracias a que terminamos con las pérdidas en las empresas públicas —producto de las privatizaciones— y también logramos incrementar la recaudación impositiva y aduanera.

Así, las erogaciones de organismos tales como la Administración Nacional de la Seguridad Social (ANSeS), la Administración Nacional del Seguro de Salud (ANSSal), el Instituto Nacional de Servicios Sociales para Jubilados y Pensionados (PAMI), el Instituto de Servicios Sociales Bancarios y las obras sociales sindicales pudieron aumentar significativamente. Lo mismo ocurrió con el gasto público provincial, que también tiene por objetivo financiar programas sociales. Esos son, justamente, los escenarios donde la vieja corrupción todavía no ha sido vencida.

En estas instituciones, en las cuales existe corrupción desde muchos años atrás, la magnitud del fenómeno aumentó en mayor proporción que el propio gasto, porque aquellos funcionarios y dirigentes que se habían acostumbrado a financiar sus actividades políticas o gremiales a través de las coimas tendieron a buscar la conducción de estas áreas gubernamentales donde seguían existiendo lucrativas oportunidades para robar.

A principios de 1995, el ministro Armando Caro Figueroa decidió una reestructuración profunda en materia de eficiencia y transparencia en la Administración Nacional de la Seguridad Social. Yo apoyé esa decisión porque desde largo tiempo atrás veíamos desde Economía que existía un gran desfasaje entre los recursos crecientes que destinábamos al sector previsional y la eficacia con que esos fondos eran administrados por la ANSeS.

Para hacerse cargo de esta reforma se apeló a un equipo altamente profesionalizado con gente de gran experiencia gerencial en grandes organizaciones del sector privado. Así, se decidió desarrollar un trabajo de pinzas, con un equipo incorporado desde dentro de la organización, encabezado por Alejandro Bramer Markovic, y otro de auditoría externa, liderado por el ingeniero Angel Perversi, en ambos casos, acompañados por un grupo de muy capacitados jóvenes profesionales, con una fuerte vocación de servicio y un elevado concepto ético. La sola apelación a este equipo era toda una señal para la vieja trama de corrupción del organismo. La despolitización de la conducción y el control de la ANSeS mostraba a las claras la voluntad de terminar con las "cajas negras" y no, simplemente, de cambiar de cajeros.

A poco de andar, los efectos empezaron a notarse. Como en el caso del INdeR, al que nos referimos en un capítulo anterior, muchas de las medidas adoptadas fueron de simple sentido común: cruzar bases de datos, por ejemplo, para saber si los beneficiarios estaban vivos o habían fallecido o si la gente que cobraba jubilaciones por invalidez no seguía trabajando, para lo cual sólo era necesario ver los listados de quienes seguían aportando, por ejemplo, a la caja de autónomos. Otros fraudes tenían mayor complejidad —por ejemplo, los informáticos— pero, paso a paso, también pudieron ir siendo desactivados.

El conjunto de fraudes que detectaron fue ingeniosamente denominado por Perversi como los "récords Guinness del horror en la Argentina". Se localizaron unos 1.000 jubilados por invalidez que seguían aportando como trabajadores autónomos, 37.000 beneficios que se cobraban con posterioridad al fallecimiento del beneficiario, 13.000 personas que cobraban el seguro de desempleo y que —en realidad— tenían trabajo, beneficiarios sin documento de identidad o domiciliados en plazas públicas, jubilaciones mínimas que —de repente— habían aumentado a 1.500 o 2.000 pesos, reintegros de asignaciones familiares a empresas inexistentes, cientos de beneficios jubilatorios dobles, entre otras irregularidades.

Las jubilaciones por invalidez (el 11% del total de los beneficios) superaban porcentualmente a las de países que salieron de conflictos bélicos. El cajoneo de expedientes —una de las metodologías más usuales para requerir "propinas" por parte de la burocracia de la entidad, en muchos casos asociada a gestores y abogados— era increíble: al asumir el equipo mencionado había 170.000 expedientes pendientes, encontrándose casos de trámites sin resolución iniciados en 1904.

El plan de transformación de la ANSeS, puesto en marcha en octubre de 1995, a sólo un año de su inicio ya había permitido dar de baja a 95.000 beneficios irregulares, con un ahorro anual para el fisco de 195 millones de pesos. La reforma organizacional presupuestaria, de la política de recursos humanos y de los sistemas de control, sigue adelante, por lo cual deberían esperarse más logros positivos en los próximos tiempos.

La experiencia exitosa de la ANSeS motivó que, una vez cumplida la primera etapa de la reforma en esa institución, se iniciara otro nuevo proceso de transformación encabezado por Bramer Markovic y Perversi. En roles similares a los que tenían en la ANSeS, estos profesionales se hicieron cargo de uno de los organismos permeados por la corrupción durante los últimos años: el Instituto Nacional de Servicios Sociales para Jubilados y Pensionados, más conocido como PAMI.

Las sucesivas intervenciones habían dejado allí un déficit presupuestario de varios miles de millones de pesos, que debía ser cubierto por el Tesoro nacional. No se trataba, por supuesto, de un sobregasto derivado de prestaciones de alta calidad sino todo lo contrario: los afiliados al PAMI soportaban un servicio cada vez peor. Una trama de intereses de políticos, sindicalistas y prestadores se venía apropiando desde hacía años de los recursos de la entidad, y las sucesivas intervenciones no habían hecho más que convalidar estas redes de corrupción.

En el Ministerio de Economía veníamos advirtiendo, desde mucho tiempo atrás, el desmanejo de esa obra social, a la que habíamos tratado de transparentar mediante la incorporación de sus partidas en la Ley de Presupuesto que anualmente aprueba el Congreso. Nunca habíamos sido consultados a la hora de designar a sus autoridades, ni habíamos recibido demandas de técnicos como las que nos habían formulado otros ministros para las áreas administrativas de sus respectivas carteras.

Como por aquel tiempo muchos de mis críticos me acusaban de pretender poner hombres de mi confianza en todas las áreas del gobierno, nunca insistí demasiado al Presidente con sugerencias de profesionales que hicieran la reforma gerencial que el Instituto necesitaba. En realidad, existía un código no escrito que señalaba que el PAMI era de los políticos y la ANSSal de los sindicalistas. Se argumentaba que ése era un equilibrio de poder necesario para mantener bajo control las demandas de los punteros políticos y sindicales. Pero, desde mi punto de vista, sólo se trataba de una forma de justificar lo injustificable.

Por eso, cuando Bramer Markovic y Perversi empezaron a ocuparse de reformar el PAMI sentí un gran alivio. Al poco tiempo, ya los argentinos conocíamos gran parte de los fraudes con que la corrupción organizada venía destruyendo el Instituto. Quedaron al descubierto sobreprecios, proveedores cartelizados, servicios de bajísima calidad, interconsultas innecesarias, falsificación de recetarios, irregularidades en recetas de medicamentos oncológicos y otros de precios elevados, dentaduras postizas que no se podían usar, sanatorios en pésimo estado, pagos por traslados en ambulancia que no se realizaban, y unos 50.000 beneficiarios que, o eran también de otra obra social, o estaban muertos.

En sólo dos meses de gestión, mediante la renegociación de contratos, las auditorías externas e internas, las bajas de proveedores irregulares y de empleados ñoquis, y las primeras medidas contra los carteles de prestadores, ya se había logrado un ahorro que, anualmente calculado, alcanzaba los 130 millones de pesos.

Bramer empezó a ser atacado por haber usado el título de ingeniero sin serlo, y se comenzó a cuestionar los gastos de consultoría abonados a Perversi y su equipo (el costo total de su contrato equivalía a un pequeño porcentaje de lo que ya había ahorrado el PAMI en el primer mes de su trabajo, a partir de los ilícitos que sus profesionales habían descubierto). Pero, en realidad, el problema era otro: Bramer y Perversi estaban llegando hasta la médula de la corrupción en el organismo.

Ya fuera del gobierno, seguí viendo con satisfacción el camino de reformas que venían ejecutando, e incluso me reconfortaba el respaldo que les seguía dando el presidente Menem a pesar de todos los lobbies que se levantaban en contra de ellos. De pronto, algo cambió. Bramer Markovic fue removido de su cargo, Perversi marginado, y se designó interventor, hasta la "normalización" del PAMI (en realidad, una continuidad disfrazada de la misma intervención) a Víctor Alderete. Mi asombro encontró explicación cuando me enteré de que, como interventor, Markovic se había lanzado a mover las numerosas causas penales contra ex funcionarios del PAMI durante el gobierno de Menem, que estaban cajoneadas por la Justicia controlada por Corach y Jassán.

Cuando vi el nombre de Alderete —quien acababa de hacer una intervención cosmética en el Instituto de Servicios Sociales Bancarios, donde se había dedicado a transferir deudas al Tesoro nacional en lugar de sanearlo a fondo— me di cuenta de que la operación transparencia había concluido. Una vez más, se había perdido una oportunidad para mejorar la calidad de vida de los jubilados.

Las contrataciones de bienes y servicios no personales por parte de los distintos organismos gubernamentales, tanto federales como provinciales, y el manejo de los bancos y empresas estatales que no llegaron a privatizarse, siguieron siendo campo fértil para la corrupción. Pero, contrariamente a lo que ocurría en las épocas de gran desorden económico, la mayor transparencia que existe en una economía estable y con mejores prácticas presupuestarias hizo que en muchos casos estos actos de corrupción fueran descubiertos y denunciados ante la Justicia. Así ocurrió con numerosas contrataciones de servicios postales, de comunicaciones y de informática, tales como las que en anteriores capítulos he explicado: el contrato entre la Unión Transitoria de Empresas encabezada por Ocasa y la Caja de Ahorro para la privatización de cobranzas de las empresas públicas, las compras del Estado de equipamientos informáticos (Banco de la Nación Argentina-IBM), el contrato para equipos de comunicaciones (Startel-ANSeS).

Aun tratándose de la corrupción tradicional, en estos casos fue necesaria la intervención de los funcionarios de más alto rango porque, a diferencia de lo que sucedía antes de la reforma económica, las coimas ya no se pagaban por simplemente cambiar de posición un expediente, hacer la vista gorda en la frontera, direccionar un crédito subsidiado o introducir una cláusula sesgada en un pliego de condiciones. Ahora era necesario influir en decisiones de directorios de bancos o de empresas, de interventores de organismos y de funcionarios encargados del control de gestión.

Además, el creciente riesgo de que la DGI detectara las facturaciones falsas con las cuales escondían los pagos de las coimas por parte de las empresas proveedoras obligó a los corruptos a asociarse entre sí para lograr paraguas protectores en altos niveles del Poder Ejecutivo y en la Justicia.

Es así como comenzó a adquirir otra magnitud la corrupción organizada: las nuevas reglas de juego exigieron una mayor escala y sofisticación, incluso para la corrupción tradicional asociada a las compras y pagos hechos por organismos y empresas públicas.

Frente a este tipo de corrupción sobreviviente a la reforma económica, los ministros del gabinete de Menem tuvimos actitudes muy diferenciadas. Armando Caro Figueroa, como ministro de Trabajo y Seguridad Social, y yo desde el Ministerio de Economía y Obras y Servicios Públicos, decidimos crear sistemas que tendieran a erradicar la corrupción de los organismos dependientes de nuestros ministerios, y tratamos incluso de impulsar acciones semejantes en otras áreas.

Contratamos al estudio de Luis Moreno Ocampo, especializado en investigación de fraudes, que hizo una tarea muy eficaz en el Correo, el INdeR y la DGI. A su vez, el principal objetivo de los equipos que estuvieron al frente de la Aduana y el Correo fue precisamente erradicar la corrupción.

Pero obviamente toda esta estrategia colisionaba con la que Carlos Corach y Elías Jassán impulsaban desde las secretarías Legal y Técnica y de Justicia, primero, y los ministerios del Interior y de Justicia, después. Su objetivo era conformar la Justicia federal y el Ministerio Público de tal forma que quedara asegurada la impunidad de los funcionarios políticos involucrados en actos de corrupción.

Detrás de muchos ascensos y designaciones de jueces federales de los últimos años hay una historia relacionada con la búsqueda de impunidad por parte de Corach y Jassán. Los ascensos y designaciones de los funcionarios judiciales vinculados al caso Steimberg es claro ejemplo de esta operatoria. Pero lo mismo ocurrió con el manejo de casos como el *Swiftgate*, el PAMI, la aduana paralela de Ezeiza y otros tantos episodios de fuerte impacto político.

Por eso, Corach y Jassán atacaron permanentemente la contratación de Moreno Ocampo. Varios comunicadores sociales vinculados al gobierno tomaron claramente partido por la estrategia de estos dos ministros. Este es sin duda el caso de Daniel Hadad.

La compra de comunicadores sociales es también una necesidad nueva que enfrentan los corruptores y los corruptos. En la economía estable y con mucha competencia, la acción del periodismo honesto, investigador e independiente causa a los delincuentes el mismo daño que los funcionarios eficientes de la DGI, de la Aduana y los organismos de control. Muchas veces las denuncias ante la Justicia surgen de investigaciones periodísticas. De allí la necesidad de comprar con mucho dinero a algunos comunicadores y tratar de neutralizar la acción investigadora de la prensa libre.

La primera evidencia acerca del modo como Carlos Corach actuaba frente al tema de la Justicia la tuve en una reunión donde se discutían mis dichos respecto de la vinculación con hechos de corrupción del juez Augusto Belluscio —a los cuales me referí en un capítulo anterior.

Corach, que todavía se desempeñaba como secretario legal y técnico de la Presidencia de la Nación, explicó que el juicio político a Belluscio iniciado por diputados de todos los partidos con gran cantidad de pruebas que avalaban mis declaraciones públicas no se seguía adelante porque para el justicialismo el caso era una prenda de negociación con el partido radical. La idea era que los diputados del partido gobernante en la Comisión de Juicio Político no avanzarían en la promoción del enjuiciamiento de Belluscio, sino que la tendrían cajoneada para negociar con la oposición los pedidos de juicio político que ésta formulase —y estaba formulando— contra jueces adictos al gobierno. Como ejemplo se mencionaba en aquel momento el caso de la jueza María Romilda Servini de Cubría.

Por aquella época, eran insistentes las denuncias que realizaba el Dr. Raúl Alfonsín de presiones a la Corte Suprema de Justicia de la Nación y de falta de independencia del Poder Judicial, incluso en relación con la manipulación de jueces que hacía Carlos Corach. Lamentablemente estas críticas se acallarían progresivamente hasta llegar a trocarse en elogios, inmediatamente después de que ambos negociaran el Pacto de Olivos que habilitó la reelección al presidente Menem. Cuando veo a Alfonsín tan generoso en elogios respecto de Corach o tan leve en sus críticas respecto de la corrupción, siento que quizá fui demasiado ingenuo al recibir con entusiasmo aquel Pacto. En aquel momento, yo lo vi como una oportunidad de profundizar las reformas que veníamos haciendo desde 1991 y dejar instituciones mucho más fuertes para la República (el Consejo de la Magistratura, los organismos de control, los instrumentos de democracia semidirecta como el plebiscito o la iniciativa popular de leyes). Pero hoy creo que, en el corto plazo, generó costos muy gravosos para el país, ya que después de la reelección de Menem —y a pesar de la letra constitucional— se han dado pasos atrás en materias muy importantes como seguridad y justicia.

Respecto de Elías Jassán, empecé a sospechar que tenía influencia sobre algunos jueces al observar que quienes auspiciaban el suplemento técnico que la Fundación Nueva Justicia —de la cual el entonces secretario de Justicia era promotor— publicaba en el diario *Ambito Financiero*, eran parte directa o indirecta del grupo Yabrán y cuando vi, además, que jueces como Claudio Bonadío y Guillermo Tiscornia eran columnistas de esa misma página.

En capítulos anteriores he detallado extensamente cómo políticos, jueces, organizaciones mafiosas y comunicadores sociales interactúan. Sin embargo, lo que había percibido como sistema, me tocó sentirlo en carne propia, fundamentalmente a partir de mis denuncias de once horas en el Congreso de la Nación el 23 de agosto de 1995, donde dejé al descubierto la asociación ilícita que dirige Alfredo Yabrán. De inmediato empezaron a aparecer y a reactivarse causas en mi contra y la de mis colaboradores, prácticamente todas por "calumnias e injurias", en los juzgados amigos de Corach y Jassán, las que rápidamente eran promovidas por jueces como Carlos Branca, Claudio Bonadío, Adolfo Bagnasco o Jorge Urso, entre otros, y publicitadas a través de comunicadores como Daniel Hadad.

La forma en que operan estas organizaciones —y que incluye la provisión de información falsa preparada por servicios de Inteligencia— se tornó muy evidente con la denuncia por enriquecimiento ilícito y evasión impositiva que me hiciera uno de los arietes de la mafia, el diputado radical Enrique Benedetti, en el juzgado del Dr. Claudio Bonadío, casualmente ex subsecretario de Carlos Corach cuando éste era secretario Legal y Técnico.

Con urgentes y ampulosos exhortos hacia el Uruguay y los Estados Unidos y una espectacular operación de prensa para amplificarlos —incluida la difusión de mis declaraciones impositivas—, Bonadío empezó a cumplir su parte en la tarea de ensuciarme, ya que la prioridad del grupo era que fuera identificado como un corrupto a fin de invalidar todas mis denuncias o para conseguir, como en el caso de la Comisión de Juicio Político respecto de Belluscio, que canjeara mi silencio a cambio de mi tranquilidad judicial. El procedimiento seguido por Bonadío era absolutamente nulo, pues lo primero que debió haber hecho, conforme lo establece la ley penal, era pedirme que explicara el origen de mi patrimonio; pero como tal procedimiento no iba a lograr nada, prefirió no darme la posibilidad de defensa y comenzar una investigación nacional e internacional con el claro designio de perjudicarme.

Como era evidente que, en represalia a mi determinación de propulsar la transparencia y la productividad, se había montado una campaña en mi contra, y que ésta tenía responsables entre mis propios pares en el gobierno, en varias oportunidades planteé en el gabinete la cuestión del acoso judicial. Fue así como un día Corach me invitó a su despacho para brindarme lo que él entendía era una demostración de que no existía animosidad alguna contra mí.

Cuando llegué a su oficina, me encontré con que allí me esperaba el ministro del Interior, pero no solo: lo acompañaba el juez Claudio Bonadío. Corach le empezó a decir que tenía que terminar de inmediato con la causa por la cual me estaba investigando por enriquecimiento ilícito. Al escuchar asombrado sus palabras, reaccioné:

—Miren, lo que yo quiero es que la causa sea conducida con imparcialidad —les dije—. No quiero que me planteen un sobreseimiento por orden del Poder Ejecutivo porque no tengo nada que ocultar.

De inmediato saqué a relucir mi indignación por la campaña de difusión montada con la información del juzgado acerca de los exhortos enviados a los Estados Unidos y el Uruguay para saber si tenía bienes a mi nombre en esos países, así como la barbaridad de sacar una copia de mi declaración impositiva —sólo de esa causa podía salir— y entregarla a periodistas para su publicidad. El juez Bonadío ensayó algunas burdas explicaciones respecto de su accionar, tras lo cual, visto lo degradante de esa reunión, me retiré dando un portazo.

Hace poco, la misma organización que montó la patraña de mi enriquecimiento ilícito —a través del diputado Benedetti y del abogado Juan Carlos Iglesias— quiso realizar un montaje similar respecto del jefe de gobierno de la Ciudad de Buenos Aires, Fernando De la Rúa. Una vez más se valieron de pruebas truchas —pinchaduras telefónicas y filmaciones montadas— de los servicios de Inteligencia, de la letra jurídica del abogado de Yabrán y de la cooperación del periodista Daniel Hadad en su difusión. Afortunadamente, la operación fue localizada por la prensa independiente y, gracias a ello, rápidamente pudo desactivarse.

Por si alguna duda me quedaba, un día, a principios de 1996, mantuve una reunión con el ministro Carlos Corach en el domicilio particular de un conocido de ambos. En esa oportunidad, distendido y con gran dominio de la cuestión, Corach empezó a realizar una radiografía del Poder Judicial en la Argentina.

Así fue como explicó que las designaciones de los jueces en lo penal económico y los jueces federales —que se habían podido hacer gracias al ascenso de otros a camaristas y a todo el cambio que sobrevino con la implementación de las reformas al Código Procesal Penal— se habían realizado bajo un criterio similar. En todos los casos, tenía que haber un garante de la conducta política del juez respectivo.

De pronto, Corach tomó un servilleta de papel y empezó a escribir los nombres de los jueces que eran controlados desde el poder político. Me confirmó, por ejemplo, que el juez Bonadío estaba bajo su control y que el juez Tiscornia dependía de la órbita de Jassán, aunque, ciertamente, yo no necesitaba que estuviera escrito de su puño y letra para saberlo.

El ministro del Interior ha tenido que reconocer esta escena, aunque dándole un sentido diferente —apenas el de un texto explicativo de la organización formal de la Justicia— porque, ante la duda de que esa servilleta obrara en mi poder, no podía hacer lo mismo que Alberto Kohan al desmentir sus dichos respecto de las coimas en el Banco de la Nación Argentina, donde apenas era mi palabra contra la suya.

La evasión impositiva y el contrabando siguieron existiendo a pesar del significativo mejoramiento de las normas impositivas y arancelarias y del gran avance que se produjo en materia de administración tributaria y aduanera. Pero lo mismo que con la corrupción tradicional, la evasión y el contrabando sobrevivientes necesitaron de una acción en más amplia escala y en mayor sofisticación.

Los sistemas de facturación trucha, utilizados tanto para evadir el pago del IVA y del impuesto a las ganancias como para esconder las salidas de dinero para pagar coimas, requirieron la organización de empresas reales pero manejadas por testaferros insolventes, que no tuvieran inconveniente en soportar la consecuencia de eventuales pedidos de quiebra, de compañías que eran una oficina y un membrete o de empresas directamente ficticias. El mismo instrumento fue necesario para evadir el depósito de las retenciones y pagos a cuenta del IVA en mercados como el de la carne o los cereales. También se necesitaron empresas truchas para las grandes operaciones de contrabando como la de la Aduana de Campana.

Lo mismo que en los casos de corrupción ligados a compras y pagos de organismos y empresas estatales, este tipo de evasión y contrabando enfrenta mayores riesgos de ser descubierta por los funcionarios de la DGI y de la Aduana. Esto se puso de manifiesto en las numerosas denuncias que ambos organismos presentaron a la Justicia en los últimos años. De ahí que para estos grandes evasores y contrabandistas fuera imprescindible contar también con un paraguas protector en el ámbito de la Justicia federal. Fue así cómo organizaciones como la de Yabrán y la de Samid pasaron a compartir con Corach y Jassán la misma necesidad de amparo e impunidad.

No es explicable, si no, que personajes como Alberto Samid sigan libres e, inclusive, se animen a realizar bravuconadas telefónicas frente a cuanto funcionario ponga al día las denuncias sobre su organización para el fraude en el mercado de las carnes. Ya he explicado en otro capítulo cómo jueces tales como Guillermo Tiscornia han protegido con sucesivos recursos de amparo a este grupo y cómo una denuncia tan clara y completa como la formulada por la DGI respecto de esa asociación ilícita aún no ha avanzado como debiera.

Así, José Alberto Samid, empresario y ex legislador por el Partido Justicialista en la provincia de Buenos Aires, quien desde 1990 hace gala de su fortuna y su éxito empresario, no oculta su actividad de tambero, agricultor y terrateniente, reconoce como propios cuatro o cinco frigoríficos donde trabajan unos 7.000 trabajadores, admite poseer un par de establecimientos en los Estados Unidos y ser el dueño de una extensa cadena de carnicerías, se mueve en helicópteros y aviones con pistas de aterrizaje en sus propias estancias, y, en suma, logra reunir un capital operativo de unos 100 millones de pesos, según sus propias estimaciones; ese mismo hombre, es, desde el punto de vista de sus declaraciones fiscales, un verdadero indigente.

En efecto, según consta en la denuncia de la DGI en su contra, Samid "no declara ningún inmueble, ningún automóvil, ninguna estancia, ningún frigorífico, ningún helicóptero, ningún avión, ninguna cadena de carnicerías, ninguna fábrica de camperas, ninguna cuenta bancaria, ninguna inversión financiera, ningún inmueble en el exterior, ninguna tarjeta de crédito, es más, ninguna fuente de ingresos conocida susceptible de imposición fiscal". Según su declaración fiscal, Samid habría vivido de su dieta de legislador —mientras lo fue—, aunque, extrañamente, dice haberla donado íntegramente a entidades de bien público, y de los emolumentos que sus hermanos Manuel Julio y Nélida Alicia —como profesora de idiomas— le habrían estado otorgando.

José Alberto Samid, quien a pesar de autorreconocerse como un próspero empresario que da trabajo a miles de personas no tributa el impuesto a la riqueza, no ingresa el impuesto a las ganancias y no realiza sus aportes como trabajador autónomo ni como empleador, para los jueces de Corach y Jassán no es, ni siquiera, un evasor.

En la época del encerramiento de la economía y la sobrerregulación, las normas creadoras de oportunidades de corrupción no requerían grandes esfuerzos de lobby sobre el Parlamento porque eran fruto de la ideología compartida prácticamente por toda la dirigencia argentina. Pero ahora no es sencillo lograr que el Congreso nacional recree regulaciones favorables a la corrupción porque existe mucha mayor conciencia sobre las bondades de un sistema de reglas de juego simples, claras y despersonalizadas. Además, los beneficios de la desregulación ya han sido percibidos por la población y en muchos casos las nuevas reglas de juego están atadas a compromisos internacionales que deben ser respetados.

Como consecuencia de ello, los que quieren seguir corrompiendo y, particularmente, el crimen organizado, necesitan conseguir apoyo parlamentario para que sean aprobadas normas que contradigan claramente los principios de la reforma del Estado y de la economía popular de mercado. Esta es una fuente de encarecimiento de los negocios turbios.

Hay un caso que pude seguir de cerca: el de Humberto Roggero, dirigente justicialista del sur de la provincia de Córdoba que fue en alguna época funcionario de la Federación Agraria. Yo lo conocí en 1987 cuando José Manuel De la Sota me invitó a integrar como extrapartidario la lista de diputados nacionales por Córdoba, en la que Roggero también ocupaba un lugar destacado. Así, entramos juntos a la Cámara de Diputados en diciembre de 1987.

Nunca habíamos tenido problemas entre nosotros a punto tal que siendo yo ministro de Economía apoyé su precandidatura a gobernador de Córdoba. También lo ayudé en las internas por la lista de diputados nacionales en 1993. Llegó a ser presidente del Partido Justicialista de Córdoba gracias a mi apoyo. Yo lo creía un diputado honesto y él trataba, al menos, de parecerlo. Recuerdo que muchas veces me manifestó su indignación por las coimas que, según él, cobraban algunos miembros de la Comisión de Seguimiento de las Privatizaciones.

Hacia mediados del año '94, Roggero, por entonces presidente de la Comisión de Industria en la Cámara de Diputados que debía elaborar el despacho sobre el proyecto de la ley de patentes enviado por el Poder Ejecutivo, me pidió una audiencia y vino a conversar conmigo sobre el tema al Ministerio de Economía.

En esa oportunidad, yo le expliqué que el proyecto de ley de patentes era simplemente la instrumentación de un tratado internacional que la Argentina ya había ratificado. Agregué, además, que si los legisladores introducían modificaciones al proyecto del Poder Ejecutivo que colisionaran con los acuerdos del GATT, seguramente el presidente Menem utilizaría el veto parcial para asegurar que se promulgara una buena ley de patentes.

El me contestó que estaba dispuesto a sacar el despacho que quería el Poder Ejecutivo, pero, a boca de jarro, se animó a preguntarme:

—¿Cuánto creés que están dispuestos a aportar los laboratorios extranjeros?

Yo reaccioné mostrando mi indignación por la pregunta y terminamos la reunión disgustados. A partir de ese momento, Roggero comenzó a agredirme en público en forma permanente, y llegó incluso a denunciarme penalmente con argumentos que son burdas mentiras.

El servicio que quería ofrecer a los laboratorios extranjeros terminó prestándoselo a los laboratorios nacionales. Para ello se transformó en el líder del movimiento pro insistencia del Congreso para anular los vetos a la ley de patentes que había decidido el presidente Menem. En los pasillos del Congreso se habla de millones de dólares que circularon para apoyar esa insistencia.

Comentarios similares se dejaron oír cuando el Senado aprobó la ley que pretendió regular los correos y que establecía que todos los vehículos que transportaran correspondencia quedaban exentos del control aduanero y policial, salvo orden expresa de un juez. También se hablaba de que había mucho dinero disponible para apuntalar la ley de privatización de aeropuertos, que pretendía asegurarles a los titulares de las concesiones de depósitos fiscales y tiendas libres de impuestos compensaciones diez veces superiores a las contempladas en la concesión original.

El Congreso nacional va a tener que dar en el futuro testimonios muy claros de que no está siendo influido por grandes corporaciones, asociaciones ilícitas y el crimen organizado cuando sanciona leyes que significan volver a las malas regulaciones del pasado capaces de esconder y, por ende, de asegurar impunidad a la corrupción, la evasión y el contrabando.

En la economía inflacionaria, cerrada y estatista se podía argumentar que muchos individuos, empresas y funcionarios eran corruptos, evasores y contrabandistas y que los peces gordos pasaban inadvertidos en el cardumen de millones de peces chicos. La impunidad, que estaba garantizada por el desorden, la confusión y la amoralidad que había creado la maraña de regulaciones en las décadas anteriores, era virtualmente gratuita.

La estabilidad, la desregulación y la apertura de la economía encarecieron enormemente la impunidad. Por eso, los grandes corruptores, evasores y contrabandistas debieron buscar fuentes de ingresos mucho más lucrativas que en el pasado y de ahí la tendencia a ofrecer sus servicios a los narcotraficantes, lavadores de dinero, mercaderes de armas ilegales y terroristas.

Sólo este tipo de delincuentes puede llegar a generar los ingresos que necesita un sistema tan costoso de impunidad. Esta es la razón por la cual las asociaciones ilícitas inicialmente creadas para lucrar con las ventas al Estado, la evasión y el contrabando terminaron transformándose en organizaciones criminales o, simplemente, mafias.

Cuando la fuente de financiamiento para la compra de protección e impunidad es el crimen organizado, también se torna necesario para los delincuentes conseguir protección policial, y de ahí los enormes esfuerzos en que se embarcan para infiltrar las fuerzas de seguridad y corromper a sus integrantes. En todos los asesinatos con características mafiosas de los últimos años, la sospecha de la participación de actuales o antiguos miembros de las fuerzas policiales ha formado parte de las hipótesis de investigación y la duda ha quedado flotando por la notoria incapacidad que hasta el momento ha mostrado nuestro sistema de seguridad para esclarecerlos. El "suicidio" del brigadier Echegoyen mientras investigaba a Edcadassa, la muerte del comisario Francisco Gutiérrez —aparentemente tras pistas de contrabando y narcotráfico— y el asesinato del fotógrafo de la revista *Noticias*, José Luis Cabezas, tienen demasiadas similitudes como para seguir analizándolas como causas totalmente ajenas entre sí.

Por toda esta forma de actuar del crimen organizado y por la falta de profesionalismo y lentitud con que se encaró gran parte de las investigaciones sobre los atentados a la comunidad judía, yo insistí permanentemente en la creación de una secretaría de Seguridad que comande el accionar del total de las fuerzas dedicadas a estas tareas —Policía Federal, Gendarmería, Prefectura, y en coordinación con las policías provinciales—, reorganice las tareas de inteligencia y cuente con la solvencia técnica y moral necesaria para la reestructuración y modernización de todo el sistema.

A pesar de que yo había logrado proveerme de la mejor asistencia e información en la materia, y que expertos en seguridad independientes daban la razón a mis inquietudes, muchas veces fui menos escuchado que funcionarios no sólo de menor rango sino también de más dudosa condición ética o técnica, como el ex subsecretario de Seguridad, Hugo Franco, permanente opositor a una reorganización profunda de esta área. Franco, hoy al frente de Migraciones, en momentos en que casualmente en ese ámbito se resuelven contratos vitales para la seguridad del país, ha actuado siempre como un operador funcional a los intereses del grupo Yabrán, tal como lo detallé anteriormente al referirme a las inversiones que le aconsejó hacer en Oca al Arzobispado de Córdoba.

Tengo la esperanza de que el impacto en la sociedad del asesinato de José Luis Cabezas sirva para recrear una discusión a fondo sobre estas cuestiones. Todos estos fenómenos se están dando en nuestro país y quienes se hagan los distraídos serán corresponsables por las terribles consecuencias que la consolidación de estas mafias pueda llegar a tener en la vida de los argentinos.

El problema de la corrupción subsiste a pesar de las reformas económicas y, peor aún, ha tendido a transformarse en instrumento de las asociaciones ilícitas y del crimen organizado por dos razones fundamentales.

Por un lado, en muchas áreas del gobierno nacional y en varios gobiernos provinciales no existe vocación ni liderazgo político para eliminarla. Por el otro, las designaciones de jueces y su utilización para asegurar la impunidad de altos funcionarios corruptos llevaron a muchos magistrados a mejorar sus ingresos brindando un paraguas protector a evasores y contrabandistas. En otros términos, junto a la falta de compromiso del poder político para terminar con estas prácticas, se acentuó la corrupción judicial.

Para colmo de males, la judicialización de la política, a que ha llevado el accionar conjunto de Alfredo Yabrán y los ministros Corach y Jassán, está amedrentando a los funcionarios honestos y convencidos de la necesidad de luchar contra la corrupción. Los procesos a los cuales fueron sometidos los presidentes del Correo, Abel Cuchietti y Haroldo Grisanti, así como también el ex administrador nacional de la Aduana, Gustavo Parino, son lisa y llanamente mensajes disuasorios que los delincuentes y corruptos envían valiéndose de malos jueces y fiscales. También el acoso judicial, al que estoy sometido, es el mecanismo que eligieron Yabrán y sus secuaces para acallar mis denuncias contra el crimen organizado.

Una muestra muy significativa de lo que les pasa a quienes se enfrentan con estas mafias la sufrió el equipo de abogados de Luis Moreno Ocampo, a quienes habíamos contratado para realizar investigaciones que nos permitieran identificar fraudes en el correo oficial.

Este grupo localizó una banda que vendía cheques robados de la correspondencia transportada por Encotesa. Tras convencer a quien robaba los cheques de que cooperara en la investigación, planearon una reunión en la que el sustractor realizaría una de sus habituales entregas a la mujer que operaba de intermediaria del abogado titular de la cuenta donde se acreditaban dichos documentos. Con estas pruebas —más otras surgidas de una serie de allanamientos dispuesto por la Justicia— la causa llegó a juicio oral y público.

Para nuestro asombro, el tribunal —uno de cuyos integrantes era un ex subsecretario de Carlos Corach en la Secretaría Legal y Técnica, el Dr. Tassara— no sólo absolvió a los querellados, sino que también decidió iniciar una causa por falso testimonio contra los abogados del estudio de Moreno Ocampo. Esto no terminó allí, porque, de pronto, se descubrió que el exabrupto judicial había sido tan grosero que se habían iniciado dos causas "gemelas" por el mismo presunto delito en dos juzgados diferentes, el de Jorge Ballesteros y —¡cuándo no!— el de Claudio Bonadío.

La Argentina sólo logrará derrotar a la corrupción cuando desde el Presidente de la Nación hacia abajo exista un fuerte compromiso con ese objetivo y se haya removido por juicio político a los jueces que se prestaron a proteger a los corruptos.

Cuando ello ocurra será muy importante que esté funcionando con eficiencia el nuevo sistema de designación de los jueces por intermedio del Consejo de la Magistratura para que quede definitivamente cerrado el paso hacia los cargos judiciales de personas que no reúnen las condiciones de aptitud y honestidad requeridos por tan alta misión. Conformar un Poder Judicial independiente y honesto no es imposible: Ramón Ortega, por ejemplo, lo consiguió en la provincia de Tucumán.

Cuando Ortega ganó las elecciones para gobernador la provincia estaba intervenida en sus tres poderes. El interventor del Poder Ejecutivo, Julio César Aráoz, había nombrado transitoriamente jueces, hasta tanto se procediera a reorganizar, mediante las autoridades electas por el voto popular, el Poder Judicial. Ortega se encontró entonces con la posibilidad de designar alrededor de doscientos jueces de primera y segunda instancia.

Muchos amigos que habían apoyado su campaña se acercaban con papeles en el bolsillo para decirle "nombrá a éste, poné a aquél". Pero el gobernador salió del laberinto por arriba. Dictó un decreto por el cual se autolimitó en la designación de los jueces, creando un Consejo de la Magistratura asesor. Ese organismo se integró con representantes de la Facultad de Derecho, de la Corte Suprema y del Colegio de Abogados —sin la presencia de ningún político— y abrió una inscripción pública de postulantes, a partir de lo cual se concursaron las vacantes por antecedentes y oposición. El Consejo propuso al gobernador, por orden de mérito, una terna para cada cargo. El gobernador seleccionó un nombre de cada terna y lo envió luego a la Legislatura para que ésta le diera el acuerdo final.

El ejemplo de la provincia de Tucumán pone en claro no sólo que es posible un nombramiento transparente y profesional de los jueces, sino también que el mejor mecanismo que una ley disponga para ese fin necesitará siempre de una autoridad que, en su implementación, no caiga en la tentación de obstaculizarlo, degradarlo o desconocerlo.

También es necesario revisar el funcionamiento del Poder Legislativo. Las leyes más importantes para el país no pueden estar sujetas a un tire y afloje donde no sea la razonabilidad sino la representación de lobbies lo que defina las posiciones de los legisladores y los bloques. El caso del diputado Roggero —que describí anteriormente— sirve para prender una luz de alerta sobre la necesidad de promover otras reformas políticas, tales como la eliminación de listas sábana y un nuevo sistema de financiamiento transparente de los partidos y los dirigentes. De lo contrario, la gente seguirá votando, pero sus representantes no serán estrictamente suyos, sino de los lobbies que merodean el poder.

Lo que queda de Menem

El miércoles 9 de octubre de 1996 fui a ver al presidente Menem a Olivos por última vez. José Luis Giménez, mi secretario personal, había pedido la audiencia esa mañana temprano y Menem me recibió en su residencia al mediodía.

Me saludó con afecto, como lo hacía cuando yo era su ministro, y me preguntó por Sonia y los chicos. Le conté que me ayudaban a contestar las numerosas cartas que había recibido desde mi renuncia y que me acompañaban en algunos de los viajes que estaba haciendo al exterior para dictar conferencias.

Le dije que viajaría bastante hasta abril, pero que a partir de allí estaría más en Buenos Aires porque pensaba presentarme como candidato a diputado nacional. Tuvo una expresión de sorpresa, pero de inmediato me dijo:

—Me parece muy bien, porque a pesar de que todos te decían *técnico* vos siempre fuiste un hombre político. Vos sabés que yo pienso que la política está arriba de la economía. Además yo creo que con Beliz van a poder trabajar muy bien juntos.

Yo hasta ese momento no le había hablado de cuál sería mi estrategia, pero enseguida recibí el mensaje. El me ubicaba fuera del justicialismo y enfrentado a su gobierno en todo lo que no fuera política exterior y política económica. No valía la pena seguir conversando sobre el asunto porque nos habíamos entendido de inmediato.

A partir de ahí yo cambié de tema, y le dije cuál era el motivo de mi visita. Había escuchado el discurso en el que anunciaba que se ponía al frente de la lucha contra la corrupción y las mafias, montado sobre los operativos que había comenzado a hacer ruidosamente el juez Tiscornia en el contexto de la denuncia de una "aduana paralela".

Había detectado, viéndolo por televisión, que la parte escrita del discurso prácticamente sugería que los corruptos éramos Gustavo Parino y yo. Noté también que la palabra "mafia" no aparecía en el texto leído, pero que él la había agregado en el final improvisado. Al verlo tuve la sensación de que su subconsciente lo había traicionado, porque hasta ese momento él, Corach y Jassán habían desconocido sistemáticamente la existencia de mafias en la Argentina. Me pareció que estaba diciendo, "ahora que te voy a poder culpar a vos, comenzaré a utilizar la palabra mafia".

Ese mismo día, la Cámara de Diputados resolvía por unanimidad crear dos comisiones investigadoras, una que analizaría los contratos de IBM con el Banco de la Nación Argentina y la DGI, y otra que tomaría el tema de la "aduana paralela". El Congreso parecía decidido a investigar la corrupción, pero, cada vez más, se notaba la intención de adjudicarla a mi gestión al frente del Ministerio de Economía.

Como estaba seguro de que todo esto era una estrategia armada con aprobación de Menem para destruir mi imagen y sacarme del escenario de la política argentina, fui muy frontal con él, y le dije que la jugada que estaba iniciando le iba a salir muy mal. Que había comprado un buzón a partir de una idea aportada por un juez que él sabía que era deshonesto. Y, además, que perseguía construir una cortina de humo para esconder la verdadera corrupción y para entregar a Yabrán el Correo, los aeropuertos, los DNI y todo lo que yo había impedido que cayera en sus manos durante mis años como ministro de Economía.

Le recordé nuestra última conversación sobre el juez Tiscornia, con motivo de uno de los ataques que había recibido el fiscal Pablo Lanusse, oportunidad en la cual me había dado instrucciones expresas para que preparáramos el pedido de juicio político al juez en lo penal económico por proteger a contrabandistas y evasores. Le dije que la estrategia que éste le había sugerido para destruir mi imagen iba a tener un efecto "bumerán" sobre su gobierno, porque terminaría poniendo de manifiesto la existencia de mucha corrupción y de la mafia liderada por Yabrán, en la que estaban involucrados los jueces apañados por Corach y Jassán.

El sostuvo que yo estaba equivocado, que no le habían vendido ningún buzón, y que hablaría con Corach y Jassán para asegurarse de que no se trataba de un ataque a Parino y a mí, sino de una verdadera cruzada contra el contrabando. Le dije que por primera vez no le creía y que no podría dejar de explicar a la gente lo que estaba ocurriendo.

Menem pareció preocuparse por lo que me escuchaba decir, y me preguntó cómo haría yo para oponerme a lo que había sido mi propia gestión. Le contesté que la economía no estaría en discusión en los próximos años, porque íbamos a tener mucho crecimiento y muy baja inflación, cosa que venía pronosticando en todos mis discursos en el exterior. Pero sí serían materia de debate los temas de seguridad y de justicia, así como la política de salud y de educación; él sabía muy bien que en todos esos temas yo había sido muy crítico a lo largo de los siete años de mi gestión.

Le advertí que estaba dispuesto a continuar esclareciendo a la opinión pública y al Congreso acerca de cómo —por obra fundamentalmente de Corach y Jassán— se habían designado jueces protectores de evasores, contrabandistas y corruptos, y que, además, mostraría cómo se había llegado al extremo de judicializar la política —perseguir judicialmente sin razón a alquien para desprestigiarlo políticamente—, lo que es aún mucho más grave que la politización dc la Justicia que ya había comenzado el gobierno radical.

Se trató sin duda de la conversación más tensa de todas las que tuvimos a lo largo de más de siete años de trabajo conjunto. Sin embargo, hacia el final se suavizó porque él, rescatando mi pronóstico sobre rápido crecimiento y baja inflación, me preguntó si yo estaba seguro de que ello fuera a ocurrir. Luego de escuchar mis argumentos, se sinceró y me dijo:

—En ese caso, la gente va a querer que vuelva a ser presidente en el '99.

No sé cual habrá sido la expresión que él vio en mi cara, pero recuerdo lo que pasó por mi mente. Menem no era el estadista ejemplar que tantas veces yo había elogiado en mis discursos. Sentí que era, sin duda, el líder político que había tenido el coraje de cambiar la relación argentina con el mundo y de reorganizar la economía nacional, pero, al mismo tiempo, tuve la sensación de que había hecho esa transformación sólo porque convenía a su estrategia de acumulación de poder. Poder del cual, por otra parte, prácticamente se consideraba propietario absoluto.

Me despedí sabiendo que seguramente ésa sería la última conversación que tendríamos sobre los asuntos del país como amigos políticos. Tal como él lo había señalado al inicio de la reunión, yo ya estaba en la vereda de enfrente.

En realidad nuestro distanciamiento había comenzado el 14 de mayo de 1995, el día que Menem fue reelegido por el pueblo argentino para un segundo mandato con el 51% de los votos. Repensando cada una de sus acciones y decisiones a partir de ese día, estoy convencido de que, al ver el resultado de las elecciones, tomó una determinación que haría que su segunda gestión fuera muy diferente de la primera.

Menem resolvió que con el 51% de los votos y una fecha definitiva para su alejamiento del poder, el 10 de diciembre de 1999, no admitiría en lo sucesivo las restricciones al ejercicio del poder que había identificado con mi presencia durante los primeros seis años de gestión.

Ya no tendría por qué negar a sus amigos, incumplir con los compromisos adquiridos con los financiadores de las campañas electorales ni frenar a sus compañeros de los fines de semana en sus pretensiones de hacer negocios al amparo del poder. Después de todo, ya había dado suficientes testimonios de ser un aliado incondicional de los Estados Unidos y de defender el manejo serio de la economía; las demandas de sus amigos no pondrían en peligro esos dos logros de su primera gestión, que eran vastamente reconocidos en el país y en el exterior. A mí sólo me necesitaría por unos meses más para terminar de salir de la crisis provocada por el efecto *tequila*. Después podría manejarse con un ministro de menor perfil, que respetara plenamente su autoridad y no se atreviera a ponerle restricción alguna a sus decisiones políticas y administrativas.

Por supuesto que él nunca admitió que había adoptado entonces esa decisión, y en sus discursos y expresiones públicas no se van a encontrar diferencias con los de su primera presidencia. Pero los hechos son contundentes y demuestran que lo que terminé de descubrir en la reunión de octubre del '96 es una realidad que impera desde el día de la reelección, y que difícilmente vaya a cambiar en lo que resta de su segundo mandato.

La diferencia más perceptible en la gestión de gobierno desde el 14 de mayo del '95 tiene que ver con la relación entre el Ejecutivo y el Congreso nacional, más concretamente los bloques justicialistas de ambas Cámaras.

Durante los seis primeros años del gobierno de Menem, a pesar de que el justicialismo no tenía mayoría absoluta en la Cámara de Diputados, logramos que el Congreso aprobara leyes trascendentales para la reorganización de nuestra sociedad. El Congreso ratificó expresamente casi todos los decretos de necesidad y urgencia dictados por el Ejecutivo, y no insistió cuando el Presidente debió utilizar el veto parcial para que las leyes produjeran los efectos que necesitaba la transformación argentina.

Esto se logró gracias a una permanente tarea de persuasión sobre los legisladores que llevé a cabo junto con mis colaboradores y el ministro de Trabajo y Seguridad Social. Menem apoyó sin rodeos esa tarea y, con el respaldo que significaron las elecciones ganadas a lo largo del período, logramos convencer a diputados y senadores justicialistas y de los partidos provinciales.

Pero en los primeros días de junio de 1995 los legisladores justicialistas comenzaron a actuar de manera muy diferente. Insistieron con la versión original de la Ley de Patentes que había sido vetada parcialmente, siguiendo el consejo de los ministerios de Relaciones Exteriores y de Economía, porque violaba el capítulo sobre propiedad intelectual de la ronda Uruguay del GATT. El Congreso utilizó el mecanismo de la insistencia parcial que no tenía precedente en la historia constitucional argentina. Se trataba de una práctica que iba a debilitar el rol de colegislador que la Constitución Nacional reconoce al Poder Ejecutivo, tal como lo explicó claramente en la Cámara de Diputados Francisco Durañona y Vedia algunos meses antes de su fallecimiento.

Con todo lo celoso que Menem siempre fue del poder presidencial, y a pesar de que con Horacio Liendo le explicamos lo que significaba admitir la insistencia parcial del Congreso, él no prestó atención al tema y admitió que la Ley de Patentes terminara siendo un zafarrancho que no cumple ni con los acuerdos del GATT ni otorga beneficios seguros a los laboratorios nacionales.

En forma más o menos simultánea con la insistencia legislativa sobre la Ley de Patentes, comenzó a avanzar el proceso de discusión de la nueva Ley de Correos, que volvía a regular los servicios postales y preparaba una privatización que terminaría por consolidar un monopolio en manos de Yabrán. Se estancó el tratamiento de las leyes que debían autorizar la privatización de las centrales nucleares y de Yacyretá, así como todas las iniciativas del Ejecutivo en materia laboral. Se trataba ciertamente de un panorama muy diferente del que tuvimos durante el primer período presidencial.

Cada vez que le explicaba que teníamos crecientes problemas con los legisladores de nuestros bloques, él se mostraba preocupado y, en público, reclamaba su apoyo a las iniciativas del Ejecutivo. Incluso me seguía identificando como el portavoz ante el Congreso. Pero Jorge Matzkin —presidente del bloque de diputados oficialista— y Alberto Pierri —titular de la Cámara baja—, así como varios otros legisladores me explicaban que, paralelo al mensaje público de Menem sobre estos temas, llegaban por vías informales instrucciones presidenciales opuestas a las que yo transmitía como ministro de Economía. Eso explicaba que las leyes que desde el Ejecutivo solicitábamos no avanzaran, y sí lo hicieran iniciativas contrarias al exitoso proceso de desregulación y reforma económica que habíamos implementado durante los años anteriores.

Como me resistía a creer que Menem estuviera enviando señales contradictorias, y prefería pensar que se trataba de excusas de los legisladores para hacer concesiones a los poderosos lobbies que estaban operando sobre ellos, insistí en concurrir al recinto, tanto de senadores como de diputados, a defender lo que yo seguía creyendo era la política del Poder Ejecutivo. Así, estuve cinco horas en el Senado defendiendo la privatización de Yacyretá, y pocas semanas después expuse durante once horas ante la Cámara de Diputados sobre los peligros que incubaba el proyecto de Ley de Correos, que los diputados se preparaban a aprobar en esos días.

Luego de mi exposición sobre la mafia liderada por Yabrán, Menem comenzó a marcar en público diferencias con mis opiniones y mi posición, pero paradójicamente, cuando hablábamos en privado, me daba la razón y me prometía que algún día lucharíamos juntos contra ese enemigo. Sólo me pedía que le dejara a él manejar los tiempos, porque no se sentía en condiciones de ganar en ese momento la batalla que yo había empezado a librar. Se trataba también de un doble discurso, pero impostado de manera inversa al que había tenido hasta el día en que denuncié a Yabrán en la Cámara de Diputados.

Era obvio que él se sentía obligado a considerar a Yabrán un empresario normal. Bernardo Neustadt me llamaba por teléfono y me decía:

—¿No se da cuenta de que Menem es Yabrán y Yabrán es Menem? ¿No advierte que atacando a Yabrán ataca al Presidente?

Cuando yo le contaba de estas expresiones de Neustadt a Menem, él lo descalificaba diciendo:

—Pero si el que trajo a Yabrán a Olivos fue Bernardo, ¿cómo puede decir ahora que estamos tan identificados?

Yo no sé cuál de los dos decía la verdad por entonces, pero ciertamente la relación entre Menem y Yabrán era mucho más estrecha que la que yo imaginaba.

El discurso dual sobre las leyes que se discutían en el Congreso no era el único síntoma del nuevo curso de acción que Menem había decidido para su segundo mandato. En junio del '95 había comenzado el acoso judicial destinado a destruir mi imagen y amedrentar a mis colaboradores.

La línea de acción fue definida por Carlos Corach, ya ministro del Interior de Menem, en acuerdo con Pablo Argibay Molina, estratega jurídico de Yabrán. Se valieron para ello de un grupo de personas que se especializan en campañas de desprestigio, para lo cual consiguen información de Inteligencia, a través del ministro del Interior, y con el financiamiento que provee el grupo Yabrán.

El *modus operandi* de esta organización quedó muy claro cuando, a fines del '96, intentaron lanzar una campaña de desprestigio contra Fernando De la Rúa, el jefe de gobierno de la ciudad de Buenos Aires, que demostró no estar de acuerdo con una prórroga del contrato de correspondencia firmado entre la Municipalidad —cuando todavía era Menem quien designaba el intendente— y empresas del grupo Yabrán, por montos muy elevados. Existen rumores de que ese contrato fue una suerte de compensación que le había dado la Municipalidad de Buenos Aires al grupo por el apoyo que éste habría brindado a la campaña de Erman González como diputado por la Capital Federal en 1993.

La misma organización, y con la misma metodología, había

tratado de desprestigiar al fiscal Norberto Quantín en noviembre-diciembre del '95, porque Quantín, integrante del grupo de fiscales que estaba investigando mis denuncias ante el Congreso de la Nación, había intervenido también en el caso de la "escuela shopping" en el cual estaban involucrados el diputado Enrique Benedetti y otros.

Estos mismos personajes, Juan Carlos Iglesias y Enrique Benedetti, hicieron las denuncias de subfacturación de mi departamento de Avenida del Libertador —donde resido actualmente—, de enriquecimiento ilícito y de evasión impositiva, que están todas interrelacionadas. El libreto jurídico es el mismo, tanto como la campaña periodística encabezada, como siempre, por Daniel Hadad. En todos los casos sobrevuela el poder del dinero de Yabrán y la protección política de Carlos Corach. La dedicación de los jueces a estos temas es controlada por Jassán, quien también garantizó el fuerte ritmo que Bonadío y Tiscornia imprimieron a las causas a partir de mi alejamiento del gobierno.

La denuncia sobre subescrituración del departamento databa de julio de 1993, y había sido archivada por el juez Tiscornia en marzo del '94. La causa por enriquecimiento ilícito —originalmente ligada al mismo caso de la compra de esa vivienda— era de mayo del '95 y había sido radicada en el juzgado de Claudio Bonadío, igual que la de evasión impositiva, que estaba asociada a la anterior y era de la misma época.

Para saber de dónde venían estos dardos, bastaba observar un detalle. A pesar de la intensidad de la campaña electoral para la renovación presidencial en el '95, y de que las denuncias contra mí procedían de afiliados al partido radical por el importante papel que yo jugué como defensor de las posiciones del gobierno, las denuncias eran tan pueriles que ningún partido de la oposición utilizó esos temas como argumentos de campaña. Sin embargo, apenas terminada la elección, desde los programas de Daniel Hadad, con intervención también de los periodistas más ligados al ministro del Interior y al propio Presidente, se comenzó a hablar insistentemente del tema.

La conducta del juez Bonadío en este caso me ratifica que es el propio Carlos Corach, su ex jefe en la secretaría Legal y Técnica y padrino político de su designación, quien está detrás de esta campaña de desprestigio de mi persona. Su actuación no ha sido seria ni imparcial, tal como lo precisé en un capítulo anterior. Incluso, hasta la fecha, no me ha permitido conocer el contenido de la causa, por lo cual debo andar a ciegas para la elaboración de mi defensa, situación que me preocupa más como hecho institucional —la falta de seguridad jurídica, la violación del principio del debido proceso— que como problema personal, dado que tanto mis ingresos como mi comportamiento fiscal son absolutamente transparentes.

Como los amigos de Menem conocían por Alberto Kohan todos los detalles de la corrupción asociada con el contrato IBM-Banco de la Nación Argentina, y creían que el rol jugado por el hombre de Kohan, Juan Carlos Cattáneo, iba a quedar escondido por la relación que éste tenía con Ricardo Cossio, el director de la DGI —entidad responsable de la denuncia original—, decidieron utilizar el caso IBM-Banco de la Nación Argentina como caballito de batalla para el desprestigio de mi gestión y la del equipo económico.

El hecho de que los hermanos Dadone estuvieran involucrados, y me siguieran engañando sobre lo que realmente había ocurrido, ayudó a confundir a la opinión pública en los primeros meses, entre junio y septiembre. Pero como yo descubrí el importantísimo rol que había jugado el subsecretario general de la Presidencia, Juan Carlos Cattáneo, y mis vinculaciones internacionales detectaron las cuentas suizas en las que se había depositado el dinero de las coimas, Alberto Kohan intentó una operación de encubrimiento que comenzó con la ya narrada reunión en la que dio los nombres de los cuatro directores destinatarios de las coimas pagadas por Cattáneo.

Mi decisión de exigirles la renuncia, comenzando por la de los hermanos Dadone, frustró el intento de encubrimiento de Kohan y redujo en gran medida la eficacia del *affaire* IBM-Banco de la Nación Argentina como herramienta de desprestigio de mi gestión. No obstante, Hadad, Neustadt y algunos otros pocos periodistas siguieron batallando con el tema, utilizando los videos que me mostraban defendiendo a Dadone, en la época en que creía que todo era una alevosa evasión impositiva, pero no un pago de coimas.

Después de mi denuncia de la mafia de Yabrán el 23 de agosto del '95, comenzaron los juicios por calumnias e injurias, alentados por los trascendidos de la reunión que Menem había mantenido con tres gobernadores, en la cual les habría dicho que cuando yo dejara el Ministerio me cansaría de recorrer los tribunales. Con esa señal, los operadores menemistas y todos quienes habían intentado hacer negocios al amparo del poder de Menem entendieron que demandar a Cavallo los elevaba en la consideración presidencial.

Los juicios no avanzaron, porque los jueces sólo podían llegar hasta el pedido de desafuero ante la Comisión de Juicio Político. De hecho, se acumularon dieciocho pedidos de desafuero. A pesar de que el justicialismo tenía mayoría absoluta en la Comisión de Juicio Político, César Arias, el presidente de la misma, que siempre sigue rigurosamente las instrucciones de Menem, nunca consideró conveniente rechazar los pedidos de desafuero, porque en realidad habían decidido que todos estos juicios fueran la espada de Damocles sobre mi cabeza.

Cuando era ministro de Economía, cada vez que yo hablaba de estos temas con Menem y con Corach, ellos ponían cara de inocentes y me decían que no me preocupara, pero en realidad manejaban el acoso judicial como el arma principal para mi debilitamiento y eventual destrucción.

A pesar de que fui descubriendo el dualismo de Menem y la campaña de desprestigio y acoso judicial, no pude abandonar el gobierno durante el año '95 ni a principios del '96, porque sabía que el regreso de los capitales, el aumento de los depósitos bancarios, y la salida de la recesión podrían haberse revertido drásticamente ante mi renuncia.

Además, todavía tenía la esperanza de que Menem reflexionara y retomara la línea de acción de su primer gobierno. De hecho, en nuestras conversaciones a solas, él desmentía a los legisladores que decían recibir mensajes informales contradictorios con la posición oficial del Poder Ejecutivo. Me decía que su falta de acompañamiento público a mis denuncias sobre la mafia de Yabrán era sólo una cuestión de *"timing"*, y me aseguraba que no era responsable del acoso judicial y que impediría que Corach y Jassán lo alentaran.

Al mismo tiempo, tuvo algunos gestos que alimentaron mis expectativas de un cambio de actitud. Así, por ejemplo, el día que Eduardo Bauzá renunció a la jefatura del gabinete por razones de salud, a pesar de que les había dicho a Eduardo Menem y al propio Bauzá que designaría a Carlos Corach en su lugar —tal como lo registraron todos los matutinos y llegó a reconocerlo por radio su hermano, el senador—, el Presidente nombró a Jorge Rodríguez, para sorpresa de sus colaboradores más íntimos.

Casi sobre la medianoche anterior, Hugo Anzorreguy, el secretario de la SIDE, me había visitado en mi domicilio para informarme sobre la noticia de la renuncia de Bauzá y para ver cuál sería mi reacción frente a la designación de Corach. Yo le dije, sin rodeos, que si eso ocurría, el Presidente tendría de inmediato mi renuncia indeclinable.

Finalmente, comuniqué a Menem mi decisión de renunciar la noche en que él designó a Elías Jassán en el Ministerio de Justicia en reemplazo de Rodolfo Barra. La economía ya se había reactivado y yo consideraba que esa designación era la gota que había colmado el vaso. El me rogó que postergara mi decisión, y que le dejara manejar los tiempos. Acepté su propuesta en el entendimiento de que serían tiempos cortos.

El viernes 26 de julio por la mañana fui a su despacho en la Casa Rosada y le dije que entendía que yo ya no podía seguir en el gobierno. Me dijo que no sabía con quién reemplazarme. Yo le contesté que le insistiera a Roberto Alemann. A las tres y media de la tarde, un compungido Jorge Rodríguez me llamaba para pedirme la renuncia en nombre del Presidente. Pocos minutos después, habló César Arias con Horacio Liendo. Quería transmitirme que, siguiendo instrucciones del Presidente, me daba garantías de que en treinta días terminaría el acoso judicial, a pesar de que no había tenido tiempo de reunir a la Comisión de Juicio Político para desestimar los pedidos de desafuero.

Mientras miraba por televisión la secuencia de anuncios públicos que el gobierno hizo esa tarde, comenzando con la divulgación del pedido de mi renuncia, pensé que el Presidente había sentido una necesidad psicológica de decirle al mundo: "Yo soy el que manda en la Argentina, y acabo de sacarlo a Cavallo de su cargo".

Decidí que no tenía por qué desmentirlo, y por el contrario planeé de inmediato la conferencia de prensa en la cual sostuve que mi alejamiento serviría para demostrar que las nuevas reglas de juego de la economía argentina reaseguraban la estabilidad y el crecimiento, con independencia de quién estuviera al frente del Ministerio de Economía.

Luego de mi última reunión con Menem el 9 de octubre de 1996, todos los acontecimientos confirmaron mis presunciones. Cuatro días después, el ministro del Interior, Carlos Corach, arengaría a los dirigentes menemistas reunidos en Cosquín con una bravuconada que demuestra su falta de escrúpulos. Aseguró que cuando terminaran los juicios en curso, irían presos "más tecnócratas que políticos", en clara alusión a la decisión que habían adoptado Menem y sus aliados de lograr mi "condena" y la de varios de mis colaboradores.

Lo que vendría después no haría más que confirmar mis sospechas acerca del camino que Menem había decidido adoptar para su segundo gobierno:

—Trataron de que la privatización de los aeropuertos asegurara no menos de 500 millones de dólares a Yabrán.

—Volvieron a regular las actividades postales por decreto, prestándose a privatizarlas a la medida del mismo grupo económico.

—Disolvieron la Dirección en lo Penal Económico de la DGI, que había comenzado a presentar las denuncias contra evasores nucleados en asociaciones ilícitas que conforman verdaderas organizaciones criminales.

—Derogaron la anterior Ley Penal Tributaria, pretendiendo darle oportunidad a Samid de zafar de la bien fundada denuncia que meses antes le había hecho la DGI.

—Desmantelaron el equipo de abogados que en los últimos años había logrado defender exitosamente al Estado en los juicios de fuerte carácter patrimonial, y habilitaron arbitrajes y transacciones que terminarán aumentando significativamente las deudas del Estado.

—En lugar de avanzar en la informatización de la Aduana y en el desmonte de la verdadera aduana paralela instalada en Ezeiza, comenzaron a establecer regulaciones de viejo cuño entorpecedoras del comercio, que recrean innumerables oportunidades de corrupción.

—Interrumpieron la publicación de los despachos a plaza, que había sido la pieza angular para la cooperación privada en el descubrimiento de maniobras de subfacturación de importaciones.

—Anunciaron una supuesta desregulación de obras sociales que mantiene el viejo sistema de control sindical.

—Removieron del PAMI a la única conducción que tuvo el coraje de comenzar a luchar contra la corrupción.

—Encomendaron la normalización de esa institución —y luego nombraron presidente del nuevo directorio— a un personaje que, como lo había demostrado ya con el Instituto de Servicios Sociales Bancarios, se especializa en transferir al Estado el endeudamiento acumulado por el desmanejo anterior, y reorganiza a las obras sociales para que sigan siendo cotos de caza de dirigentes gremiales que no quieren dar a sus afiliados la libertad de elegir quién les presta los servicios de salud.

—Frente al crimen del periodista José Luis Cabezas, volvieron a negar que hubiera mafias en el país, y sólo se preocuparon por eximir de cualquier sospecha a la organización de Yabrán.

—Cuando una cámara oculta mostró al juez Branca formando parte de la aduana paralela de Ezeiza, antes de alentar la investigación para detectar a todos los demás jueces involucrados se esforzaron por asegurar que se trataba de un caso aislado.

—En lugar de dejar de manipular a jueces y fiscales protectores de evasores y contrabandistas, tratan de asegurar el control político partidista de la designación de los magistrados a través de una ley reglamentaria del Consejo de la Magistratura, que burla el espíritu de esa institución constitucional.

—En vez de cambiar la actitud dispendiosa y farandulera del entorno presidencial, trataron de impedir que los medios mostraran el estilo de vida del Presidente y sus amigos.

Todo indica que Menem está decidido a que su segundo mandato sea tal como comenzó a diseñarlo desde el momento de su reelección. Es decir, exactamente opuesto a lo que fue su primer período de gobierno.

No va a revertir los logros que en materia de política exterior y organización económica obtuvo en los seis primeros años de su gestión, y que tantos votos y prestigio le redituaron. Pero no producirá ningún avance en los terrenos en los que la Argentina enfrenta todavía problemas muy graves.

Menem no está proveyendo ni liderazgo ni coraje para luchar contra la evasión, el contrabando y la corrupción. Tampoco lo demuestra para reorganizar los servicios de salud y los de educación —indispensables para una lucha estructural contra el desempleo—, y mucho menos para brindar seguridad y justicia a los argentinos.

Peor aún, en estos temas tan sensibles para la gente, Menem ha perdido el *tacto* y la intuición. Sólo así se explica que en la conferencia de prensa que todos los periodistas esperaban estuviera destinada a reflejar la preocupación presidencial por el asesinato de Cabezas, lanzara la candidatura de Daniel Scioli a diputado nacional por la Capital Federal.

Entre 1997 y 1999 habrá estabilidad de precios y crecimiento económico, pero nada más. Para que a partir del año 2000, con un nuevo liderazgo, la Argentina pegue otro salto hacia adelante en materia de instituciones sociales, ética republicana y calidad de vida de la población, será muy importante que en estos tres próximos años ciudadanos y dirigentes recreemos una fuerte voluntad política para transformar la Justicia, la seguridad, la salud y la educación de nuestro pueblo.

En mi caso personal, he tomado una opción de vida. No quiero una Argentina dominada por las mafias. Tampoco una Argentina donde los ciudadanos tengamos miedo de salir a la calle, o debamos ser amigos del poder para progresar y vivir con tranquilidad. Menos todavía, una Argentina donde la gente piense que ser honesto no lleva al éxito.

Por eso, tomé la decisión de quedarme y asumir un compromiso político. Así como creo haber sido útil para recrear la estabilidad económica, ayudar a una reinserción internacional del país y reorganizar la economía con reglas de juego simples y claras para todos, creo también tener capacidad y voluntad para ofrecer un nuevo servicio: mi conocimiento y mi decisión para luchar por todo lo que falta cambiar y, particularmente, erradicar la corrupción organizada.

Veo con gran optimismo el futuro de las familias argentinas. Los cambios políticos y económicos que siguieron a la instalación de la democracia el 10 de diciembre de 1983 están introduciendo transparencia en el funcionamiento de nuestra sociedad y, en particular, en la marcha de los asuntos públicos. A medida que aumenta la transparencia, se hace cada vez más posible la participación de los ciudadanos en la determinación de lo que debemos conseguir como sociedad organizada.

Los argentinos queremos que nuestros hijos crezcan sanos, educados y seguros, que nuestros hombres y mujeres tengan trabajo y bienestar, que nuestros padres y abuelos puedan vivir con dignidad su tercera edad. A la transparencia contribuyen varios procesos simultáneos. Por un lado, las libertades individuales, incluida la libertad de opinión y de prensa. Por otro lado, la estabilidad monetaria y la competencia en un contexto de reglas de juego simples y claras. Y sin duda, las autopistas de comunicación con todas las naciones del mundo. Esta creciente transparencia de nuestra vida en sociedad ampliará el poder de los argentinos para construir nuestro propio futuro. Que será un futuro mucho mejor.

ANEXO

Radiografía
de una organización mafiosa

Lo que sigue es un extracto de las pruebas presentadas en la causa por "calumnias e injurias" que me iniciara Alfredo Yabrán en el juzgado federal de primera instancia a cargo del juez Jorge Urso el 12 de noviembre de 1996 ("Yabrán, Alfredo Enrique Nallib s/querella, arts. 109 y 110 del C. P." - causa N° 1822).

Se trata de los elementos fundamentales para comprender cómo funciona la corrupción organizada en la Argentina. Ante el juez Urso presenté cuatrocientas páginas con pruebas, que incluyen un abundante anexo documental. Esta selección evita volver sobre aspectos importantes ya descritos en el texto central del libro tales como la captura de aeropuertos o la privatización de correos.

Simplemente, se pretende precisar con nombres, fechas y demás datos las cuestiones que transforman a un grupo empresario en una asociación ilícita: la interconexión camuflada de empresas, sus sistemas propios de seguridad —la faz armada del grupo— y algunos casos muy concretos que ponen al descubierto la metodología mafiosa de expansión económica sobre la base de la eliminación de competidores —por copamiento o amedrentamiento—, el control

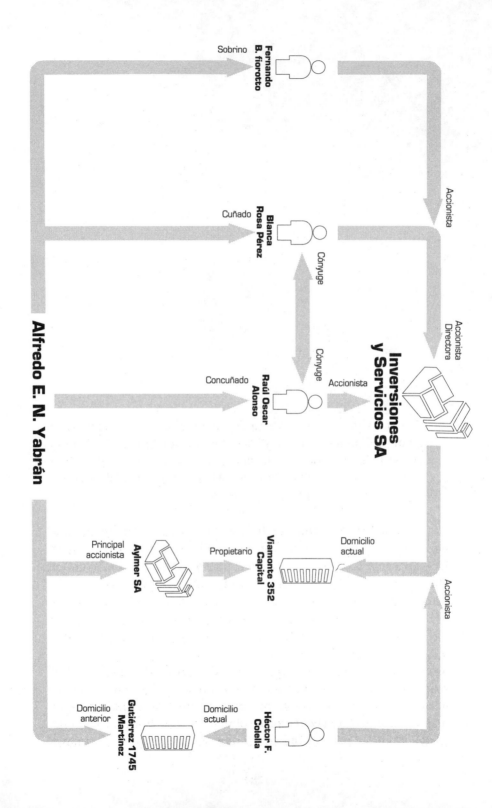

de funcionarios —y la correspondiente entrega de negocios jugosos con el Estado—, la evasión impositiva y, finalmente, la protección judicial para todas esas maniobras.

El "grupo" Yabrán.
Las vinculaciones entre empresas

1. Inversiones y Servicios SA

Uno de los accionistas de esta sociedad es (o era) Héctor Fernando Colella, quien en 1989 denuncia como domicilio la calle Ricardo Gutiérrez 1745, en la localidad de Olivos, provincia de Buenos Aires. Dicho domicilio es el mismo que tenía Alfredo Enrique Nallib Yabrán en 1980. Colella era, simultáneamente, vicepresidente de la empresa Oca.

Otro de los accionistas de Inversiones y Servicios SA, Fernando Bernabé Fiorotto, es sobrino de Alfredo Enrique Nallib Yabrán, hijo de María del Carmen Yabrán.

Una cuñada de Alfredo Yabrán, Blanca Rosa Pérez —hermana de María Cristina Pérez, cónyuge de Alfredo Yabrán—, era accionista y ejecutiva, a la vez, de la sociedad en su carácter de directora titular. Su marido, Raúl Oscar Alonso, es también accionista y —claro está— concuñado de Alfredo Yabrán. Este Alonso aparece al mismo tiempo (en 1987) como accionista minoritario de Ocasa (cuya propiedad reconoce Alfredo Yabrán) y es síndico de Oca.

El domicilio de Inversiones y Servicios SA está en la calle Viamonte 352, de la Capital Federal, inmueble que pertenece a Aylmer SA, que Alfredo Yabrán reconoce expresamente como propia en su escrito de querella.

2. SA Oca

El ya mencionado accionista de Inversiones y Servicios SA, Raúl Oscar Alonso —concuñado de Alfredo Yabrán—, era en

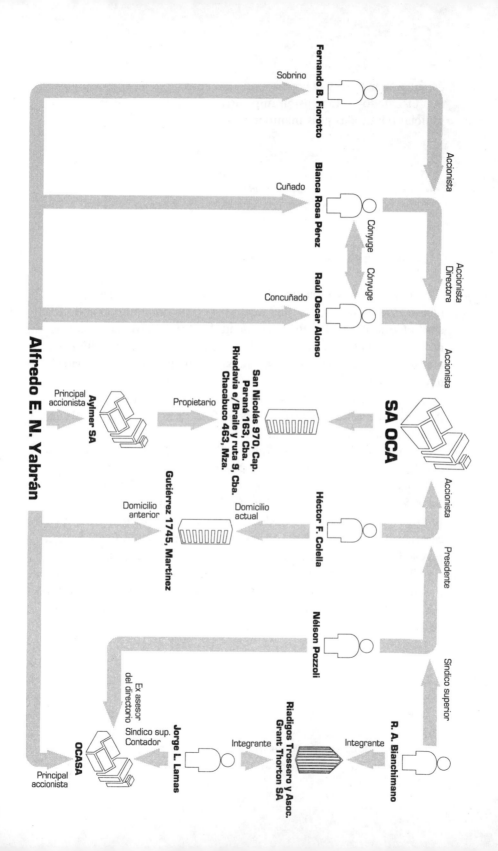

1987 síndico de Oca y, a su vez, accionista de Ocasa en ese mismo año.

Héctor Fernando Colella no sólo era vicepresidente de Oca y accionista de Inversiones y Servicios SA, el 17 de diciembre de 1993 aparece también como accionista de Oca.

Ricardo Adrián Bianchimano, su síndico suplente, es integrante del estudio Riádigos, Trossero y asociados.

El sobrino de Alfredo Yabrán, Fernando Bernabé Fiorotto, accionista de Inversiones y Servicios SA, el 17 de diciembre de 1993 figura también como accionista de Oca, así como la ya mencionada Blanca Rosa Pérez, cuñada de Alfredo Yabrán y accionista de Inversiones y Servicios SA.

Nelson Pozzoli, quien trabajara en relación de dependencia en Oca, fue asesor de la presidencia de Ocasa.

Resulta interesante comprobar que muchos de los locales donde funcionaron oficinas de Oca, como el de San Nicolás 970/80 en Rosario, provincia de Santa Fe; Paraná 163, en la provincia de Córdoba; Rivadavia, entre Braile y Ruta 9, en la provincia de Córdoba; Chacabuco 463/69, en la provincia de Mendoza, entre otros, eran propiedad de Aylmer SA, sociedad cuyas acciones Alfredo Yabrán reconoce como propias.

Son casos distintos de los inmuebles de Balcarce 461/73 y Balcarce 479/91, esquina Venezuela, en la Capital Federal: anteriormente fueron ocupados por la empresa Villalonga Furlong SA pero coincidentemente en la actualidad los ocupa Oca; sin embargo, son propiedad de Lanolec SA que, eso sí, también reconoce como propia Alfredo Yabrán.

3. INTERCARGO SA

La sociedad Inversiones y Servicios SA, estrechamente vinculada a Alfredo Yabrán —al punto que si fuera una persona de existencia visible sería pariente—, fue accionista de Intercargo SA. Una de sus apoderadas, Silvia Leonor Bacman, y también síndico titular de esta empresa, fue asimismo síndico suplente de Ocasa y síndico titular de Villalonga Furlong SA. La nombrada también se desempeñó como apoderada de Skycab SA ante la Inspección General de Justicia, dando como su domicilio el remanido de Viamonte 352, en Capital Federal, utilizado por Inversiones y Servicios SA y perteneciente a Aylmer SA, empresa de reconocida propiedad de Alfredo Yabrán.

El señor José Luis Carriquiry, quien fuera su síndico y le facturara honorarios a Intercargo SA, complementaba tal actividad con la sindicatura de las sociedades Asistencia de Vehículos Comerciales SA, Villalonga Furlong SA y Lanolec SA (expresamente reconocida como propia por Alfredo Yabrán) y era contador de Skycab SA. También se desempeñó como apoderado para la inscripción registral de Bridees SRL. Los domicilios que denuncia en tales gestiones son los de la Avenida Córdoba 6057, 9° piso, dpto. A, y Avenida Córdoba 1318, piso 11°, ambos de Capital Federal; inmuebles que, una vez más, pertenecen a la empresa de Alfredo Yabrán, Aylmer SA.

El estudio que hizo la auditoría previa a la entrega al Estado de Intercargo SA fue Riádigos, Trossero y asociados y varios integrantes de ese estudio han sido o son contadores de Ocasa y Skycab SA, síndicos de Ocasa y de Oca.

Resulta también llamativa la actuación de algunos funcionarios de esta empresa Intercargo SA, tales como Rodolfo Teodoro Rastatter, quien fuera síndico de la misma y síndico suplente de Iceberg SA. El 23 de marzo de 1982 Rastatter compró, en comisión para Skycab SA, un campo de 10.395 hectáreas, 11 áreas y 19 centiáreas, más otra fracción de 17 hectáreas, 95 áreas y 8 centiáreas en Gualeguaychú, Entre Ríos.

Llamativa también es la "movilidad" de Sergio Gastón Cianni, quien el 27 de agosto de 1992 firmó como apoderado de Intercargo SA un contrato con Orgamer SA y dos años después, el 1° de agosto de 1994, firmó otro contrato entre las mismas partes pero entonces no como representante de Intercargo SA sino como mandatario de Orgamer SA.

4. Interbaires SA

Uno de sus accionistas, Néstor Fonre, es hermano de Ada Fonre, una muy estrecha colaboradora de Alfredo Yabrán y a la

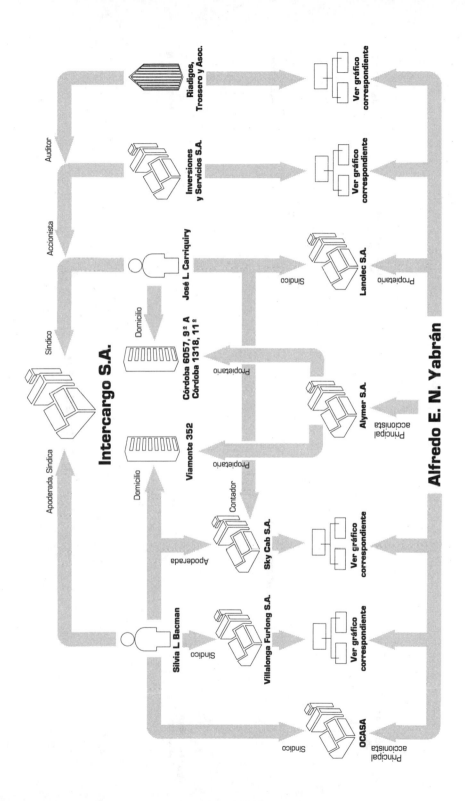

Intercargo S.A.

Alfredo E. N. Yabrán

Riadigos, Trossero y Asoc.

Inversiones y Servicios S.A.

José L. Carriquiry

Córdoba 6057, 9º A
Córdoba 1318, 11º

Viamonte 352

Alymer S.A.

Sky Cab S.A.

Silvia L. Bacman

Villalonga Furlong S.A.

OCASA

Lanolec S.A.

Auditor

Accionista

Síndico

Apoderada, Síndica

Domicilio

Domicilio

Síndico

Propietario

Propietario

Contador

Apoderada

Síndico

Principal accionista

Principal accionista

Propietario

Síndico

Ver gráfico correspondiente

Ver gráfico correspondiente

Ver gráfico correspondiente

Ver gráfico correspondiente

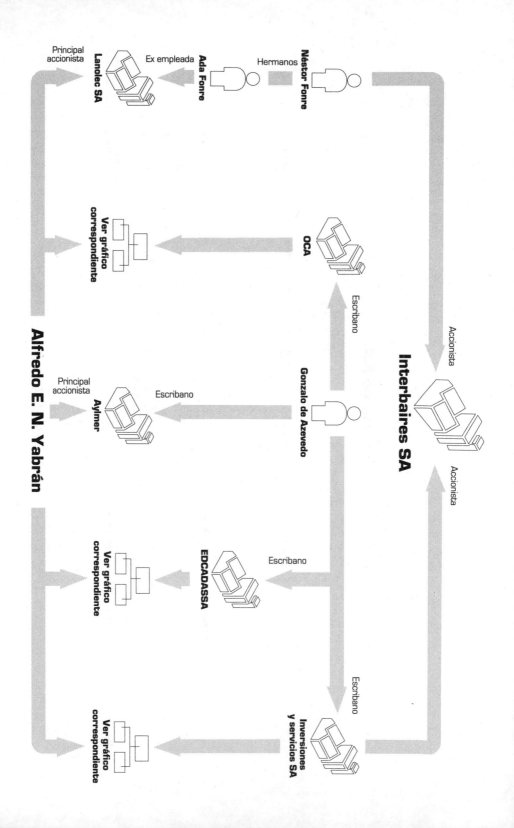

vez empleada en la empresa Lanolec SA. Otro de sus accionistas era la sociedad ya varias veces nombrada Inversiones y Servicios SA.

El escribano que constituyó la sociedad fue Gonzalo de Azevedo, quien también intervino en la constitución de Oca, de Inversiones y Servicios SA y de Edcadassa y escrituró gran cantidad de los inmuebles para Aylmer SA, sociedad cuya pertenencia reconoce expresamente Alfredo Yabrán. El referido escribano también realizó las escrituras de distintos terrenos situados en Pinamar y adquiridos por Bosquemar Emprendimientos Turísticos SA para el proyecto "Glorias del Golf" (también de Yabrán).

Otra persona que intervino en la constitución de Interbaires SA fue Angel Fernando Sosa, quien cumplió idénticas funciones a la hora de constituirse Orgamer SA.

5. Asistencia de Vehículos Comerciales SA

Su síndico, José Luis Carriquiry, además de prestar servicios para Intercargo SA fue síndico de Villalonga Furlong SA y de Lanolec SA, otra de las empresas que Alfredo Yabrán reconoció como propia en forma expresa. También desarrolló tareas de ese tipo como contador de Skycab SA y como apoderado de Bridees SRL. Sus domicilios en la Avenida Córdoba pertenecen a Aylmer SA, de Alfredo Yabrán.

Uno de sus accionistas, Víctor Hugo Dante Dinamarca, reunía idéntica calidad de accionista de Skycab SA mientras se desempeñaba como gerente de Bridees SRL.

El escribano que constituyó la sociedad fue Jorge Enrique Viacava, quien hizo igual tarea para Interbaires SA y Bridees SRL. Su hijo Gastón Enrique Viacava, también escribano, intervino en escrituras modificatorias de Villalonga Furlong SA.

El domicilio social de Asistencia de Vehículos Comerciales SA, en la calle Viamonte de esta Capital, es el mismo domicilio de Edcadassa y de Inversiones y Servicios SA.

6. Villalonga Furlong SA

Uno de sus accionistas es la sociedad —varias veces mencionada— Inversiones y Servicios SA. También era accionista en 1985 Osvaldo Florentino Pérez, quien fuera contador de Ocasa y presidente del directorio de Aylmer SA, sociedad de Alfredo Yabrán. El domicilio es, también, el de la Avenida Córdoba de esta Capital, propiedad, claro, de Aylmer SA.

Uno de sus directores fue Ronaldo Luis Depetris, de iguales funciones ejecutivas en Edcadassa, que firmara el acta de asamblea de Transportes Vidal SA del 19 de octubre de 1993, pero entonces en representación de Inversiones y Servicios SA.

Muestra también gran versatilidad y versación el nombrado José Luis Carriquiry a quien, no obstante trabajar para Intercargo SA, ser síndico de Asistencia de Vehículos Comerciales SA, contador de Skycab SA, apoderado de Bridees SRL, nada le impidió ser el síndico de Villalonga Furlong SA, recordando claro que también lo fue de Lanolec SA, empresa de Alfredo Yabrán. El domicilio, una vez más, es el de la Avenida Córdoba 6057, 9° piso, dpto. A, de Capital Federal, propiedad de Aylmer SA, sociedad de Alfredo Yabrán.

También fue síndico de esta sociedad Silvia Leonor Bacman, quien fuera apoderada y síndico de Intercargo SA y de Ocasa (esto es, representante del accionista Alfredo Enrique Nallib Yabrán) y apoderada de Skycab SA. Su domicilio es el de Viamonte 352 de esta Capital, es decir el mismo de Inversiones y Servicios SA, que pertenece a Aylmer SA de Alfredo Yabrán.

Locales de esta empresa funcionan (o funcionaban) en inmuebles de Aylmer SA, como el de San José 2449/53, en Santa Fe.

7. Edcadassa

El cuarenta y nueve por ciento (49%) del paquete accionario de esta empresa pertenece a Villalonga Furlong SA. Ahorro transcribir aquí las vinculaciones ya relatadas al referirme a esta última empresa, pero destaco que fue el escribano Gonzalo de Azevedo quien

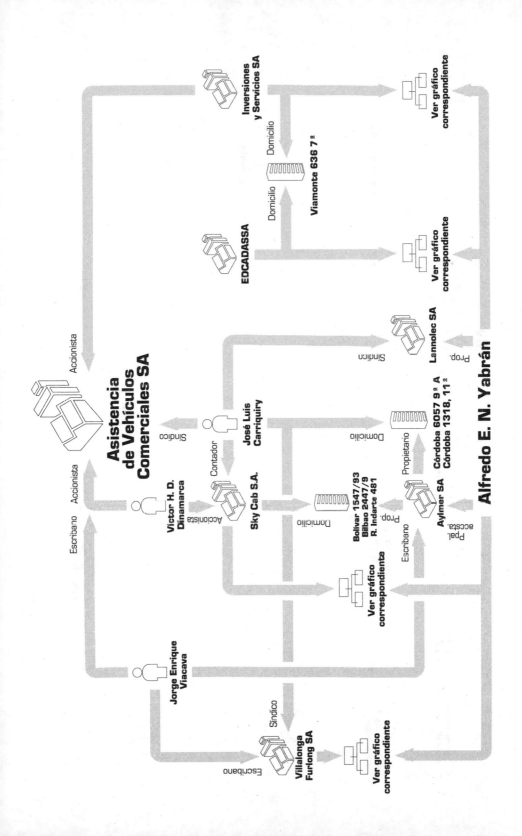

Inversiones
y Servicios SA

Domicilio   Domicilio

Viamonte 636 7º

Ver gráfico
correspondiente

EDCADASSA

Ver gráfico
correspondiente

Síndico   Lannolec SA

Prop.

Alfredo E. N. Yabrán

Accionista

Asistencia
de Vehículos
Comerciales SA

Síndico

Escribano   Accionista

Accionista

Contador

José Luis
Carriquiry

Victor H. D.
Dinamarca

Accionista

Sky Cab S.A.

Domicilio   Propietario

Córdoba 6057 9º A
Córdoba 1318, 11º

Domicilio

Bolívar 1547/93
Bilbao 2447/9
R. Indarte 481

Prop.

Escribano

Aylmer SA

Ppal. accsta.

Ver gráfico
correspondiente

Jorge Enrique
Viacava

Síndico

Villalonga
Furlong SA

Escribano

Ver gráfico
correspondiente

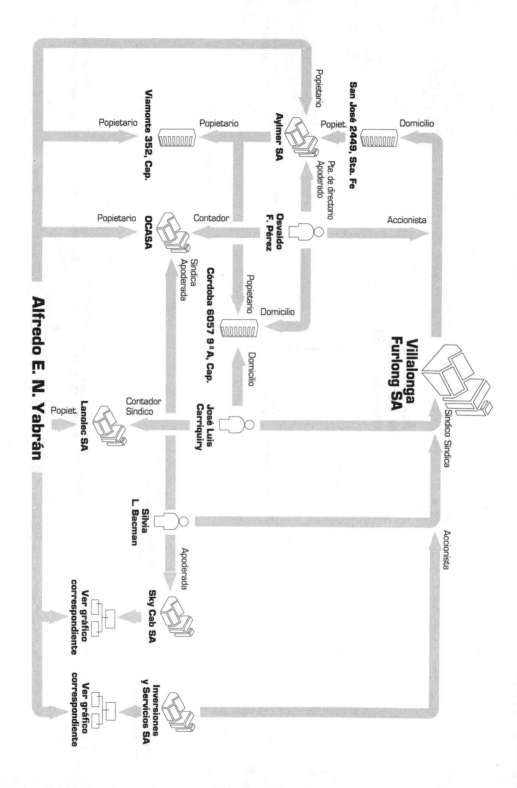

Alfredo E. N. Yabrán

Viamonte 352, Cap.

Popietario

Aylmer SA

Popietario

San José 2449, Sta. Fe

Popiet.

Domicilio

Popietario

Pte. de directorio
Apoderado

Osvaldo
F. Pérez

Contador

OCASA

Popietario

Accionista

Córdoba 6057 9º A, Cap.

Popietario

Domicilio

Sindica
Apoderada

Domicilio

José Luis
Carriquiry

Contador
Síndico

Lanolec SA

Popiet.

Villalonga
Furlong SA

Síndico Síndica

Silvia
L. Bacman

Accionista

Apoderada

Sky Cab SA

Ver gráfico
correspondiente

Inversiones
y Servicios SA

Ver gráfico
correspondiente

la constituyó, al igual que lo hiciera con Oca, Inversiones y Servicios SA e Interbaires SA, y que también escrituró gran parte de los inmuebles de Aylmer SA. Y remarco asimismo que el mencionado escribano fue representante en la asamblea de Transportes Vidal SA del 28 de octubre de 1992.

Es interesante recordar las declaraciones de Antonio Erman González, realizadas a la revista *Noticias* el 3 de septiembre de 1995, donde asegura que Yabrán fue a verlo personalmente en nombre de las distintas empresas que explotan los servicios aeroportuarios para ofrecer sus acciones en ella.

Revista *Noticias*: ¿Conoce a Yabrán?

Erman González: *Sí. Lo conocí durante mi gestión en Defensa. Había embates contra Edcadassa, Intercargo e Interbaires y vino a ofrecer las acciones que tenía con la Fuerza Aérea. Le pedí que lo hiciera por escrito y así lo hizo.*

Noticias: Pero él niega haber tenido acciones en esas empresas.

E. González: *No... bueno, no recuerdo si se presentó con el nombre de Yabrán o de Villalonga Furlong.*

Noticias: Le reitero, él tiene vinculaciones con esas empresas...

E. González: *No puedo aseverar si él me dijo o no me dijo, yo lo tomé como que era la contraparte en la Fuerza Aérea y la empresa...*

8. ZAPRAM SA

Presidió el directorio el suboficial (R) del Servicio Penitenciario Federal Carlos Orlando Generoso, quien también fue socio gerente de Zapram SRL. Desde 1986 denuncia como domicilio de trabajo el de Paraná 597 en esta Capital, el mismo domicilio de Bridees SA. Posteriormente pasó a trabajar en esta empresa.

El vicepresidente era el suboficial (R) del Servicio Penitenciario Federal Juan Carlos Cociña, quien con posterioridad también pasó a desempeñarse en Bridees SA. El director suplente era el capitán de fragata (R) Adolfo Miguel Donda Tigel. El escribano que constituyó la sociedad fue Luis García Orlando,

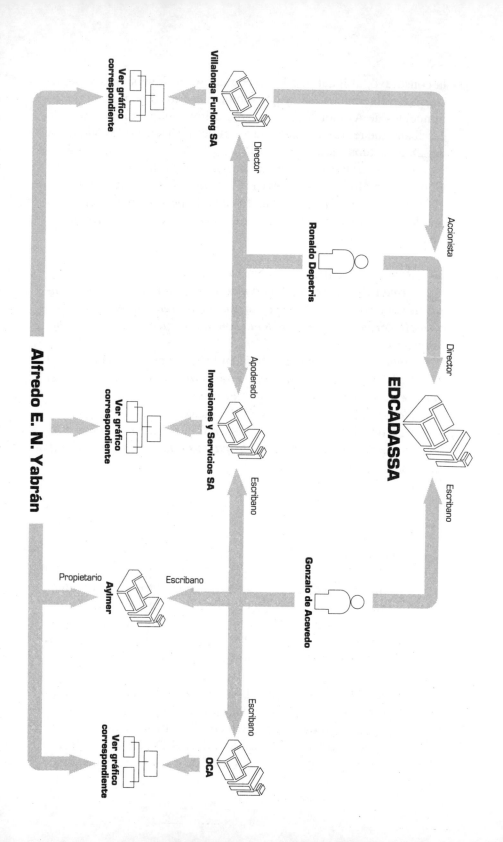

quien fuera subsecretario en el área de Defensa, y que también constituyera Zapram SRL y Zapram Technical SA, y cuyo socio Eduardo L. Zapatini Aguirre inscribió a la sociedad en carácter de apoderado, intervino en cesión de cuotas de Bridees SRL e inscribió juntamente con la mujer de su socio García Orlando, Adriana Carmen Bergstrom, y el padre de aquél la sociedad Orgamer SA.

En el expediente de quiebra de esta empresa Carlos Orlando Generoso declara que sus clientes eran Intercargo SA, Interbaires SA y Edcadassa. Dice asimismo que los bienes quedaron en poder de esas sociedades y que los libros societarios y todos los libros contables les fueron robados.

9. Zapram SRL

Socios gerentes de la sociedad eran Carlos Orlando Generoso, presidente de Zapram SA; Marcelo Claudio Carmona, suboficial (R) del Servicio Penitenciario Federal, quien desde 1988 denuncia como domicilio de trabajo el de Paraná 597, domicilio de Bridees SRL, empresa a donde luego pasó a desempeñarse.

Los mencionados García Orlando, Bergstrom y Zapatini Aguirre, desempeñan aquí iguales tareas que en la sociedad anterior.

A esta sociedad también se le decreta la quiebra y dice carecer de libros porque les fueron robados.

10. Zapram Technical SA

El presidente del directorio era el suboficial (R) del Servicio Penitenciario Federal Marcelo Claudio Carmona, también socio gerente de Zapram SRL; el vicepresidente, Juan Carlos Castillo, suboficial (R) del Servicio Penitenciario Federal, vinculado con Bridees SA; en tanto que Héctor Francisco Montoya, suboficial (R) del Servicio Penitenciario Federal, hermano de Domingo Osvaldo Montoya y socio gerente de Bridees SRL, era el director.

García Orlando, Bergstrom y Zapatini Aguirre desempeñaron iguales tareas que en las sociedades anteriores.

A Zapram Technical SA también se le decreta la quiebra y también dice sufrir idéntica desgracia: le fueron robados todos sus libros sociales y contables.

11. ORGAMER SA

Esta sociedad cumplía funciones de seguridad para distintas empresas del grupo.

Los únicos accionistas eran el ex diputado José Celestino Blanco y su compañera Ana María Díaz. Su presidente Carlos Juvenal Romero Villar, comisario (R) de la Policía Federal, fue designado asesor "ad honorem" de la intervención de Encotel por el interventor Raúl Carmelo Vaccalluzzo.

Alejandro Marcelo Rabuffetti fue director de esta empresa, además de secretario de Víctor Hugo Dante Dinamarca, gerente de Bridees SRL y accionista de Skycab SA y de Asistencia de Vehículos Comerciales SA.

Fueron apoderados Eduardo L. Zapatini Aguirre —socio de García Orlando, quien constituyera todas las sociedades Zapram, y que intervino en la cesión de cuotas de Bridees SRL—, el padre de García Orlando y Angel Fernando Sosa, que también participó en la constitución de Interbaires SA.

Ya he narrado la participación de Sergio Gastón Cianni en la firma de dos contratos entre Intercargo SA y luego de Orgamer SA, primero en representación de Intercargo SA y luego, de Orgamer SA.

12. SKYCAB SA

Uno de los accionistas de Skycab SA es Víctor Hugo Dante Dinamarca, el también socio gerente de Bridees SRL y de Asistencia de Vehículos Comerciales SA, y jefe de uno de los directores de Orgamer SA.

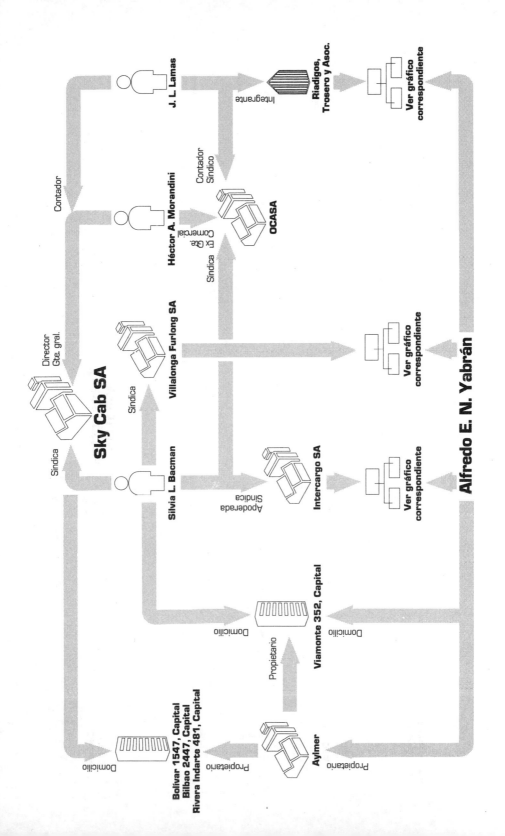

Sky Cab SA

Director Gte. gral.

Síndica

Contador

J. L. Lamas

Integrante — Riadigos, Trosero y Asoc. — Ver gráfico correspondiente

Héctor A. Morandini

Contador Síndico

Ex Gte. Comercial — OCASA — Síndica

Síndica

Villalonga Furlong SA — Ver gráfico correspondiente

Silvia L. Bacman

Apoderada Síndica — Intercargo SA — Ver gráfico correspondiente

Alfredo E. N. Yabrán

Domicilio

Propietario — Viamonte 352, Capital — Domicilio

Domicilio

Bolívar 1547, Capital
Bilbao 2447, Capital
Rivera Indarte 481, Capital

Propietario — Aylmer — Propietario

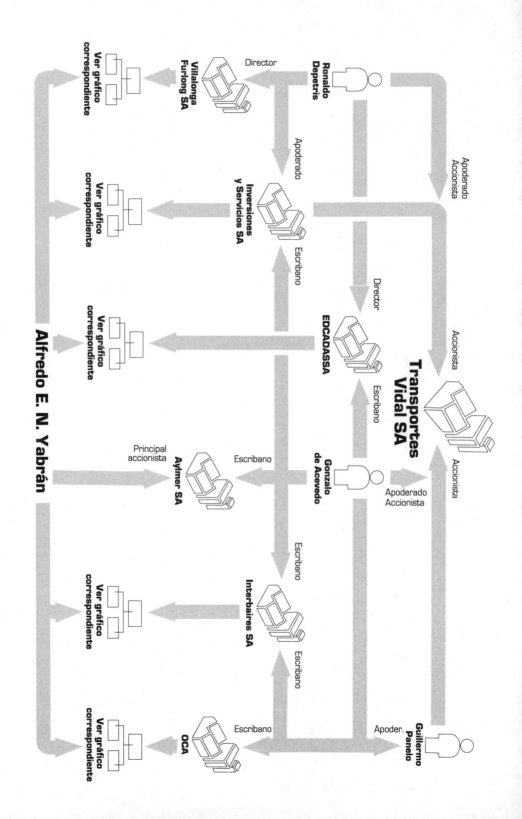

Alfredo E. N. Yabrán

Villalonga Furlong SA — Director — Ronaldo Depetris

Ver gráfico correspondiente

Apoderado Accionista

Inversiones y Servicios SA — Apoderado — Ronaldo Depetris

Ver gráfico correspondiente

Escribano

EDCADASSA — Director

Ver gráfico correspondiente

Transportes Vidal SA

Accionista

Escribano — Gonzalo de Acevedo

Aylmer SA — Principal accionista — Escribano — Gonzalo de Acevedo

Apoderado Accionista

Accionista

Escribano

Interbaires SA — Escribano

Ver gráfico correspondiente

Escribano

OCA — Escribano — Apoder. — Guillermo Panelo

Ver gráfico correspondiente

La planta principal y locales de esta empresa funcionan en Bolívar 1547/93, Caseros 527/99, Perú 1570/92, Bilbao 2447/49, todos en la Capital Federal, y todos propiedad de Aylmer SA, es decir, de Alfredo Yabrán.

Uno de los directores y gerente general de esta empresa es Héctor A. Morandini, quien fuera gerente comercial de Ocasa, propiedad de Alfredo Yabrán.

La síndico y apoderada es Silvia Leonor Bacman, quien cumple las mismas funciones en Intercargo SA, es síndico suplente de Ocasa y síndico titular de Villalonga Furlong SA. Para la inscripción ante la Inspección General de Justicia denunció el domicilio en Viamonte 352, Capital Federal, el mismo de Inversiones y Servicios SA, propiedad de Aylmer.

El contador de Skycab SA, Jorge Leonardo Lamas —socio del estudio Riádigos, Trossero y asociados—, era también contador y síndico suplente de Ocasa.

Recordemos que un campo de más de 10.000 hectáreas en Gualeguaychú, Entre Ríos, fue comprado en 1982 para esta empresa por el síndico de Intercargo SA, Rodolfo Teodoro Rastatter.

Skycab SA tuvo también como apoderada —según demuestra el poder especial de fecha 6 de agosto de 1986 otorgado ante el escribano Carlos Arzeno por escritura 96, al folio 1092— a Angélica Yabrán, hermana de Alfredo Yabrán. Grande debía ser la confianza para tener de apoderado a la hermana de un "competidor".

13. TRANSPORTES VIDAL SA

A partir de la asamblea del día 28 de octubre de 1992 esta sociedad cambia el grupo de control. El escribano Gonzalo de Azevedo actúa como apoderado de Guillermo Panelo. Dicho escribano, recordemos, intervino en la constitución de Oca, Inversiones y Servicios SA, Interbaires SA y Edcadassa; escrituró gran parte de los inmuebles de Aylmer SA y las propiedades en Pinamar adquiridas por Yabrán a través de Bosquemar Emprendimientos Turísticos SA, y es también el escribano habitual de Oca.

En la asamblea del 19 de octubre de 1993 aparece como accionista de Transportes Vidal SA y de la sociedad Inversiones y Servicios SA, representada en la oportunidad por Ronaldo Luis Depetris, director de Edcadassa y de Villalonga Furlong SA.

14. Bridees SRL

Ya dije que uno de sus socios gerentes era Víctor Hugo Dante Dinamarca, accionista de Asistencia de Vehículos Comerciales SA y de Skycab SA. El escribano Jorge Enrique Viacava constituyó la sociedad, así como la de Interbaires SA y la de Asistencia de Vehículos Especiales SA. Junto con su hijo, Gastón Enrique, quien también intervino en modificaciones de Villalonga Furlong SA, escrituraron al menos cuatro inmuebles de Aylmer SA.

Uno de sus socios fundadores es Miguel Angel Caridad, suboficial (R) del Servicio Penitenciario Federal, quien denuncia como domicilio el de Córdoba 6057, piso 9°, dpto. A , de la Capital Federal, de propiedad de Aylmer SA. El mismo domicilio consignan José Luis Carriquiry y Osvaldo Florentino Pérez.

Otro socio de la empresa es Domingo Osvaldo Montoya, oficial del Servicio Penitenciario Federal y hermano de Héctor Francisco Montoya, director de Zapram Technical SA.

Eduardo L. Zapatini Aguirre, el mismo que fuera también apoderado para inscribir a Zapram SA, Zapram SRL y Zapram Technical SA y socio de García Orlando al inscribir junto a su padre Orgamer SA, intervino en cesión de cuotas de esta sociedad.

También se desempeñó en Bridees SRL Alejandro Marcelo Rabuffetti, secretario de Víctor Hugo Dante Dinamarca (accionista de Asistencia de Vehículos Comerciales SA y de Skycab SA) y director suplente de Orgamer SA.

Fue apoderado de esta sociedad José Luis Carriquiry, quien además de haber sido síndico de Asistencia de Vehículos Comerciales SA, de Villalonga Furlong SA y contador de Skycab S.A, recibió pagos por servicios de Intercargo SA.

El domicilio que denuncia al momento de proceder a la inscripción de Bridees SRL es el de Avenida Córdoba 6057, 9° piso, dpto. A, y Córdoba 1318, piso 11°, ambos en la Capital Federal, que —reitero— pertenecen a Aylmer SA, sociedad que reconoce como propia Alfredo Yabrán. No debe sorprender este hecho ya que Carriquiry es síndico de Lanolec SA, empresa también reconocida como propia por Yabrán.

15. INTERCONEXIÓN

Uno de los interrogantes que cualquiera podría plantearse, luego de analizar los distintos entrecruzamientos entre directivos y apoderados de las sociedades analizadas es: ¿cómo se evitan conflictos de intereses, tratándose en muchos casos de empresas que desarrollan la misma actividad?

La respuesta es sencilla. No hay conflictos porque todas responden a un mismo interés. No se producen problemas de competencia porque, al estar bajo el dominio de Alfredo Yabrán, no compiten, sólo *simulan hacerlo*. De esta descripción —que sólo cubre una parte de las vinculaciones empresarias del grupo— surgen distintos puntos de contacto y superposiciones entre directores, socios, apoderados, escribanos y empleados, pero un solo denominador común: Alfredo Enrique Nallib Yabrán.

16. OTROS PUNTOS DE CONEXIÓN

a) Los inmuebles de Aylmer SA y Lanolec SA

Estas dos empresas son reconocidas como propias en forma expresa por Alfredo Yabrán (junto con su cónyuge). Ya he destacado arriba que muchas de las empresas que Alfredo Yabrán niega como propias funcionan en inmuebles de sus empresas, en extrañas "coincidencias" entre sociedades supuestamente competidoras que alternan entre unos y otros domicilios.

Cuando me desempeñaba como ministro, en la oportunidad que Alfredo Yabrán se presentó a través de una de sus empresas en la licitación pública realizada en los autos "Papel de Tucumán SA s/quiebra", que tramita ante el juzgado nacional de primera instancia en lo comercial N° 24, secretaría N° 47, tomé conocimiento de que su sociedad Aylmer SA denunciaba una serie de propiedades inmuebles que presentan "curiosidades" adicionales.

En el siguiente cuadro se identifican los vendedores de algunos inmuebles (venta a las sociedades reconocidas por Alfredo Yabrán), sus ocupantes y los escribanos y apoderados intervinientes.

VENDEDOR	OCUPANTES	INMUEBLE	FECHA	ESCRIBANO	REPRESENTANTE AYLMER SA
J. SCHNAIDERMAN y A. R. de SCHNAIDERMAN	Oficinas Ocasa	Av. Mosconi 4082/84, Capital	20/7/83	Jorge E. VIACAVA .Reg. 80 de Capital	Natalio Carlos LEVITAN (Vicepresidente).
PARACAS S.C.A. (D. E. y F. L. PRUDEN, socios)	Transportes El Trébol y Transportes Ibáñez de Diego Ibañez	Paracas 253, Capital	10/6/83	Carlos A. ARZENO Adsc. Reg. 413 de Cap. Federal	Natalio Carlos LEVITAN (Vicepresidente)
SA Oca	Ocasa	1) Sucre 1253 2) Sucre 1263 3) Sucre 1267 4) Sucre 1269 5) Echeverría 1262/64/66 6) Echeverría 1240/46 7) Echeverría s/n Capital	20/10/89	G. de AZEVEDO Reg. 1222 CF	Roberto NAYA (Presidente)
SA. Oca.	Villalonga Furlong SA	San José 2453 Santa Fe	20/10/89	G. de AZEVEDO Reg. 1222 CF	Roberto NAYA (Presidente)
SA Oca	SA Oca En el 930 funciona Transportes El Porvenir	1) San Nicolás 970 2) San Nicolás 980, Santa Fe 3) San Nicolás s/n entre calles San Luis y La Rioja, Rosario	20/10/89	G. de AZEVEDO Reg. 1222 CF	Roberto NAYA (Presidente)
Antonina LOSADA de SHARRY (escrituración judicial)	Ocasa	Tres lotes integrantes de la Chacra 168, Nros. 1) Nº 2, sobre calle Julio A. Roca s/n 2) Nº 15, sobre calle Francia s/n 3) Nº 16, sobre calle Francia s/n Junín	27/9/91	Victor E. PAJONI Reg. 12 de Junín.	Angelina ALMIRON de CARUSO
SA Oca (apoderado, Héctor F. COLELLA)	SA Oca	1) Chacabuco 463/69 2) ituzaingó 2172 Mendoza	20/10/89	S. PENA y LILLO (Reg. 129 de Mendoza)	Roberto NAYA (presidente)
A. S. SCHAFFER de CUBERMAN y A. S. CUBERMAN	Casa de familia	Hipólito Irigoyen 2302/16/30, U.F. Nº 8, Martínez	1/6/84	Carlos A. ARZENO Reg. 413 CF	Osvaldo Florentino PEREZ (presidente)

FUNDAR SA (apoderado Cap. de Navío R.E. Arnoldo E. CENNARI. intervenida por la CONAREPA)	LANOLEC SA YABITO SA	Córdoba 1318, 11°, U.F. N° 20, y 1/30 de la U.F. N° 1 (gurdacoche con entrada por el N° 1326), a la que se asigna la U. Complementaria II en igual proporción. Capital	19/10/81	Escribanía General de Gobierno de la Provincia de Buenos Aires	Natalio Carlos LEVITAN (vicepresidente)
HUGO DEGANO e HIJO SRL	SKY CAB SA	Francisco Bilbao 2447/49, Capital	8/7/88	G. de AZEVEDO Reg. 1222 CF	Roberto NAYA (vicepresidente)
SA Oca	SA Oca	Lotes 1 y 2 sobre calle Florencio Sánchez y Ruta Nacional N° 9, Bo. Pueblo Rivadavia, Córdoba	23/10/89	G. de AZEVEDO Reg. 1222 CF	Roberto NAYA (presidente)
BANCO GANADERO ARGENTINO	Ocasa	Perú 1224/26/28, Capital	17/2/82	Carlos A. ARZENO Reg. 413 CF	Osvaldo Florentino PEREZ (presidente)
NUEVA ESCUELA ARGENTINA 2000 SRL	SA Oca	Echeverría 1333/39/41, Capital	24/5/77	Carlos A. ARZENO Reg. 413 CF	Alfredo Enrique Nallib YABRAN (apoderado)
Ocasa	Ocasa	1) Miñones 2032 2) Echeverría 1323 3) Echeverría 1315/17 Capital	23/12/92	Gastón E. VIACAVA Reg. 80 CF	Roberto NAYA (presidente)
MARIANO ACOSTA SA	SKY CAB SA	1) Inmueble con frentes a las calles Bolívar 1547/75/93; Perú 1560/88, y Caseros 1527/41/65. 2) Perú 1576/78. 3) Inmueble con frentes a las calles Perú 1590/92 y Caseros 577/85/93/95/99. Capital	26/11/93	Gastón E. VIACAVA Reg. 80 CF	Marcelo A. LOZANO
TRONADOR SA	Oficinas de Aylmer Oficinas de UdeS	Viamonte 352/54, Capital	18/10/83	Jorge E. VIACAVA Reg. 80 CF	Osvaldo F. PEREZ (presidente)
Donata M. PINTO de MONTANO	Varios contadores tienen domicilio allí	Córdoba 6057/59, Capital	26/3/79	Carlos A. ARZENO Reg. 413 CF	Alfredo Enrique Nallib YABRAN (presidente)

Como puede observarse, la tenencia de los inmuebles se concentra en Aylmer SA, con independencia de si en ellos desempeñan actividades Ocasa, Oca, Skycab SA, Villalonga Furlong SA o la mismísima UDES. Tal "flexibilidad" llevó, por ejemplo, a que en un mismo día Oca (cuya titularidad niega Alfredo Yabrán) le vendiera a Aylmer SA cinco valiosos inmuebles pero permaneciera ocupándolos.

Otro inmueble —sito en Rivera Indarte 481, de la Capital Federal— cuyos teléfonos están a nombre de Aylmer SA, es el viejo domicilio de Inter-Car SA, que fuera absorbida por Skycab SA. En el inmueble de San Nicolás 930, de Santa Fe, funciona Transportes El Porvenir Santafesino SRL, empresa que cobró trascendencia al serle devuelta por los ladrones una carga que le había sido robada.

También Lanolec SA (otra empresa reconocida como propia por Alfredo Yabrán) aloja en su inmueble de Balcarce 473, Capital Federal, dependencias de la empresa Oca.

b) Estudio Riádigos, Trossero y asociados

Para mantener la estructura que fue descrita, ocultando el verdadero dueño de los sociedades y bienes, existe un verdadero "sistema". Las personas que prestan sus nombres generalmente son gerentes o parientes de Alfredo Yabrán o (algunos pocos) miembros del Servicio Penitenciario Federal.

Los parientes de Alfredo Yabrán que tienen acciones (además de su cónyuge) son: Blanca Rosa Pérez (su cuñada), Raúl O. Alonso (esposo de la anterior), Fernando B. Fiorotto (su sobrino, hijo de su hermana). También aparece como accionista en una sociedad Néstor Fonre, hermano de Ada Fonre, una ex empleada de Lanolec SA. Las acciones son recibidas por quienes prestan sus nombres por donación del anterior propietario. De esta manera se evita justificar los ingresos. Simultáneamente, con la firma de la aceptación de la donación, se suscribe otro documento en el que se donan a su vez las acciones recibidas a un tercero. Ese documento está en blanco, por lo cual los prestanombres no saben a quién están "donando".

El ingreso de las acciones al patrimonio del testaferro es declarado ante la DGI. Así, el testaferro debe entregar todos sus antecedentes impositivos. Esto cumpliría una doble función: a) otorga la certeza de que la propiedad de las acciones fue declarada, y b) sir-

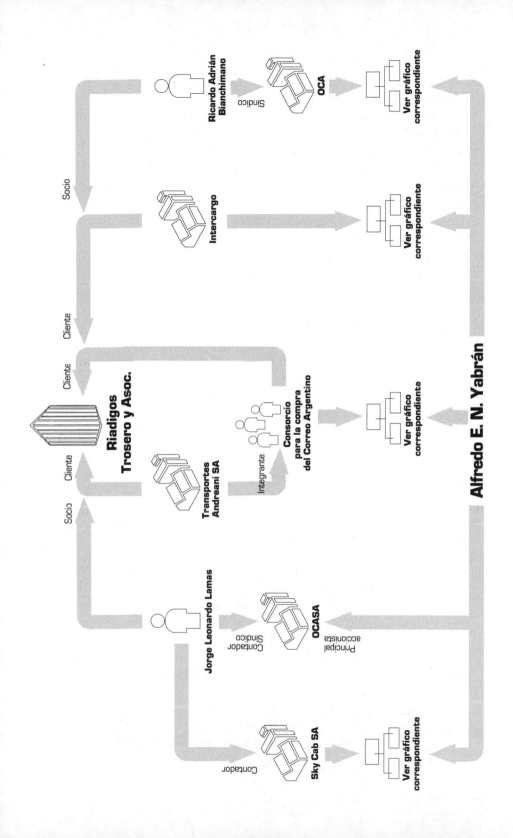

ve para controlar el patrimonio de los principales gerentes y personas de confianza.

Quien se encargaría de toda la instrumentación es el estudio Riádigos Trossero y asociados, que hace toda la auditoría externa del grupo pero no figura oficialmente. Este estudio se encuentra vinculado al grupo a través de las siguientes personas: Ricardo Adrián Bianchimano (socio del estudio, síndico suplente de Oca), Jorge Leonardo Lamas (socio del estudio, contador y síndico suplente de Ocasa y contador de Skycab SA) y Néstor Arturo Taravini (socio del estudio, contador de Asistencia de Vehículos Comerciales SA).

Realizaron la auditoría previa a la entrega de Intercargo SA al Estado en 1994, y a través Grant Thornton SA hicieron dos trabajos para Transportes Andreani SA: el proyecto de reingeniería de la empresa y el asesoramiento integral para la constitución del Consorcio Empresario Correo Argentino y de su oferta.

No obstante los trabajos que realiza para las empresas del *"grupo"*, resulta llamativo que en sus carpetas de presentación se coloquen una gran cantidad de empresas bajo el rubro "Clientes y referencias" que niegan tener relación con el estudio y , pese a estar conectados profesionalmente con Oca, Ocasa, Skycab SA, Asistencia de Vehículos Comerciales SA e Intercargo SA, a la única empresa que citan como cliente o referencia es a Oca.

La "seguridad" del grupo

El grupo que dirige Alfredo Yabrán cuenta con su propio personal de "seguridad", al cual se le encomienda distintas "tareas". La opinión pública ha sido testigo de la exhibición de hombres armados en la residencia de Alfredo Yabrán. Ha habido abuso de armas de fuego, tal como le sucedió al periodista de la revista *Noticias* Gustavo González, el 13 de octubre de 1991. De ello dan cuenta también los periodistas Jorge Lanata y Joe Goldman en su libro *Cortinas de humo*.

La historia de este grupo de "seguridad" se remontaría al año 1976, cuando en la Escuela de Mecánica de la Armada operaba un grupo de tareas que no sólo se dedicó a luchar contra la subversión.

En este grupo de tareas intervenía personal de la Armada y

también civiles y miembros del Servicio Penitenciario Federal y la Policía Federal Argentina. Es allí donde se conocen las personas que identificaré seguidamente.

Este grupo, según me han referido, estaría integrado entre otros por:

—Adolfo Miguel Donda Tigel, alias "Jerónimo" o "Palito" o "Dunda", capitán de fragata (R), director suplente de Zapram SA. Fue jefe de Inteligencia de los grupos de tareas de la ESMA.

—Víctor Hugo Dante Dinamarca, alias "el Chango", accionista de Skycab SA, de Asistencia de Vehículos Comerciales SA y socio gerente de Bridees SRL; oficial del Servicio Penitenciario Federal (R), quien fuera el contacto de la ESMA con el servicio penitenciario.

—Carlos Orlando Generoso, presidente de Zapram SA y socio gerente de Zapram SRL, suboficial (R) del Servicio Penitenciario Federal.

—Juan Carlos Cociña, vicepresidente de Zapram SA y empleado de Bridees SRL, suboficial (R) del Servicio Penitenciario Federal.

—Marcelo Claudio Carmona, alias "Choper", presidente de Zapram Technical SA y socio gerente de Zapram SRL, suboficial (R) del Servicio Penitenciario Federal.

—Juan Carlos Castillo, alias "la Serpiente", vicepresidente de Zapram Technical SRL, vinculado a Bridees SRL, suboficial (R) del Servicio Penitenciario Federal.

—Héctor Francisco Montoya, socio gerente de Bridees SRL, suboficial (R) del Servicio Penitenciario Federal.

—Domingo Osvaldo Montoya, hermano del anterior.

—Alberto González Menotti, alias "Gato", oficial de la Armada, retirado.

—Roberto González, alias "Federico", oficial principal de la Policía Federal Argentina. Exonerado de la institución.

—Roberto Naya, alias "Hernán" o " Paco", oficial del Servicio Penitenciario Federal (R).

—Ramón Vallejos, suboficial de la Armada. (Sería especialista en intercepciones telefónicas.)

—Aristóbulo Nicanor Moreira, alias "el Negro", oficial de la Armada.

—Un civil de apellido Alorenzano, alias "Ratón", ex detenido en la ESMA y que actualmente estaría encargado de la inteligencia del grupo.

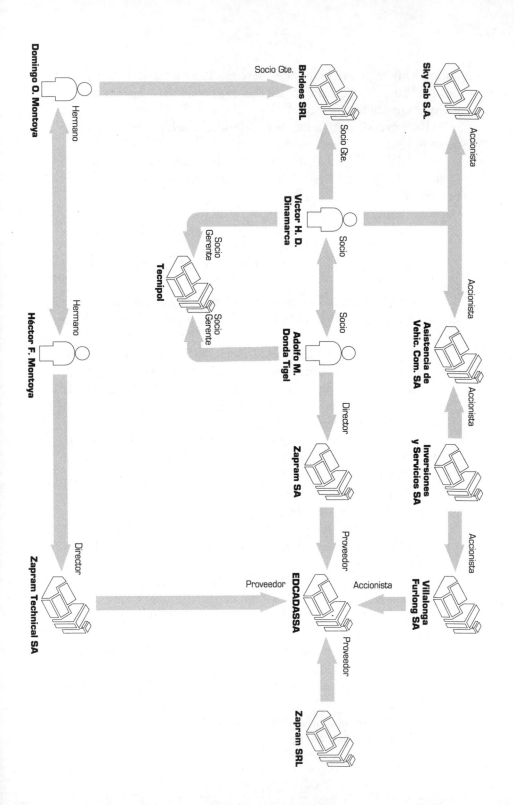

—Un militar de apellido D'Imperio, alias "Abdala", capitán de navío de la Armada.

—Otro militar de apellido Radice, oficial de la Armada del escalafón auditores.

—Jorge Eduardo Acosta, alias "el Tigre", capitán de navío de la Armada.

—Enrique Peyón, alias "Mochila" o "Giba", capitán de fragata de la Armada.

—Un civil de apellido Angelletti. (Sería experto en explosivos.) Actualmente detenido por un hecho ocurrido en Esquel.

—Fernando Luis Zizzutti, cabo del Ejército Argentino exonerado de la institución.

—Alejandro Rabufetti, director de Orgamer SA, civil, mano derecha de Dinamarca. (Trabajaría en el seguimiento de personas.)

—Miguel Angel Caridad, socio fundador de Bridees SA. suboficial del Servicio Penitenciario Federal.

—Grandoglio, comisario de la Policía Federal Argentina, encargado de operar la documentación personal del grupo, haciendo valer sus conexiones en la fuerza para acelerar trámites.

Con el retorno de la democracia este grupo comienza a reunirse en la sede del Servicio de Inteligencia del Servicio Penitenciario Federal, sita en Varela al 400 de la Capital Federal, que por entonces conducía un oficial de apellido Vallarino con el auspicio del director del cuerpo de apellido Neuendorf (alias "Neuman").

Su contacto con Alfredo Enrique Nallib Yabrán se establece a través de un íntimo amigo de éste y de Dinamarca, el doctor Enrique Carlos Schlegel, ex integrante del Servicio Penitenciario Federal.

Los jefes actuales del grupo serían Dinamarca, Donda Tigel y Naya.

El grupo opera y ha operado utilizando sociedades, entre ellas:

—Zapram SA y Zapram SRL se dedicaban a proveer seguridad a empresas del grupo, en especial a las que operan en el Aeropuerto de Ezeiza: Intercargo SA, Interbaires SA y Edcadassa. Quebraron después de una sospechosa denuncia. Durante mi gestión como ministro se inició la investigación por la evasión impositiva que permitió al grupo descargar una suma millonaria de impuesto al valor agregado (véase texto central del libro).

—Zapram Technical SA., además de realizar las tareas de las otras Zapram, operaba en la intermediación de equipo electrónico de inteligencia y contrainteligencia.

—Bridees SRL, que está a cargo de Dinamarca, se encarga de proveer seguridad a las empresas del grupo, en especial a Villalonga Furlong SA, Oca y a todas las que integran el subgrupo Inversiones y Servicios SA. También presta seguridad personal a Alfredo Yabrán, en especial en su casa, oficinas y desplazamientos. Ha incorporado o tenido en su relación de dependencia al personal que integraba el grupo Zapram.

—Servicios Quality Control SA está a cargo de Donda Tigel y se encarga de proveer seguridad en el Aeropuerto de Ezeiza. Es la continuadora con personal, bienes y "clientes" de las sociedades Zapram. Con tal "continuidad" se sustrajeron de la quiebra los bienes que correspondían a los acreedores de las Zapram, entre ellos el Estado de la Nación argentina. Brinda también servicios de seguridad a Transportes Vidal SA.

—Orgamer SA tenía los contratos de servicios médicos, limpieza y seguridad de Intercargo SA. Eran contratos tan leoninos y simulados que obligó a que el Estado nacional se negara a reconocerlos cuando el "grupo" le transfirió el paquete accionario de Intercargo SA. Existen pleitos planteados por este asunto que se ofrecen como prueba.

—Tecnipol SRL es una sociedad de larga data dedicada a la provisión de elementos de seguridad para fuerzas armadas y policiales, que fuera adquirida por el grupo en 1993.

El altísimo grado de vinculación de todas estas sociedades surge del gráfico que se acompaña.

LAS CONEXIONES

Tecnipol SRL
Sociedad creada en comandita por acciones el 7 de noviembre de 1966 y transformada en SRL el 9 de febrero de 1977, cuyo objeto social es la *"industrialización y/o comercialización de equipos y elementos utilizados por fuerzas policiales o de seguridad, investigación criminal, pericia, inteligencia e identificación".*

El 21 de octubre de 1993, mediante cesión de cuotas inscripta el 1° de diciembre de 1993, se incorporan como socios Adolfo Miguel Donda Tigel, argentino, nacido el 1° de junio de 1946, casado, empresario, LE 8.345.054, domiciliado en Tres Sargentos 1435, Martínez, provincia de Buenos Aires, y Víctor Hugo Dante Dinamarca, argentino, nacido el 23/12/44, soltero, empresario, LE 4.519.197, domiciliado en Saraza 5310, Capital Federal, sobre cuyas actividades ya he dado cuenta, quienes también son designados únicos administradores.

En esa misma fecha cambia el domicilio social a Presidente Roque Sáenz Peña 1119, 9° piso, oficina 13, de la Capital Federal. El mismo sitio donde tenía sus oficinas el grupo Zapram.

Servicios Quality Control SA

Es una sociedad creada por Donda Tigel y Alejandro Alberto Di Pasqua en septiembre de 1993, con el objeto de reemplazar a parte del grupo Zapram que ya tenía serios problemas con la DGI. Ambos socios integraban el órgano de administración de la sociedad. En la asamblea del 22 de noviembre de 1993 (casi inmediatamente de la creación) desaparece Di Pasqua de la sociedad y se incorpora Norberto Fernando Irazoqui como accionista. También Donda Tigel desaparece del directorio y se designa a Aristóbulo Nicanor Moreira como presidente, quien es también director de la revista *Tecnipol* que publica la sociedad homónima.

Bridees SRL

Las vinculaciones con el grupo ya fueron descritas más arriba. Cabría agregar sobre esta empresa que la mayoría de los integrantes de los órganos de administración del grupo Zapram fue o es empleada de Bridees SRL.

Toda esta estructura de seguridad se basaba en la provisión de servicios a las empresas del "grupo", dividiéndose entre las tareas relacionadas con el Aeropuerto de Ezeiza —que estaba a cargo de Donda Tigel y Zizzutti— y el tema específicamente postal —que estaba a cargo de Dinamarca—. Las oficinas funcionan en Paraná 597, 6° piso, of. 36, y piso 7°, of. 47, y Paraná 641, 2° piso, dptos. A y B, de la Capital Federal, todas ellas oficinas de Bridees SA.

Tanto fue el exceso de facturación que generó el "subgrupo Zapram" a sus "clientes" (parte del "grupo" que opera en Ezeiza), conforme lo declarara en el Congreso de la Nación, que cuando la DGI los inspecciona deciden urdir la maniobra que se detalla seguidamente.

Se declara que les han robado un vehículo en el que, según la denuncia que hacen, tenían todos y cada uno de los documentos de las tres sociedades e, incluso... ¡la computadora donde estaba toda la contabilidad! Así, con este grosero ardid, Zapram SA, Zapram SRL y Zapram Technical SA *solicitan su quiebra*.

Mientras tanto, sus "clientes" Intercargo SA, Interbaires SA y Edcadassa se quedan con el crédito fiscal por IVA facturado por las ya quebradas.

El broche de oro a la desfachatez e impunidad del grupo se pone de manifiesto cuando deciden traspasar el personal de las tres Zapram a Bridees SRL, Servicios Quality Control SA y Tecnipol SA. Así, por caso, Caridad, Carmona y Generoso, luego de quebrar Zapram, pasan a trabajar para Bridees SA.

1. MAILCORP SA

El señor Alejandro Morales —jefe de personal de la empresa— fue privado de su libertad, sufrió lesiones y recibió amenazas entre el 30 y el 31 de diciembre de 1991. Intervino en el caso la Comisaría 2ª de la Capital Federal y la causa tramita ante el Juzgado Nacional de 1ª Instancia en lo Criminal de Instrucción Nº 6, a cargo del doctor Roberto Enrique Hornos.

Posteriormente, Néstor Elías, perteneciente a Encotel, denuncia ante la Comisaría 15ª de la Capital Federal que Mailcorp SA había sustraído de Encotel los bolsos de correo que utilizaban sus carteros. La falsa denuncia acarrea la detención de carteros de la empresa y la clausura judicial del local de Mailcorp SA, sito en Bolívar 879 de la Capital Federal, un día viernes de un fin de semana largo. Cuando esto ocurre, provoca gran perturbación en las actividades de la empresa que había obtenido un cliente importante y tenía gran cantidad de correspondencia para clasificar. La Justicia levantó la clausura en el primer día hábil siguiente cuando se acreditó mediante las facturas correspondientes la propiedad genuina de las bolsas de correo como pertenecientes a Mailcorp SA, pero el perjuicio a la empresa ya estaba logrado.

2. ABEL CUCHIETTI

Luego de abrir el registro de permisionarios hasta entonces cerrado a unas pocas empresas, el interventor de Encotel, Abel Cuchietti, sufrió diversos atentados:

El día 6 de agosto de 1992 interceptaron a Cuchietti a la salida de su domicilio en Marcelo T. de Alvear 1185 de la Capital Federal, y fue duramente agredido en su pierna derecha. El diagnóstico determinó doble fractura de peroné derecho. El agresor, que fue perseguido por los colaboradores de Cuchietti, logró escapar en un automóvil donde lo aguardaba otro sujeto que amenazó a aquéllos con un arma.

De las actuaciones —causa N° 63.871 del Juzgado en lo Criminal de Instrucción N° 27, Secretaría N° 106, caratulada "Cuchietti, Abel O. s/denuncia atentado y lesiones", iniciada el 6 de agosto de 1992— también surge que su secretario privado Miguel Angel Altimari, desde veinte días antes del atentado referido, venía recibiendo en su domicilio amenazas telefónicas contra su persona y la del señor Cuchietti, en las que se le decía: "Vos y Cuchietti van a ser boleta".

Con posterioridad, el 17 de agosto, se volvieron a recibir amenazas por la misma línea telefónica, en este caso a la señora Rosa Medina de Altimari, a la cual se le dijo: "Cuchietti y tu marido Miguel van a ser boleta."

Pocos meses después, el 16 de diciembre de 1992, explotó una bomba causando daños frente al inmueble de la calle Las Canarias N° 70, en el Barrio Argüello, de Córdoba. En Las Canarias N° 60, al lado de la casa afectada, se domiciliaba el señor Cuchietti.

Ese mismo día, con muy poca diferencia de tiempo, sufrió un atentado la empresa postal Cargo SA. Recientemente fue objeto de un nuevo atentado, en la misma ciudad, frente al inmueble del Boulevard Los Alemanes 125, Barrio Los Boulevares, lugar donde funcionaba un depósito de la permisionaria postal. La empresa Cargo SA había sido autorizada como permisionaria durante la gestión de Cuchietti en Encotel y acababa de ganar una licitación del Banco Israelita de Córdoba.

El señor Cuchietti sufrió otra amenaza al recibir en su domicilio, el 15 de abril de 1993, a través del servicio Oca-Pak, una encomienda rectangular dirigida a él con remitente de la librería "El Trébol" de Capital Federal, que contenía un libro titulado *Abriendo las puertas de tu interior*, cuyas páginas se hallaban caladas, y dentro de esa cavidad había un trozo de masilla o plastilina sobre el cual un papel decía: "Si fuera verdad no podrías leerlo porque morir (*sic*)". Las actuaciones sumariales fueron encontradas el 19 de septiembre de 1995 traspapeladas entre otros sumarios.

El señor Cuchietti me hizo saber que estaba íntimamente convencido de que los autores de esos atentados eran los del "grupo", que —según él— era el conjunto de empresas controladas por Alfredo Enrique Nallib Yabrán y nucleadas en la Asociación de Permisionarios de Encotel (APE), e hizo referencia a Oca, Ocasa, Villalonga Furlong y Skycab SA.

En la investigación del caso, el referido Cuchietti trajo a colación un dictamen de la Sigep respecto de una licitación postal, de donde surgía que las empresas Ocasa y Oca "conforman un solo conjunto económico y están administradas por un mismo directorio".

3. Guillermo Seita

El señor Guillermo Seita, que se desempeñaba como secretario de Relaciones Institucionales en el Ministerio de Economía y Obras y Servicios Públicos, sufrió el estallido de una bomba en su casa en la ciudad de Mar del Plata el 5 de septiembre de 1992. Intervino en la causa el doctor Cangiani, juez federal de Mar del Plata, provincia de Buenos Aires.

Tiempo después, el 14 de enero de 1993, en el domicilio particular del mencionado secretario Seita, su mujer —Teresa Soalleiro de Seita— recibió a través de la empresa de correo privado Oca una extraña encomienda que "tenía el aspecto de un libro". La señora de Seita abrió la encomienda y encontró un ejemplar del libro *Más allá de la vida* de Víctor Sueyro, que estaba hueco por dentro y tenía un mensaje que decía: "Esta vez fue de juguete. Si hubiera sido de verdad no alcanzabas a leer el libro". El mismo doctor Cangiani intervino en la causa por amenazas e intimidación pública.

El señor Seita me comentó que no "descartaba que tales actos hubiesen sido ordenados por Yabrán".

4. Transclear SRL

Transclear SRL era un correo privado que, luego de la desregulación, se presentó en el concurso privado de precios que realizó Telefónica de Argentina (concurso privado de precios 439/93) para la distribución de cartas facturas. El 22 de octubre de 1993 Telefónica abrió el concurso: las ofertas más bajas fueron las de Encotesa y Transclear.

En la madrugada del 20 de noviembre de 1992, a la 1:30 horas, desde un automóvil se realizaron tres disparos de armas de fuego de grueso calibre contra el frente del local de Transclear SRL, sito en Avenida Cobo 1232, en la Capital Federal. Ese hecho fue denunciado en la Comisaría 12ª e intervino el Juzgado de Instrucción del doctor Julio Marcelo Lucini, secretaría del doctor Gabriel Presa.

En el mes de abril de 1994 Telefónica decidió otorgarle una parte del contrato a Transclear y otra a Encotesa.

El día 18 de abril, en el mismo local de Transclear SRL explotó una bomba que dañó no sólo el local sino también vehículos estacionados y locales vecinos. Intervino la Comisaría 12ª y el Juzgado de Instrucción del doctor Adolfo Calvete, secretaría del doctor Rodolfo Cresseri.

En la comisaría un gerente de la empresa, Antonio Luis Gómez Dolzer, dijo: "Que hace tres meses sufrieron otro atentado mediante disparos de armas de fuego, que para la época existían problemas de índole comercial con una empresa de plaza denominada Ocasa pero no puede asegurar que el atentado tenga que ver con esa situación". Se ofrece como prueba la causa N° 37.096 del Juzgado en lo Criminal de Instrucción N° 15, a cargo del doctor Adolfo Calvete, Secretaría N° 146 del doctor Rodolfo Cresseri, caratulada "Cejudo, Omar (Emp. Transclear) s/denuncia intimidación pública. Querellante: Gómez Dolzer, Antonio Luis".

En la referida declaración testimonial también se hace referencia a lo que el testigo consideró un anterior atentado perpetrado en perjuicio de la empresa: al despacharse una encomienda resultó ser que ésta contenía droga, derivando en la detención de dos empleados y el secuestro de la camioneta que la transportaba. Se instruyó sumario por infracción a la ley 23.737 con intervención del Juzgado Federal N° 9; el testigo atribuía dichos hechos a la disputa comercial.

5. PABLO ROJO

El licenciado Pablo Rojo era secretario de Desregulación, y como tal lideró la redacción del decreto N° 1187/93, del 10 de junio de 1993, que desreguló el mercado postal. A los pocos días de publicado el decreto, Rojo fue amenazado de muerte. Intervino la Comisaría 17ª.

6. LUIS CEROLINI

En medio de la discusión sobre la contratación de los servicios de correos del Banco Hipotecario Nacional, en los que se pretendía descalificar a Encotesa de la licitación efectuada, el doctor Luis Cerolini —vicepresidente de ese Banco— sufrió un atentado en su domicilio.

El anterior proveedor del servicio de correo del Banco era Ocasa, que hacía los envíos a zonas no rentables a través de Encotesa. El vicepresidente Cerolini se oponía a dejar afuera de la licitación a Encotesa y dejó sentada su posición en el acta de directorio N° 1885 del 15 de junio de 1994. (El caso se describe en el capítulo "La mafia de los correos", en el cuerpo central del libro.)

El 18 de julio por la noche el domicilio particular de Cerolini fue violado, le sustrajeron una gran cantidad de bienes, y le destrozaron otras pertenencias. Intervino la Comisaría 27ª y el Juzgado de Instrucción del doctor Sergio Gabriel Torres, secretaría de la doctora Fabiana Palmaghini.

7. Bomba en Encotesa

El día 21 de octubre de 1994 estalló una bomba en el edificio Bruno Ramírez de Encotesa. La empresa había demostrado ya su viabilidad como tal, es decir, que podía prestar servicios en forma eficiente, competitiva, ganando mercados ante el resto de los prestadores postales.

Se hizo la pertinente denuncia, intervino la Comisaría 46ª y el juez de instrucción doctor Nerio Bonifatti, secretaría del doctor Pablo Gasipi.

8. Seprit Postal-Servicio Privado de Transporte SA

El 19 de noviembre de 1992 se produce el asalto a un vehículo al servicio de Seprit SA, y se le sustrae la carga que llevaba. Este hecho ocurrió en jurisdicción de la Subcomisaría 71ª de la localidad de San Pedro, provincia de Buenos Aires.

El 26 de mayo de 1995 un atentado explosivo en la sucursal Rosario produce heridas gravísimas a un empleado de la empresa. Este hecho se tramita por ante el Juzgado de Instrucción de 12ª Nominación de Rosario, provincia de Santa Fe.

Pocos días después, el 9 de junio, se produce el asalto e intimidación a un chofer de un vehículo de Seprit SA. La denuncia está radicada en la Seccional 11ª de la ciudad de Córdoba.

El 12 de agosto de 1995 se produce un asalto en la sucursal Buenos Aires de Seprit SA: en presencia de personal de la firma se destruye la puerta interior de las oficinas.

1. Expreso Los Pinos SRL

Esta empresa se inició en la ciudad de Paraná, provincia de Entre Ríos. Originariamente estuvo integrada por los hermanos Mario Alberto y Enrique Carlos Harispe, junto con una persona de apellido Aizcorbe que, al tiempo, se separó y creó una empresa de correo privado llamada Aizcar SA.

Expreso Los Pinos trabajaba como empresa de transporte de correspondencia interbancaria (en especial *clearing*) desde mediados de la década del 70, época en que se había incrementado notablemente el movimiento de cheques. Recién el 10 de abril de 1980 obtuvo de Encotel la autorización para operar como permisionario en todo el país. Hasta aquí la historia de muchos permisionarios que empezaron clandestinamente y luego se "blanquearon" obteniendo un permiso. Ya en 1980 la empresa tenía servicios en todas las provincias del Norte del país, desde el litoral hasta la cordillera. Allí empezaron sus problemas con el "grupo".

En 1981 hacían el *clearing* del Banco de la Nación Argentina de casi todo el Noroeste y Noreste del país. De un día para otro un coronel que cumplía funciones en el Banco de la Nación se comunicó con los administradores y les informó (telefónicamente) que su contrato se rescindía por razones de seguridad nacional. En forma inmediata inició sus servicios para el Banco en esa zona la empresa Ocasa. Luego de esta rescisión, Expreso Los Pinos SRL comenzó a tener dificultades económicas.

A mediados de 1984 comenzó a trabajar para la empresa Hugo Benjamín Lifschitz, quien promovió una reunión entre Alberto Harispe y Alfredo Enrique Nallib Yabrán. La reunión se realizó en el restaurante de la Cámara de Sociedades Anónimas, Florida 1, de la Capital Federal, y según los dichos de Harispe, Alfredo Yabrán le dijo que tenía que venderle la empresa a un precio irrisorio. El almuerzo terminó en una discusión. Posteriormente, Harispe se reunió una vez más con Alfredo Yabrán en un bar.

La verdadera guerra comenzó cuando los Harispe no se avinieron a "negociar" con Alfredo Yabrán.

El 29 de noviembre de 1984 se produce la apertura de la licitación 32/84 de *clearing* para el Banco del Chaco. Las ofertas allí presentadas fueron la de Expreso Los Pinos SRL por $ 3.530.000; la de Oca por $ 9.637.051; la de Ocasa por $ 7.420.240; la de Villalonga Furlong SA por $ 8.149.000, y la de Inter-Car SA por $ 4.892.991. El 19 de diciembre el Banco del Chaco adjudicó la licitación a Expreso Los Pinos SRL, cuya oferta era la más baja. Todos los demás oferentes impugnaron, pero Inter-Car SA inició además una fuerte campaña para tratar de que se anulara la licitación. Así, publicó varias solicitadas en los principales diarios de Resistencia cuestionando la licitación y a las autoridades del Banco. Estas solicitadas fueron publicadas los días 2 de enero, 24 de enero, 14 de marzo y 1° de abril de 1985.

Expreso Los Pinos SRL había comenzado a prestar el servicio el 2 de enero de 1985.

En los meses de enero y febrero de 1985 dos camionetas de Los Pinos fueron sacadas de la ruta en forma sospechosa.

El día 9 de marzo de 1985 se produjo un atentado incendiario en el garaje de Expreso Los Pinos SRL en Resistencia. Allí se incendió una camioneta y gracias a la acción de los bomberos se evitó que el fuego se extendiera a otros vehículos estacionados. La policía encontró un bidón que había contenido nafta y una linterna. Los elementos no eran de la empresa.

En ese período se sucede una cantidad de pedidos de informes de la Cámara de Diputados provincial, denuncias de sindicalistas y de políticos por el tema de la licitación del Banco del Chaco.

El día 10 de abril de 1985 la Municipalidad de Resistencia clausuró (con gran cobertura periodística) el local de Expreso Los Pinos SRL. La clausura fue levantada por el Superior Tribunal de Justicia el 10 de mayo, pero el daño ya estaba hecho. Quien se ocupaba de "mover" a la Municipalidad en contra de la empresa era Roberto Prieto.

Hugo Benjamín Lifschitz era un viejo conocido de los Harispe y comenzó a trabajar para Expreso Los Pinos SRL en el mes de junio de 1984, como apoderado general. A medida que se fue enterando de los conflictos de la empresa con el "grupo" sostuvo la posición de llegar a un arreglo con Alfredo Yabrán, pero los Harispe se negaron a ello.

En el mes de diciembre de 1984, sin que los Harispe hubieran llegado a arreglo alguno, Lifschitz se desvincula de la empresa y comienza a trabajar en Inter-Car SA, la archienemiga de Los Pinos. Pero lo más curioso es que no comienza en un cargo de menor responsabilidad, sino nada menos que como ¡presidente del directorio!, es decir, el cargo de mayor confianza de los dueños.

En la primera mitad de 1985 Lifschitz comienza a comprar créditos de terceros contra Expreso Los Pinos SRL o sus propietarios, en un intento de ahogarlos económicamente e impedirles continuar con su actividad y con el contrato del Banco del Chaco, visto que en todas las ejecuciones que inicia se solicita que se embarguen cuentas o créditos de Los Pinos en el Banco del Chaco.

Algunos de esos créditos por los cuales Lifschitz inicia acción contra los Harispe o su empresa tienen un origen extremadamente llamativo.

Por ejemplo, el 19 de junio de 1985 Mario Harispe denuncia que le fue sustraído un portafolio de su auto, que contenía, entre otras cosas, dos cheques. Eran cheques librados por Expreso Los Pinos SRL y entregados a terceros que habían sido rechazados y que Harispe había recuperado pagando la deuda a sus tenedores. Uno de los cheques era contra el Banco del Chaco y el otro contra un banco de Paraná, Entre Ríos. Por ello, en caso de ejecutarse, debían presentarse ante los tribunales de esas provincias.

Expreso Los Pinos SRL recibe dos demandas por las cuales se embargan sus créditos en el Banco de Chaco, demandas motivadas en esos cheques que les habían sido robados.

El cheque contra Banco del Chaco fue ejecutado como propio por un abogado de nombre Luis Ise.

El cheque de Paraná, Entre Ríos, fue ejecutado por Alfredo Torrillo, un ferroviario jubilado de muy escasos recursos, domiciliado además en la Capital Federal. Este modesto jubilado ferroviario también promovió otras causas contra los Harispe y Expreso Los Pinos SRL. Para ello obtuvo créditos contra ellos en distintas entidades. Así compró, además del cheque, el crédito que tenía OSECAC contra Los Pinos que había sido instrumentado en un convenio de pago que la empresa no había podido cumplir, y el crédito por saldo deudor de Expreso Los Pinos SRL en el Banco de Paraná, que luego ejecutó. Lo notable es que, en ambos casos, el precio pagado por el jubilado *fue el total del crédito* y que en ambos juicios solicitó el embargo sobre el crédito que tenía la empresa por realizar el clearing del Banco del Chaco.

También se adquirieron otros créditos contra Expreso Los Pinos SRL. Así, Lifschitz compró un crédito al Banco Comercial del Norte SA, pagando él por cuenta y orden de Jorge Goncevatt.

Lifschitz, presidente de Inter-Car SA, compró también una hipoteca bancaria que gravaba la propiedad particular de Mario Harispe y la ejecutó.

Osvaldo Horacio Mori compró un crédito contra Expreso Los Pinos SRL al Banco de Coinag Cooperativo garantizado por una hipoteca sobre el domicilio de Los Pinos en Paraná y lo ejecutó.

Nadie podría dudar de la legalidad de comprar créditos de terceros, pero si ello se hace para perjudicar la actividad comercial de un competidor es cuanto menos una práctica desleal. Por ello los dueños de Expreso Los Pinos SRL no promovieron causas penales por las cesiones de créditos. Sin embargo, sí la promovieron por la ejecución de los cheques que les fueron robados. Y es en esa causa donde surgen datos que ponen al descubierto que también detrás de la ejecución de los cheques robados estaba Lifschitz, el presidente del directorio de Inter-Car SA.

De esa causa surge que Torrillo (el jubilado), nunca viajó a Paraná, sino que dio un poder a un abogado de esa ciudad, Osvaldo Raúl Schmukler, por correo y sin conocerlo. Que ese abogado era íntimo amigo de Lifschitz. Que el jubilado ejecutó el cheque por pedido de Lifschitz. Que el jubilado desconocía que, en su nombre, se habían adquirido y ejecutado otros créditos contra Expreso Los Pinos SRL.

Todo ello es reconocido en la causa por el propio Lifschitz, quien también reconoce que entregó el cheque robado que ejecutó Ise en Resistencia, y cuando es preguntado por el Juzgado sobre las circunstancias en que obtuvo los cheques, dice que fue llamado por teléfono a su oficina por una persona que no conocía, quien le ofreció los cheques. En ese acto, y sin firmar papel alguno, recibió los cheques y pagó el precio de ellos *por el importe total de los mismos*.

El jubilado contó con la asistencia del mismo abogado defensor que Lifschitz.

Al mismo tiempo que Los Pinos afrontaba estos problemas, Ocasa e Inter-Car SA realizaban denuncias contra la empresa y, a pesar de que fueron desestimadas, Encotel resuelve no renovar el permiso.

La abogada de Expreso Los Pinos SRL en Resistencia, doctora Fromglia, se contactó con Lifschitz y organizó una reunión con él y con el gerente de Expreso Los Pinos SRL, de apellido Andrade. Dicha reunión se realizó el 19 de agosto de 1985 en el estudio de la abogada y fue grabada casi en su totalidad sin que Lifschitz lo supiera. Ese mismo día Lifschitz concurrió al local de Los Pinos para incitar a un paro y allí fue sometido a vejámenes, hecho por el cual fue condenado Enrique Harispe y otras personas.

Pero la grabación de la reunión fue presentada ante la Fiscalía de Investigaciones Administrativas, entonces a cargo del doctor Molinas, como prueba de una denuncia que realizaron los Harispe. (Los casetes obran en la mencionada Fiscalía.) De esa grabación surge que Lifschitz pretendía generar un paro del personal de Expreso Los Pinos SRL para que no pudieran prestar el servicio. Que Lifschitz mantuvo una conversación con Alfredo Enrique Nallib Yabrán en la que éste le propuso darles la licitación del Banco de Entre Ríos a cambio del 10% de Expreso Los Pinos SRL y que Harispe no aceptó. Que Alfredo Yabrán tenía como objetivo destruir a Expreso Los Pinos SRL. Que Lifschitz reconoce haber comprado todos los créditos contra Expreso Los Pinos SRL y contra Mario Harispe para destruirlos. Que el pliego de condiciones original del Banco del Chaco estaba hecho a la medida de Ocasa y que él lo hizo modificar para que pudiera entrar Expreso Los Pinos SRL. Que Ocasa produjo los atentados contra Expreso Los Pinos SRL. Que quien le presentó al doctor Ise para que ejecutase los cheques fue el "Gordo" Roberto Prieto, representante de la empresa 9 de Julio SA y luego gerente de Regiones del interior del país de Encotesa.

En los hechos relatados participaron, además de los nombrados, Antonio Jorge Horacio Tiesi, Osvaldo Raúl Schmukler, Alfredo Torrillo y Vicente Constantino Tur.

Cabe recordar, por último, que la empresa Inter-Car SA, en la que Lifschitz ingresara directamente como presidente del directorio, no existe más como tal, al haberse fusionado con la empresa Skycab SA.

El domicilio y los números de teléfono que denunciaba en aquella época Inter-Car SA actualmente pertenecen a Aylmer SA, sociedad que Alfredo Yabrán reconoce como propia.

Ise fue y es apoderado de la empresa 9 de julio SA que realiza la recolección de basura en la ciudad de Resistencia y que es otra de las empresas controladas por Alfredo Yabrán.

Uno de los apoderados de la empresa antes mencionada fue Roberto Prieto, de íntima vinculación con Alfredo Yabrán, tal como lo mencioné antes.

Jorge Bertoldo, que fue el inspector sumariante en el expediente por el cual se rescinde el contrato de Los Pinos con el Banco de la Nación, al jubilarse ingresó a trabajar en Ocasa.

2. CICCONE CALCOGRÁFICA SA

Ciccone Calcográfica SA estaría desde hace un tiempo bajo el control de Alfredo Yabrán. El "procedimiento" para ello, según se me refiriera, fue a través de un crédito por una suma de aproximadamente U$S 25.000.000, que supuestamente la Banca della Svizzera Italiana otorgara a Ciccone Calcográfica SA y que la empresa no pudo restituir.

Dicho crédito sería de acreedor supuesto por cuanto en realidad el crédito estuvo dado con fondos de Yabrán. En efecto, el 19 de enero de 1995, como parte de su aporte para "solucionar" los problemas financieros que tenía la provincia de Córdoba, Alfredo Yabrán depositó la suma de U$S 25.000.000, a una tasa del 14% anual con vencimiento el día 19 de abril de 1995 en el Banco de la Provincia de Córdoba. Se instrumentaron dos certificados: el 101.538 C por U$S 6.700.000 a nombre de María Cristina Pérez y el 101.539 C por U$S 18.300.000, a nombre de su cónyuge Alfredo Enrique Nallib Yabrán. Producido el vencimiento, los cónyuges Yabrán ordenaron al Banco de Córdoba girar los fondos a la cuenta de su titularidad 8A51420A en la Banca della Svizzera Italiana, sucursal Nueva York.

Esta relación de triangulación de la deuda de Ciccone Calcográfica SA, que se probará durante el trámite de esta causa, explica —entre otros motivos— la razón de las asociaciones de las empresas en licitaciones tan cuestionadas como lo son la de provisión de pasaportes y de documentación automotor, u otros negocios.

Alberto Isaac Chinkies, quien fuera director y gerente general de Ocasa, ya mencionado en relación con lo sucedido a la empresa Rhodas, hoy detenta el cargo de gerente general de Ciccone Calcográfica SA. ¿Casualidad? Quizás no, por cuanto Alberto Isaac Chinkies trabajó con anterioridad a su ingreso al "grupo" en la empresa Burroughs, de donde fue despedido junto con otro trabajador de esa empresa: Alfredo Enrique Nallib Yabrán.

Mientras me desempeñaba como ministro, recibí en audiencia al señor Ciccone, quien me solicitó apoyo para conseguir un crédito sustitutivo del que —según me refirió— le había hecho dar Alfredo Yabrán por intermedio del Banco della Svizzera Italiana y cuyos intereses se le hacían insoportables.

En esos días viajé a los Estados Unidos de Norteamérica y me entrevisté con Alex Watson, subsecretario de Asuntos Interamericanos del Departamento de Estado. Este se interesó por la relación entre Ciccone Calcográfica y Alfredo Yabrán, porque estaban considerando la liberalización del requisito de la visa para los pasaportes argentinos y —según me comentara el funcionario americano— la posibilidad de que Alfredo Yabrán controlara a Ciccone Calcográfica hacía poner en dudas tal disposición. Yo le expliqué que Ciccone se encontraba en la búsqueda de líneas alternativas de financiamiento en bancos argentinos, de los que era proveedor de chequeras, bonos, etc. Esto satisfizo al subsecretario Watson y poco tiempo después los pasaportes emitidos por la República quedaron eximidos del requisito de la visa.

Algunas semanas más tarde me llegó el comentario de que el señor Ciccone no había conseguido créditos sustitutivos del que tenía con Alfredo Yabrán, por lo cual su empresa no había sido merecedora de los mismos.

3. DHL

DHL Internacional SRL se constituyó en 1979 entre dos ciudadanos británicos y era administrada desde Montevideo debido al escaso movimiento que había con el país en ese entonces, por las normas de correo. Se dedica al servicio de courier, y como tal está adherida a la organización internacional DHL.

Cuando estalla la Guerra de las Malvinas y se decreta la indisponibilidad de los bienes británicos, los socios originarios de la sociedad deciden venderla a sus abogados, Ricardo A. Giacchino y Carlos Roberto Mackinlay. Estos adquieren en la proporción del 90% el primero y 10% el segundo. Posteriormente, Giacchino niega la calidad de socio de Mackinlay imputándole la de ser su testaferro, lo cual desencadena un juicio entre Giacchino y Mackinlay que dificulta la administración de la sociedad.

Las presiones sobre la empresa empezaron en noviembre de 1986 con una denuncia anónima por el origen británico de DHL Internacional, recibida por la Fiscalía Nacional de Investigaciones Administrativas a cargo del fiscal Molinas. Allí contaban con la "colaboración" del hijo del titular de la dependencia.

También la Aduana realiza una cantidad de procedimientos de intercepción y apertura de la correspondencia, únicamente de DHL. En el procedimiento de abril de 1987 participó Roberto "Oreja" Fernández que trabajaba para Juan Carlos Delconte y era —según las publicaciones arriba mencionadas— "hombre de Yabrán".

El cuadro que sigue es un resumen de las presiones recibidas por DHL antes de entregarse.

Fecha	Generador	Impulsor	Acción
OCT/85	DENUNCIA ANÓNIMA	DGI	ALLANAMIENTO
NOV/86	DENUNCIA ANÓNIMA	FISC. NAC. DE INV. ADM.	DENUNCIA PENAL
ABR/87	DERIVADO DE ANTERIOR	ENCOTEL	NULIDAD DE LOS PERMISOS
ABR/87	"ORDEN SUPERIOR"	ANA	VERIFICACIÓN EN EZEIZA
AGO/87	INFORMANTE ANÓNIMO	JOSÉ CELESTINO BLANCO, DIP NAC.	DENUNCIA CONTRABANDO
OCT/87	DENUNCIA ANÓNIMA	FISC. NAC. DE INV. ADM.	INTERCEP. DE ENVÍOS DE ENTRADA EZEIZA
DIC/87	DENUNCIA ANÓNIMA	FISC. NAC. DE INV. ADM.	INTERCEP. DE ENVÍOS DE SALIDA EZEIZA
MAR/88	DENUNCIA ANÓNIMA	FISC. NAC. DE INV. ADM.	INTERCEP. DE ENVÍOS EZEIZA
MAR/88	DENUNCIA ANÓNIMA	FISC. NAC. DE INV. ADM.	INTERCEP. DE ENVÍOS EZEIZA
DIC/87	INFORMANTE ANÓNIMO	JOSÉ CELESTINO BLANCO, DIP NAC.	DENUNCIA FRAUDE EN RENTA POSTAL
MAR/88	INFORMANTE ANÓNIMO	CARLOS BELLO, DIP NAC.	DENUNCIA INFRACCIONES ADUANERAS
MAR/88	INFORMANTE ANÓNIMO	CARLOS BELLO, DIP NAC.	DENUNCIA INFRACCIONES ADUANERAS
JUL/88		FISC. NAC. DE INV. ADM.	DENUNCIA EVASIÓN RENTA POSTAL
AGO/88	INFORMANTE ANÓNIMO	JOSÉ CELESTINO BLANCO, DIP NAC.	DENUNCIA INFRACCIONES ADUANERAS
NOV/88	DIP. NAC. O. BORDA	FISC. NAC. DE INV. ADM.	VIOLACIÓN NORMAS CAMBIARIAS Y ADUAN.

En diciembre de 1987 se envía una circular anónima a los clientes de DHL informando que se realizaba contrabando mediante la utilización de los servicios de la empresa.

Entre septiembre de 1986 y 1988 se inicia una gran cantidad de trámites parlamentarios en relación con DHL, generados por los legisladores Roberto García, Osvaldo Borda, Roberto Sanmartino,

Carlos A. Alderete, José Celestino Blanco, Rogelio Papagno, Carlos Tenev, Oscar Fappiano, Héctor H. Dalmau, Miguel A. D'Alessandro.

En ese mismo período en Encotel se inician veintiséis sumarios contra DHL.

El diputado Sanmartino promovió juicio político contra el juez Virgolini por haber sobreseído a DHL en la denuncia que hiciera José Celestino Blanco.

Los diputados Carlos A. Romero, Eduardo González y Luis Manrique presentaron un proyecto de resolución pidiéndole al PEN que dejara sin efecto la autorización de DHL.

Todo lo relatado culmina con la firma de los siguientes acuerdos:

a) El reconocimiento de Giacchino a favor de Natalio Carlos Levitán (en comisión) de la propiedad del 50% de las acciones (el 28 de diciembre de 1988).

b) La "compra" de Giacchino a Mackinlay de la propiedad del 10% de las acciones y la firma simultánea de los desistimientos de acciones judiciales cruzadas (el 4 de enero de 1989).

Dichas operaciones se realizaron en el estudio del doctor Rodolfo Balbín, quien también firma el acuerdo con Natalio Carlos Levitán. El escribano que intervino fue Gonzalo de Azevedo.

Llamativamente, el 22 de febrero de 1989, esto es a un mes y dieciocho días del arreglo con el grupo, se suscribe un acuerdo de conciliación con Encotel que da por terminados todos los sumarios anteriores.

Giacchino sostiene que llegó a suscribir los contratos por las presiones a que fue sometido. Prueba de ello es que al día siguiente de los acuerdos dejó constancia de dicha circunstancia ante un escribano público. Durante el período que duró el control del "grupo", éste colocó a dos de sus empleados: Arnaldo Eduardo Verzura en el área de operaciones y a Juan Carlos García en el área comercial. Según refiere Giacchino se comenzó a derivar clientes para las empresas del "grupo", aumentando precios y dando la información de la clientela de la empresa.

Pero veamos algunos datos de quienes intervinieron en estos hechos:

—Carlos Roberto Mackinlay es director de Edcadassa, de Interbaires SA y fue síndico suplente de Intercargo SA.

—Rodolfo Balbín fue presidente y síndico titular de Ocasa.

—Arnaldo Eduardo Verzura es accionista de Skycab SA, director suplente y accionista de Franchise Service International SA.

—Gonzalo de Azevedo fue el escribano que constituyó Inversiones y Servicios SA; en la asamblea de Transportes Vidal SA, del 28 de octubre de 1992, aparece como apoderado de un accionista; también intervino en la constitución de Oca, de Inversiones y Servicios SA y de Edcadassa; escrituró gran parte de los inmuebles de Aylmer SA; es el escribano habitual de Oca, y escrituró, además, las propiedades adquiridas por Bosquemar Emprendimientos Turísticos SA.

—Natalio Carlos Levitán fue presidente y es apoderado de Aylmer SA, y es también síndico de Yabito SA, empresa reconocida expresamente como propia por Alfredo Yabrán.

—José Celestino Blanco fue gerente general de Edcadassa y es accionista (junto con su pareja) y director de Orgamer SA.

—Roberto Sanmartino, actualmente, es socio del hijo del ex fiscal Molinas y trabajan ambos para el grupo. Fue uno de los que hizo *lobby* en la Cámara de Diputados para que se tratase el proyecto de la ley de correos que tiene media sanción del Senado.

Después de que Giacchino desconociera la venta de acciones y las reivindicara para sí, fue amenazado. El 11/9/92, al regresar de Ezeiza, un camión de DHL fue asaltado.

Actualmente existen juicios cruzados que discuten la propiedad de las acciones. Estos juicios son:

—"Mackinlay, Carlos Roberto c/DHL Intenacional SA s/sumario", Juzgado Nacional de Primera Instancia en lo Comercial N° 21, Secretaría n° 42.

—"Mackinlay, Carlos Roberto c/Giacchino, Ricardo s/ordinario", Juzgado Nacional de Primera Instancia en lo Comercial N° 5, Secretaría N° 10.

—"Giacchino, Ricardo c/Mackinlay, Carlos Roberto s/ordinario", Juzgado Nacional de Primera Instancia en lo Comercial N° 5, Secretaría N° 10.

—"DHL Intenacional SRL c/Mackinlay, Carlos Roberto s/sumario", Juzgado Nacional de Primera Instancia en lo Comercial N° 15, Secretaría N° 29.

También en este caso, como en el de Expreso Los Pinos SRL, Yabrán tuvo participación directa presionando y amenazando a los propietarios de empresas de la competencia. El hecho lo relató el testigo Héctor Enrique Lanzani el día 11 de abril de 1995 en la causa que promoviera Giacchino. Allí el testigo relata un almuerzo que tuvieron Alfredo Yabrán, Rodolfo Balbín, Giacchino y él en el hotel Libertador en el mes de septiembre de 1988. Dice el testigo que Yabrán se jactó de manejar la Fiscalía Nacional de Investigaciones Administrativas y amenazó en reiteradas oportunidades a Giacchino. También dice el testigo que Yabrán hablaba de DHL como propia.

(*Nota del autor:* En la presentación ante el juez Urso se describen otros intentos de copamiento, con amedrentamiento y hechos de violencia sobre AB Transportes, Rhodas Cargo Service y Autocompensación SA.)

1. LICITACIONES "TRANSPARENTES"

En la carpeta institucional que presenta Ocasa, reconocida como propia por Alfredo Yabrán, en las licitaciones públicas, describe como características de los servicios que presta, las siguientes: *"a) una flota propia de más de 400 vehículos de la misma marca y modelo; b) un pañol de repuestos para los mismos de 4.000 ítems; c) un taller de mantenimiento, dotado del instrumental más moderno; d) todos los vehículos son pick-ups de la misma marca y modelo con carga útil de 750 kgs., carrozados con cúpula metálica semiblindada soldada a la caja, y e) todas están pintadas del mismo color. Además, esta empresa tiene a todo el personal que presta el servicio en relación de dependencia y uniformado".*

Tal como decíamos en el Congreso, el 23 de agosto de 1995, en *"muchas licitaciones convocadas por organismos oficiales"*, los pliegos *"repetían casi textualmente exigencias que se ajustaban con gran exactitud a las condiciones que ofrecen las empresas de este grupo, tal cual resulta de la folletería que distribuyen como publicidad".*

Pero además, para evitarse cualquier riesgo, *"se incluían también en dichos pliegos cláusulas que impedían la participación de Encotesa".*

En casi la totalidad de las licitaciones se exigía a los oferentes de los contratos de prestaciones postales: a) que presentaran los tres últimos balances; b) que tuvieran una antigüedad como empresa no inferior a tres o cinco años (Encotel se había transformado en Encotesa poco antes); c) que proveyeran flota de vehículos propios; d) que los vehículos fueran tipo pick up, con capacidad de carga de hasta 750 kg. y carrocería metálica, y e) otras cláusulas que excluían a Encotesa.

No se necesitan mayores argumentos para afirmar que constituye una irregularidad manifiesta exigir en los pliegos que los oferentes se ajusten estrictamente a las condiciones que ofrecen las empresas de un grupo determinado, y excluir con argumentos formales al correo oficial. Y lo más irregular de todo es que estas exclusiones hayan sido dispuestas por organismos estatales.

Además de las consideraciones generales antes referidas, que describen la "metodología", se pasó revista a una serie de casos particulares que acreditan la veracidad de lo afirmado. (La presentación judicial que realicé incluye doce casos: Banco Hipotecario Nacional, Ministerio de Justicia, ACA, Municipalidad de La Plata, Banco de la Ciudad de Buenos Aires, entre otras).

EL CASO ENCOTESA

"Licitación pública Policía Federal 1/95-Servicio de transporte y entrega de documentación puerta a puerta."

Cláusulas limitantes para la participación de Encotesa:

Infraestructura propia para el mantenimiento de los vehículos, ubicación de los talleres de mantenimiento, que deben ser operados por personal propio.

Nómina completa de la flota automotriz propiedad del oferente, cuya antigüedad no supere los cinco años.

Flota automotriz del tipo pick up, capacidad de carga de hasta 750 kg. y carrocería metálica.

Detalle de la ingeniería propuesta para el sistema de seguimiento y control, cuyo empleo y funcionamiento deberá acreditarse con antigüedad mínima de dos años.

Evaluación de las presentaciones: se efectúa sobre la base de parámetros que otorgan puntos. En el caso de la antigüedad de la empresa, ésta se computa a partir de la fecha de constitución de la sociedad. El puntaje máximo es de 5 puntos (más de 9,1 años de antigüedad) y el mínimo es 0 (de 0 a 1 año de antigüedad). En el caso de Encotesa, de acuerdo con sus estatutos, le correspondían 0,5 puntos.

Encotesa solicitó la suspensión en forma inmediata del llamado a licitación y que se dejara sin efecto.

El día 26/12/94, fecha fijada para la apertura de las propuestas, se procedió a suspender la apertura hasta nuevo aviso, a efectos de evaluar la presentación de Encotesa.

La Policía Federal resolvió que no existían méritos suficientes para modificar o adecuar el pliego licitatorio.

Se fijó una nueva apertura para el día 14 de junio de 1995, donde Encotesa cotizó el precio menor.

Oca impugnó la oferta de Encotesa.

La Policía Federal anuló ese llamado y convocó a uno nuevo.

Se preadjudicó a Oca.

2. Jugosos negocios. La "Caja"

La facturación de los servicios públicos fue un intento de negocio del "grupo" que afortunadamente para los intereses nacionales quedó frustrada. De todas formas, lo sucedido allí es por demás ilustrativo de las vinculaciones (y de la existencia) del "grupo" y de sus procederes.

Hubo muchos antecedentes, referencias de personas y comentarios de altos funcionarios del Estado que me convencieron día a día de la veracidad de la existencia del "grupo" que denuncié en la sesión de Diputados del 23 de agosto de 1995 y de su forma de operar para obtener prebendas y beneficios enormes a costa de todos nosotros. En este caso que relataré, los perjudicados hubiéramos sido los usuarios de los servicios públicos domiciliarios de luz, gas, agua y teléfono, pues me referiré a lo sucedido respecto de la contratación de un *"servicio integral e indivisible, consistente en la toma de estado de consumo sobre medidores, procesamiento, facturación, distribución de facturas a los usuarios, recolección de cupones de pago en las bocas de recaudación, control de resultados de las cobranzas e intimación a deudores usuarios en mora, todo ello respecto de la totalidad de los servicios prestados por las Empresas"* (se refiere a Segba, Gas del Estado, Obras Sanitarias de la Nación y ENTel).

El expediente 116/90 del registro de la ex Caja Nacional de Ahorro y Seguro, entonces presidida por el licenciado Juan Antonio Gasett Waidatt, da cuenta de la contratación de un servicio que importaba una retribución para el contratista superior a los 600 millones de pesos por año, durante un período de diez años, renovable automáticamente por otros dos períodos de diez años cada uno (salvo comunicación cursada con seis meses de antelación al vencimiento de cada uno de los períodos decenales). Dicha retribución se estableció en un 15% del monto de la facturación total por dichos servicios, y el contrato subsistía en caso de privatizarse las empresas entonces en manos del Estado, por lo cual la remuneración hubiera crecido proporcionalmente al aumento de la facturación de dichos servicios, hoy en manos privadas.

Quiere decir que se trataba de una contratación de enorme significación económica, que además comprometía severamente la política de reforma del Estado y privatización de sus empresas que había encarado el gobierno de la Nación en el marco de la ley 23.696.

Veamos cómo se procedió para concluir en una contratación directa con Ocasa, Ciccone Calcográfica SA y Organizacion MK's SA, en una unión transitoria de empresas, en la cual la empresa que Alfredo Yabrán ha reconocido como propia llevaba un 67,20% de los resultados (según el contrato exhibido) sin perjuicio de las "dudas" que hay sobre la propiedad de Ciccone Calcográfica SA, que participaba con un 28,80% de los resultados del "negocio".

El 10 de abril de 1990 el entonces subsecretario de Empresas Públicas, licenciado Diego Estévez, *"por mandato del señor Ministro de Economía"* (por entonces el contador Antonio Erman González) se dirigió al mencionado licenciado Juan Antonio Gasett Waidatt que presidía la Caja Nacional de Ahorro y Seguro, señalándole que *"por razones de urgencia, considera necesario encomendar a la CAJA NACIONAL DE AHORRO Y SEGURO la coordinación y ejecución de todos los pasos pertinentes a fin de implementar dentro de los plazos fijados por el Ministerio de Economía toda la operatoria relativa a la puesta en marcha de los sistemas y procedimientos de los servicios de lectura de consumos, facturación y distribución de facturas de los entes comprendidos en ese Decreto, como así también la cobranza e intimación de morosos (...) A tal efecto deberá en forma perentoria recabar el concurso de las firmas más prestigiosas del medio, a fin de obtener el mayor apoyo de las mismas en cuanto al diseño de un sistema integral que agilice la atención del usuario siguiendo todos los pasos necesarios para proceder a la posterior contratación de los referidos sistemas"*. Vale la pena mencionar, a esta altura del relato, que el decreto 584 del 29 de marzo de 1990, que se había publicado el 2 de abril de ese año y que menciona el licenciado Estévez en el comienzo de su nota, había dispuesto en su artículo 13 que: *"Antes del 1º de julio de 1990 el Ministerio de Economía deberá llamar a* licitación pública nacional e internacional *para la concesión del servicio de lectura de consumos, facturación y distribución de facturas de los entes comprendidos en el artículo 1º"*.

Al día siguiente de recibir la nota de Estévez, el licenciado Gasett Waidatt dicta una resolución creando una comisión de *"evaluación y selección"* integrada por él mismo y por funcionarios de línea de la Caja; los señores Gonzalo Rocca, Horacio Tamburrini, Daniel Abdala y Alejandro Quintiero, con el objeto de seleccionar a *"empresas de primer nivel en materia de informática, distribución de correspondencia y provisión e impresión de formularios que, en forma individual* o a través de una unión transitoria de entidades permita (...)"*. De la lectura de esa "resolución" se advierte que quien la hizo ya sabía o imaginaba que se trataría de una unión transitoria de empresas.

Gasett Waidatt les confiere *"24 horas"* para expedirse *"con el objeto de que, de inmediato, se curse a las empresas seleccionadas una formal invitación a presentar un proyecto que contemple (...)"*. El plazo y la modalidad de contratación "directa" por invitación no condicen ni con el derecho objetivo entonces vigente ni con la seriedad y complejidad de un proyecto de la dimensión del que se trataba.

Pero el 16 de abril de ese año, es decir, después de transcurridos dos días hábiles, la "comisión" presenta su informe en el cual considera viable el proyecto y propone invitar a una serie de empresas clasificadas en tres grupos. En uno de esos grupos se invita a la firma Ciccone Calcográfica SA en el rubro "Impresión de formularios" y a las empresas Organización Clearing Argentina SA, SA Organización Coordinadora Argentina (Ocasa y Oca) y Transportes Andreani SA, en el rubro "Distribución de correspondencia".

No se selecciona al Correo Argentino como una empresa en condiciones de prestar dicho servicio. Se fechan las cartas a los invitados ese mismo día 16, sin que haya constancia alguna de cómo o cuándo se diligenció su entrega a los interesados, y el día 23 de abril (apenas una semana después) sólo se presentan dos empresas asociadas en una "Unión Transitoria de Empresas" (UTE): Ocasa y Ciccone Calcográfica SA, que constituyen domicilio en la calle Tucumán 1506, piso 7º, oficina "706" (retengamos esta dirección).

Aparecen como empresas "adheridas al proyecto": Proceda SA, TTI SA, Oca y Transportes Andreani SA, y como proveedores una serie de empresas de renombre, entre las que se encuentra IBM.

Pero ya el 20 de abril se habían concluido todas las tratativas y negociaciones entre las empresas que integrarían el consorcio y quienes actuarían como "adheridas", demostrando una gran "armonía de intereses" y un gran liderazgo de Ocasa, porque Proceda SA informa a la ex Caja que declina ofertar por separado *"poniendo en vuestro conocimiento nuestra adhesión como proveedores a un proyecto de presentación conjunta con otras empresas"*. Lo mismo hace TTI —del grupo Bulgheroni— que adhiere *"a la presentación que están liderando las empresas Ciccone Calcográfica SA y Organización Clearing Argentina SA"*, al igual que Oca y Transportes Andreani SA, que creo vinculadas o de propiedad total o parcial de Alfredo Yabrán.

No es cierto pues lo que afirma Alfredo Yabrán en su escrito en el sentido de que la firma Oca *"nada tuvo que ver con dicho contrato"*, pues consta a fojas 84 del citado expediente 116/90 su *"adhesión como proveedores a un proyecto de presentación conjunta con otras empresas invitadas"*.

Hasta allí queda claro que el "liderazgo" de Ocasa sobre este consorcio era total y absoluto, más propio de un "Jefe" que de un "socio", llevándome a la convicción de que era Yabrán quien controlaba dicha "negociación".

También queda claro que las "tratativas" para lograr el contrato demostraron ser muy eficientes y exitosas. Probablemente los contratistas y proveedores habituales de la administración podrían testimoniar si alguna vez se les presentó tan fácil una oportunidad semejante.

El 30 de abril, las gestiones de la ex Caja ya habían concluido, luego de un intercambio de cartas con los proponentes, recomendando la "comisión" la aprobación del "proyecto" sobre la base de una remuneración del 15% del monto total de lo facturado por cada empresa por un plazo de diez años, prorrogable automáticamente.

Si hubiera existido una connivencia entre los funcionarios públicos actuantes y los empresarios que con tanta prontitud llegaron a presentar su propuesta y a concluir la negociación —interna dentro del consorcio y con la Administración— de un emprendimiento de al menos 600 millones de pesos al año, sería evidente que el intercambio epistolar con algunos "peros", rápidamente resueltos, se habría insertado para despistar a los auditores.

Ante tanta celeridad, parece advertirse una demora en el siguiente paso de dichas actuaciones, ya que recién el 18 de mayo el licenciado Estévez eleva el expediente al ministro de Economía entonces en funciones, contador Erman González, quien por alguna razón no deja entonces ninguna seña visible en el expediente (¿no habrá querido firmar la contratación directa, habiéndole mandado el Presidente realizar una licitación pública?).

Lo cierto es que, inmediatamente a continuación de la elevación de Estévez al ministro González, consta una copia del decreto N° 984 del 24 de mayo de 1990, por el cual se modifica el artículo 13 del anterior decreto N° 584/90 (de necesidad y urgencia). La nueva norma dice *"Facúltase al MINISTERIO DE ECONOMÍA a contratar un sistema de lectura de consumos, facturación, distribución de facturas e intimación de morosos, para los Entes comprendidos en el artículo 1°"*. También le encomienda a la Caja Nacional de Ahorro y Seguro *"la coordinación y supervisión del sistema precitado"*, indicándole que *"deberá precalificar y seleccionar empresas* privadas (excluyéndose al correo oficial) *que podrán presentarse bajo la figura de* unión transitoria de empresas" (el texto entre paréntesis no está en el original, ni tampoco están destacadas las partes que aquí se resaltan). No están en las actuaciones los antecedentes previos al dictado del decreto 984/90, por lo que no puede saberse quién fue su originante o quiénes dictaminaron antes de su dictado, si es que existieron dichas actuaciones.

Como las empresas de servicios públicos afectadas por el contrato de marras estaban en la órbita del Ministerio de Obras y Servicios Públicos (que por entonces estaba separado del de Economía) era razonable que si el Presidente quería encomendar dicha tarea al citado ministro González lo dispusiera expresamente. En cambio, en ningún lado dice que lo releve del trámite de contratación previsto en la ley de contabilidad que imponía la licitación pública (aunque no necesariamente internacional), ni que le permita subdelegar la competencia que estaba recibiendo del jefe de la Administración.

Pero ni aun con el dictado del decreto con el cual se pretendió "sanear" lo actuado desde el 10 de abril el entonces ministro estuvo dispuesto a firmar por sí (¿tendría conocimiento de algo que desconocemos?). En lugar de ello dictó una resolución, que lleva el N° 476 del 30 de mayo de 1990 (de la que no consta dictamen jurídico previo alguno) mediante la cual dispone *"Aprobar las actuaciones de la CAJA NACIONAL DE AHORRO Y SEGURO en el expediente N° 116/90, del citado Organismo"* y *"Delegar a la CAJA NACIONAL DE AHORRO Y SEGURO la facultad para suscribir el pertinente contrato"*. De todos modos, además de su responsabilidad como delegante, en los considerandos de este acto administrativo reconoce que su Ministerio encomendó a la Caja el desarrollo del proyecto en cuestión, concluyendo que lo que le mandaba hacer el Presidente de la República era precisamente lo que él había ordenado hacer antes, y que por ello no debía precalificar a nadie ni seleccionar a ninguna otra empresa que las que ya había seleccionado en un plazo récord el organismo presidido por su coprovinciano, a quien le encomendara el "trabajo" la "unión transitoria de empresas" liderada por la empresa de Alfredo Yabrán.

El 1° de junio de 1990, al día siguiente de remitírsele las actuaciones, el licenciado Gassett Waidatt firma el contrato con la UTE en cuestión. No hay otros antecedentes, hasta allí no consta la constitución de la unión transitoria de empresas, la responsabilidad solidaria de las empresas seleccionadas (Ocasa y Ciccone), el rol de las proveedoras "adheridas", la personería del firmante, etcétera, etcétera.

La "eficiente celeridad" ingresa en un cono de sombra luego de la firma del contrato, y recién después de cinco meses, el 1° de noviembre, se le remiten las actuaciones al ministro de Obras y Servicios Públicos, doctor Roberto Dromi, que tenía jurisdicción sobre las empresas en virtud de lo dispuesto en el decreto N° 2074/90.

A fojas 206 aparece el primer dictamen jurídico de todo el expediente, en el cual la doctora Ana Tezón señala que a su juicio *"el citado contrato habría tenido principio de ejecución"*, que *"no constituye una privatización"*, que *"el procedimiento de contratación debió ajustarse al Capítulo V de la ley 23.696 o en su defecto al procedimiento instituido por la ley de contabilidad (arts. 55 y 56)"* —licitación pública— y que *"es de advertir que indudablemente los servicios que abarca la contratación constituirán serios escollos para llevar adelante la privatización de las mencionadas empresas"*, proponiendo en consecuencia "renegociar" el contrato para limitarlo a la distribución de facturas y recolección de cupones bancarios.

Ya hacia fines de 1990 toma conocimiento del caso la comisión bicameral de seguimiento de la privatizaciones que tiene el mismo criterio que la doctora Tezón, según su dictamen de mayoría firmado por Luis Rubeo, Faustino Mazzucco, Héctor Velázquez, Juan Carlos Romero, Liliana Gurdulich de Correa y dos firmas ilegibles, en tanto que bajo la firma de Alberto Natale aparece una fundada disidencia que sostiene la nulidad de todo lo actuado.

Siguen luego actuaciones diversas, incluyendo una presentación del "contratista" que concluyen en una renegociación del contrato "suspendiendo" los efectos del primero, excepto en lo relativo a la distribución de facturas y recolección de cupones bancarios (dos actividades típicas de la empresa de Yabrán dedicada al transporte de clearing).

Este nuevo contrato, firmado el 4 de enero de 1991 entre el representante del consorcio Carlos Bettes y el vicepresidente de la Caja Nacional de Ahorro y Seguro, queda sujeto a su aprobación por decreto del Poder Ejecutivo, que nunca fue dictado. De acuerdo con sus términos, se suspenden las prestaciones originalmente contratadas en lo referente a lectura de medidores y facturación, y subsiste en todo lo no modificado y en lo específico respecto de la distribución de facturas y recolección de cupones, tareas por las que se fija un precio en dinero y no como porcentaje de la recaudación que, como veremos luego, sigue siendo muy elevado en relación con los costos que tenían las empresas por esas tareas.

En particular subsisten las cláusulas relativas al plazo y a la rescisión, que reconoce al contratista el derecho a reclamar los *"gastos improductivos, daños emergentes y* lucro cesante *que se le produjera por la rescisión anticipada del contrato"*. Modalidad de la que el "grupo" se valiera en otras contrataciones (véase el caso de Villalonga Furlong SA, Intercargo SA y la cláusula del convenio de compra de acciones de Inversiones y Servicios SA por parte del Estado que beneficia e incluye a Edcadassa e Interbaires SA). Mediante este ardid con sólo firmar un papel serían acreedores a cuantiosas indemnizaciones. Además, en tanto el contrato renegociado no fuese aprobado por el Presidente —que no lo fue— se mantenía vigente el contrato original del 1° de junio de 1990, que aparecía de tal modo ratificado.

Según el informe comparativo de costos realizado por la Sigep, que firma el doctor Mario Mena (fs. 296 del expte. 116/90) y aprueba el doctor Alberto Abad, por entonces presidente del organismo (fs. 302 del expediente citado), respecto de sólo tres de las empresas de servicios públicos involucradas (Segba, Gas del Estado y OSN) se advierte que se concentraba el "negocio" en su aspecto más cercano a las actividades del grupo, que de concretarse le reportaría jugosas ganancias: $ 4.700.000 mensuales por Gas del Estado, $ 3.200.000 mensuales por Segba y $ 1.000.000 mensuales por OSN, eran las diferencias de costos en contra de las empresas públicas y a favor de las del grupo contratista. ¡Y todo ello durante "al menos" diez años ininterrumpidos! Aunque no eran nada desdeñables las dos prórrogas decenales previstas automáticamente.

Pero luego de dicho informe y de las demás constancias que

fueron incorporándose a la tramitación se advirtió que todo lo actuado era de nulidad absoluta e insanable, entre otros motivos por no haberse seguido los procedimientos previstos por la ley, y se declaró la nulidad del contrato de marras, por resolución del Ministerio de Economía y Obras y Servicios Públicos N° 1406 del 4 de diciembre de 1992, respecto de la cual el decreto N° 886 del 6 de junio de 1994 rechazó el recurso jerárquico interpuesto por Organización MK's SA (UTE integrada por Ocasa, de reconocida propiedad de Alfredo Enrique Nallib Yabrán, Ciccone Calcográfica SA y Organización MK's SA).

La nulidad se confirmó pese a que el 11 de agosto de 1993 Bettes se había dirigido al Presidente de la Nación adjuntándole —en ampliación de su recurso contra la declaración de nulidad del contrato— una fotocopia simple de la resolución de la Fiscalía Nacional de Investigaciones Administrativas emitida el 18 de julio de 1990, con la que se habría pretendido "blanquear" el asunto. En esa oportunidad, la Fiscalía había sostenido como conclusión de su "investigación" que: *"En definitiva, el suscripto considera que el Poder Ejecutivo Nacional ha actuado dentro de sus competencias específicas y en ejercicio de facultades que le son propias, conforme la legislación en vigencia, y que no existe reparo legal alguno al procedimiento de contratación o al contenido de la misma"*. Firmaba tal dictamen el entonces fiscal general Ricardo Molinas. Por entonces su hijo trabajaba para el "grupo" y era socio de Roberto Sanmartino, quien hiciera lobby en la Cámara de Diputados para que se tratara el proyecto de ley de correos que tiene media sanción del Senado. ¿Habrá alguna relación?

Pero hay algunas curiosidades para el cierre de este capítulo que demuestran la "lógica" del "grupo".

Luego de la declaración de nulidad en sede administrativa no iniciaron juicio contra el Estado, por un contrato que les hubiera reportado ingresos por más de 600 millones de pesos al año durante tres décadas, ni aun contando con una cláusula que les reconocía el "lucro cesante" en caso de rescisión. ¿Les dio vergüenza?

Y desaparecieron; tanto es así que la cédula de notificación cursada al domicilio constituido para este negocio —Tucumán 1506, 7° piso, oficina 706— debió de ser fijada en la puerta de dicho local por el notificador, con la copia del decreto del Presidente.

¿Era tan grosero el negocio pretendido que no podrían defenderlo en los tribunales de la Justicia? Lo cierto es que desaparecieron despacito de la escena, sin dejar rastros visibles y olvidaron todo reclamo respecto de un contrato multimillonario, para cuya obtención sólo habían alquilado una oficina que luego abandonaron.

3. Contratos con el Ministerio de Justicia de la Nación

Desde el año 1987 Oca mantiene los servicios de correo del Ministerio y en especial del Registro de la Propiedad Automotor. Existen fluidos contactos entre el gerente de Oca, Carlos Alberto Vatrano, con Mariano Durand, Enrique del Canto, Carlos Weber y, más recientemente, con Alejandro Cachaldora y Segundo Vilanova.

Se ha dicho que existiría relación de amistad entre Jorge Maiorano y Héctor Fernando Colella; y entre Elías Jassán y Alfredo Yabrán.

Asimismo se ha dicho que Vatrano y Jorge Albertolli tienen una buena relación con integrantes de la Asociacion de Concesionarios de Automotores de la República Argentina (ACARA), como Oscar Cortis (gerente general) y Roberto Méndez (miembro del consejo directivo). Todo ello habría coadyuvado para que el "grupo" haya hecho excelentes negocios con el Ministerio.

EJEMPLO I:
Bolsines entre Registros de la Propiedad Automotor
y Registros de Créditos Prendarios
Se trata del traslado de documentación entre registros mediante bolsines que tienen un horario prefijado de retiro y entrega. Este es un negocio que ha mantenido Oca y cuya "idea" correspondería a Mariano Durand (director del Registro de la Propiedad Automotor) y a Enrique del Canto (subdirector). La relación contractual se remonta a 1987, pero es en 1992 —siendo Alejandro Cachaldora director nacional de Técnica y de Coordinación Administrativa— cuando se renuevan todos los contratos y se modifican los precios en alza. (Destaco que Cachaldora es tesorero de la Fundación Nueva Justicia, dirigida por Elías Jassán.)

EJEMPLO II:
El reempadronamiento automotor
A fines de 1993 el Ministerio de Justicia de la Nación, a través del ente cooperador ACARA, llamó a una licitación para la confec-

ción de la chapa patente automotor con nuevo diseño; la impresión de la documentación automotor con nuevo diseño (impresión de seguridad); la confección de una etiqueta autoadhesiva especial para colocar en la chapa patente, y la distribución domiciliaria de la patente y la documentación.

El pliego contenía la obligación de que para el caso de presentarse empresas consorciadas las mismas se hicieran solidariamente responsables de la totalidad de las obligaciones de todo el consorcio. Los plazos de presentación fueron exiguos, lo que impedía en la práctica que se constituyera un consorcio que no hubiera iniciado sus "tratativas" con anterioridad.

Encotesa se presentó haciendo valer el derecho que consagraba el decreto N° 1187/93 de que el Estado nacional contratara la distribución postal con ella únicamente. Ese decreto fue modificado por el de N° 2247/93 que dejó de lado la exclusividad pero exigía a todas las reparticiones del Estado nacional permitir la presentación de Encotesa en sus licitaciones y otorgarle un tratamiento igualitario al del resto de los prestadores.

(NOTA: La presentación judicial describe también el caso de Bosquemar Emprendimientos Turísticos y sus inversiones en Pinamar, una operación de Alfredo Yabrán, con la participación directa del propio intendente, Blas Altieri. Obvio reproducirla dado que la información ha sido ampliamente difundida por diversos medios periodísticos tales como la revista *Noticias* y el diario *La Nación*.)

1. Compraventa de facturas truchas

Las maniobras en relación con este tema ya fueron descriptas en el cuerpo central del libro.

Los principales operadores de esta actividad son Rodolfo Héctor Ciccone, Raúl Oscar Alonso (concuñado de Alfredo Yabrán) y Sergio Gastón Cianni (apoderado de Orgamer SA). Los domicilios de operaciones son el de Córdoba 1318, 1° piso, dpto. "A", de Capital Federal (denominada "Comercial 1") donde se concentra dinero y papelería del "*grupo*", fuertemente custodiada; Córdoba 1318, 11° piso (denominada "Comercial 2"), ambas de propiedad de Aylmer SA; M. T. de Alvear 636, 7° piso, también de Capital Federal (domicilio de Edcadassa, Inversiones y Servicios SA y Asistencia de Vehículos Comerciales SA).

En la "compraventa" de facturas a terceros, el "grupo" tiene ciertas sociedades fantasmas que le "venden" facturas. Algunos de estos "vendedores" surgen del siguiente cuadro:

Denominación	Domicilio
Diptrifti y Asociados SA	Arenales 2575, PB, "A", Cap.
Héctor Eduardo Varela	Ferré 956, J. Mármol, Bs. As.
Coop. de Trabajo Ven-Ser Venta y Servicios Ltda.	Paraná 597, 7° p., of. 47, Cap.
Binary System SA	Paraná 597, 7° p., of. 47, Cap.
TRETMISA	Junín 546, 2° p., of. 8, Cap.

Nótese que hay dos sociedades que tienen como domicilio el mismo edificio de Bridees SRL.

2. Fraude previsional

Las maniobras consistían en despedir personal de las empresas del "grupo" haciendo figurar un despido sin justa causa por el cual la empresa debe pagar indemnizaciones (preaviso, integración de preaviso, antigüedad, etc.) pero abonando al trabajador sólo los importes correspondientes a una ruptura del contrato de trabajo por renuncia.

Los mecanismos para convencer a los trabajadores de aceptar estas condiciones consisten en generarles una gran presión en el trabajo y luego ofrecerles como salida que, simulando un despido sin justa causa, se les otorgue un certificado que les permita acceder al subsidio por desempleo.

Se ha acompañado como prueba una video-grabación que contiene las declaraciones de tres ex empleados de Ocasa y una hecha con cámara oculta en la que un gerente de la firma explica el mecanismo del fraude. Los tres empleados informaron que cuando la empresa decidía despedir algún empleado comenzaban las presiones para conseguir quebrar su voluntad.

Un cálculo aproximado, sobre la base de los casos que se muestran en el videocasete nos indicaría un fraude no menor de 3.500 pesos por trabajador despedido con este "sistema". Sólo en el caso de Ocasa, de acuerdo con las propias estimaciones hechas para Alfredo Yabrán por The Barrington Consulting Group Inc., si siguieran el mismo mecanismo utilizado al presente de "despido sin causa" el importe ascendería a $ 2.540.000 (véase rubro "Gastos de redimensionamiento y cierre de sucursales" reclamado en los autos "Nallib Yabrán, Alfredo Enrique y otro c/Estado nacional s/proceso de conocimiento" [expte. 13.127/96] que tramita ante el Juzgado Nacional de Primera Instancia en lo Contencioso Administrativo Federal N° 11, Secretaría N° 21).

3. Empresa Ocasa

El 7 de octubre de 1992 se inicia causa ante el Juzgado Nacional en lo Penal Económico N° 7 a cargo del doctor Guillermo Juan Tiscornia, Secretaría N° 13 a cargo del doctor Héctor Daniel Ochoa, bajo el N° 2642, en la cual el Fisco reclama 1.111.459,68 pesos.

La maniobra denunciada consistió en que los órganos directivos de Ocasa —con el propósito de alterar su situación patrimonial— emplearon documentos atribuidos a empresas inexistentes o sin actividad para reducir la base imponible de los impuestos que debía tributar (IVA y Ganancias) y así poder evadir. Esto configuraba el ilícito que describe el artículo 2° de la ley N° 23.771.

El 6 de marzo de 1995 se inició otra acción ante el Juzgado Nacional en lo Penal Económico N° 2 a cargo del doctor Julio Enrique Cruciani, Secretaría N° 4 a cargo del doctor Hernán Pandiella, instrucción delegada en la Fiscalía Nacional en lo Penal Económico N° 2, a cargo del doctor Emilio Guerberoff, bajo el N° 17.844. En este caso el Fisco reclama 2.231.750,45 pesos.

El ilícito —con el deliberado propósito de alterar la real situación patrimonial de Ocasa— consistió en que sus órganos hicieron uso, una vez más, de documentos atribuidos a empresas inexistentes o sin actividad, como Transportes Balbuena, Removial SA, Proyse SA, Compañía Consultora y Mandataria SA y Consultora Sur SRL, entre otras, para justificar gastos inexistentes. Estos falsos egresos se proyectan en el balance de la empresa, alterando sus resultados en perjuicio del Fisco, al simular gastos por distintos conceptos y detrayendo de ese modo una porción de su ganancia gravada por el impuesto a las ganancias, que se proyecta a su vez en el monto del ingreso debido por IVA. Se configura así el ilícito previsto por el artículo 1° y 2° de la ley N° 23.771.

Recientemente, los diarios *Página/12* (edición del 22 de octubre de 1996) y *La Nación* (edición 9 de noviembre de 1996) dieron cuenta de hechos que serían confirmatorios de mis denuncias sobre la empresa Ocasa. El primero de ellos informa de una grabación de audio que realizara el senador provincial bonaerense Eduardo Florio y que, según el periódico, iba a presentar ante el Juzgado de Primera Instancia en lo Penal del Departamento Judicial de Lomas de Zamora. Allí se registra el diálogo entre el ex director de Salud de la Municipalidad de Lanús, Hugo Salice, y un empresario que simula necesitar un blanqueo de su situación impositiva.

4. Edcadassa

El 2 de junio de 1993 se inicia acción ante el Juzgado Federal en lo Criminal y Correccional N° 1 de Lomas de Zamora a cargo del doctor Alberto Patricio Santa Marina, Secretaría N° 3 a cargo del doctor Pedro Cruz Henestrosa, bajo el N° 9833. El Fisco reclama 1.595.008,01 pesos.

En este caso —según denuncia efectuada por el doctor Rubén J. De Matías de la Dirección de Auditoría Fiscal— la firma evadió el pago de sus tributos simulando erogaciones que sólo existían contablemente y al solo efecto de detraer la base imponible de los tributos (IVA y Ganancias) que estaba obligada a pagar. A tal efecto, simuló la contratación de empleados a la firma Ocupar SRL, empresa que —resulta evidente— no estaba en condiciones de suministrar tal cantidad de empleados. Los ilícitos cometidos hallan encuadre típico en los artículos 1° y 2° de la ley N° 23.771

Cabe destacar que la Cámara Federal de Apelaciones en lo Criminal —sala penal— de La Plata integrada por los doctores Alberto Ramón Durán y Jorge Jaime Hemmingsen, con fecha 13/7/95 declaró: *"Que el hecho investigado no se cometió"* y, a pesar de no haber sido indagados los responsables de Edcadassa, sobreseyó en la causa. Según la opinión del doctor Eduardo R. Oderigo, apoderado de la parte querellante, el juez de la causa no tuvo en cuenta: 1°) que Ocupar SRL al momento de los hechos (1990-1992) tenía una pequeñísima estructura que no le permitiría manejar la cantidad de gente que dicen se empleó en la empresa Edcadassa; 2°) las manifestaciones de los responsables de Edcadassa, en el sentido de que el personal temporario fue contratado para realizar tareas de inventario; 3°) que la cantidad de horas contratadas a la firma Ocupar SRL se incrementaron en el año 1991 hasta llegar a las 47.764 en diciembre de ese año, manteniéndose durante los meses de enero y febrero de 1992, para cesar casualmente cuando se sancionó el decreto N° 342/92 que obligaba a identificar dicho personal; 4°) que la División Resguardo de la Aduana informó que el 26/3/90 finalizó el relevamiento de los bultos, tarea ésta que implicaba el 90% del inventario; 5°) que de la causa surge que en la tarea de relevamiento de bultos sólo pudieron participar tres personas por Edcadassa, lo cual se contradice con las manifestaciones de los responsables de esa empresa; 6°) que la registración de las facturas por dicho servicio fue prolijamente efectuada por Edcadassa, y en cambio la firma

Ocupar SRL lo asentó en forma global; 7°) que en varios períodos la empresa Edcadassa no contó con fondos disponibles para efectuar los pagos a Ocupar SRL, por lo cual debió ser esta última quien adelantara los fondos para abonar al supuesto personal contratado, a pesar de su ínfima estructura.

Todo ello hizo presumir al querellante que debía revocarse el sobreseimiento dictado en la causa por el Sr. juez Santa Marina. Sin embargo, la Cámara sobreseyó respecto de los directivos de Edcadassa y ordenó continuar la investigación sólo en relación con los integrantes de la firma Ocupar SRL.

OBSERVACIONES:

Existen coincidencias en cuanto a los "proveedores" utilizados por las empresas investigadas. Así, Ocasa y Edcadassa utilizan los "servicios" de Consultora y Mandataria SA; Edcadassa e Interbaires SA los de Chem & SyS SA y los de Ocupar SRL, que también es utilizada por las sociedades Zapram, lo cual no hace sino aportar otro elemento de convicción más en orden a la existencia del *grupo empresario*" de Alfredo Yabrán.

Podrá argumentarse que los fallos mencionados fueron el resultado de una conclusión jurídica adoptada en cada caso con "independencia" y en base a las constancias de la causa. Pero no era lo que me manifestaban el secretario de Ingresos Públicos, doctor Carlos Tacchi, ni el director general de la DGI, licenciado Carlos Cossio. Tampoco lo que me dijera el doctor Eduardo Oderigo cuando seguí indagando y decidí preguntarle directamente acerca de las referencias que me habían sido relatadas por otros respecto de sus conclusiones.

En todos los casos se me dijo que en los juzgados en los que tramitaban causas de las empresas del "grupo" el trato que recibía la parte querellante, es decir el Fisco, era despareja en su contra durante la tramitación y que al llegar las sentencias se advertía una animosidad contra el Estado como si se tratara de jueces "influidos". Si lo eran o no, no puedo saberlo con precisión, pero lo evidente es que resolvían las causas como si lo fueran.

Existe un argumento de Alfredo Yabrán en cuanto a la evasión fiscal que no puedo dejar de comentar. Sostiene que —no siendo directivo de las empresas evasoras— no podría adjudicársele dicha condición.

Podría pensarse que todas las sociedades, cuyos directores y miembros de los órganos de vigilancia se encuentran cruzados o son parientes o son empleados unos de otros, han visto —por este motivo— debilitado sus mecanismos de control societario. Siendo así, Alfredo Yabrán sería una "víctima" de directivos y síndicos infieles. Pero resulta extraño que, enterado de las denuncias y los problemas fiscales que las empresas han tenido en los últimos años, las personas que habrían traicionado su confianza sigan en los mismos o mejores puestos.

O puede pensarse que como el "grupo" opera con una gran *"caja unificada"* el mayor beneficiario de tales maniobras es el dueño de dicha caja, quien puede contar así con mayores ganancias y generar dinero negro.

"POLÍTICA" COMUNICACIONAL DEL "GRUPO"

Un ejemplo sobre las influencias en comunicadores por parte del *"grupo"* —confirmadas por las afirmaciones del propio Alfredo Yabrán en oportunidad de que nos reuniéramos en el restaurante Bleu, Blanc Rouge, en presencia de Haroldo Grisanti— es el caso de Franchise Service International SA y el periodista Enrique Szewach.

Franchise Service International SA es una sociedad que ideara Yabrán constituida por "representantes" de sus intereses, por Enrique Szewach y un amigo de este último, ambos con una participación menor, al menos en su origen.

Dicha compañía pretendió quedarse con ciertos servicios que tenía otro correo privado, AB Transportes, y que como consecuencia de presiones recibidas no podía cumplir. Se trataba de un contrato con Telecom Argentina SA para la distribución de cartas facturas en las provincias de Córdoba, Santa Fe, Misiones y Corrientes. Telecom no podía rescindir el contrato y Szewach pretendía continuarlo pero a través del Correo Argentino. Para ello concurrió a ver al entonces presidente de Encotesa (Haroldo Grisanti) solicitándole una cotización para hacer el trabajo. Es decir, se planteaba una intermediación. La cotización se realizó mediante nota dirigida a Sze-

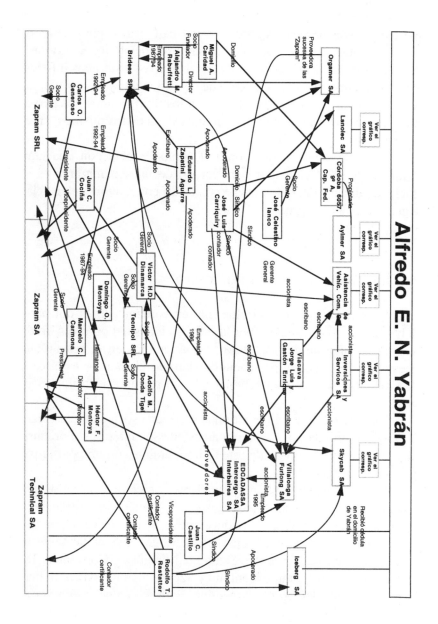

wach suscripta por el gerente de Cuentas Especiales de Encotesa (Guillermo Daniel Tejerina) del 21 de diciembre de 1993.

El precio no le conformó al periodista. Coincidentemente, a partir de allí comenzó a hacer comentarios en distintos medios de comunicación desfavorables hacia el correo oficial y de elogio a las empresas de Yabrán. Así, Szewach publica una nota muy crítica sobre Encotesa con una gran cantidad de datos falsos. Esa nota aparece el 31 de marzo de 1994 en la página 16 del diario *Ambito Financiero*. Frente a ello, Haroldo Grisanti envía una carta a Szewach, quien contesta por el mismo medio y donde reconoce su deseo de ser representante del Correo Argentino en los locales de su franquicia. Ello era contrario a la política de Encotesa que no quería ayudar a sus competidores a crecer a sus expensas.

Hasta aquí podría creerse que se trataba de una cuestión de ética periodística y de un intento de hacer "negocios fáciles" a expensas de una empresa perteneciente al Estado. Pero analizada la documentación societaria que obraba en la Inspección General de Justicia resulta que, en aquel momento:

• La sociedad Franchise Service International SA se constituyó mediante escritura del 12 de julio de 1993 con un capital de $ 12.000.

• Sus accionistas y las proporciones sobre el capital social eran los siguientes: Martín Leopoldo Alonso, 5%; Enrique Szewach, 5%; Gregorio Ríos, 20%; Luis Alberto Pistoni, 20%; Marcelo Amador Lozano, 20%, y Analía Juiz, 10%.

• El balance al 31 de diciembre de 1994 daba cuenta de inversiones por $ 830.000.

Lo notable es que las condiciones patrimoniales de los socios, quizá con la excepción de Szewach (que con su amigo sólo reunían el 10%), no permitirían ese monto de inversión. ¿Quién entonces hizo las inversiones?

Analicemos los "socios" de Szewach, para encontrar algunas pistas:

—Gregorio Ríos (20%) es sargento retirado del Ejército. Estuvo en grupos de Inteligencia durante el llamado Proceso de Reorganización Nacional. Hoy es empleado de Bridees SRL, una de las empresas de custodia del grupo, conforme fuera dicho.

(*Nota del autor*: a la fecha de edición de este libro, Ríos aparece vinculado al —hasta ahora— principal sospechoso del asesinato del periodista José Luis Cabezas, el oficial de la Policía Bonaerense Gustavo Prellezo, con quien mantuvo decenas de llamadas telefónicas en los meses previos y hasta horas antes del crimen.)

—Luis Alberto Pistoni (20%) es sargento primero retirado del Ejército Argentino. Estuvo en grupos de Inteligencia durante el Proceso de Reorganización Nacional. Hoy es empleado de Bridees SRL.

Relaciones "institucionales"

El "grupo" de empresas de Alfredo Yabrán —según me fuera referido con anterioridad a mis manifestaciones en el Congreso de la Nación— ha ido estructurando una serie de relaciones con distintas personalidades públicas, relaciones útiles para el desarrollo y sostenimiento del conjunto económico.

Parte de su *modus operandi* se basa en la realización de importantes reuniones sociales, aportes a campañas proselitistas, tanto en dinero como facilitando medios de transporte, apoyo como patrocinante de programas periodísticos o eventos especiales, etcétera, etcétera.

Para ello controla o "utiliza" un prestigioso restaurante, una empresa de transporte aéreo, una empresa de viajes y un importante hotel.

El restaurante es el Piégari, ubicado en Posadas 1042 de Capital Federal. Si bien la sociedad tiene su nombre igual al apellido de dos de sus accionistas, quien la conduce es la estrecha colaboradora de Alfredo Yabrán, Ada Fonre. Como ejemplo de la estrecha vinculación de este restaurante con Alfredo Yabrán cito un diálogo por radio América en el programa matinal de Bernardo Neustadt, que concluye así:

Neustadt: Ya me han llamado de un restaurante que está debajo de la autopista (...) Piégari se llama, para decirme que esta comida, con todos los que yo quiera encontrar o que digan que lo pueden reemplazar a Cavallo, se va a hacer ahí.

Como he señalado, la presidenta del directorio, Ada Fonre, es hermana de Néstor Fonre, accionista de Interbaires SA y fue empleada de Lanolec SA. Además, es la propietaria del inmueble sito en Matienzo 1801, 7º piso, dpto. D, de Capital Federal, donde vive

Gabriela Dodero, principal accionista de Servicios Choice SA, empresa postal que integrara el Consorcio Empresario Correo Argentino que pretendiera la adquisición de Encotesa.

La empresa de transporte aéreo es Lanolec SA, de reconocida propiedad de Alfredo Yabrán. A través de ella se realizan viajes de una gran cantidad de políticos y gente de influencia, para actividades públicas y privadas.

El hotel es el Presidente, donde se realizan importantes reuniones y cuya sociedad propietaria es Hotel Presidente SA que preside Aldo Fuad Elías, ex administrador nacional de Aduanas y amigo de Alfredo Yabrán. Este hotel es uno de los patrocinantes de la Fundación Nueva Justicia que preside Elías Jassán. "Casualmente", todas las conferencias de prensa realizadas en ocasión del enfrentamiento que generaron mis declaraciones, por las cuales Yabrán me querella, se realizaron en el Hotel Presidente.

La agencia de viajes que se utiliza para "agasajar" a distintos personajes que colaboran con el "grupo" es Passingtur SRL, con domicilio en Cerrito 1057 de Capital Federal. El socio fundador de esa agencia fue Andrés De Cabo —quien fuera socio fundador de Ocasa— y su gerente es Mario Altieri.

Las personas que podrían dar referencias y testimoniar sobre lo dicho en este libro respecto de las relaciones de Alfredo Yabrán en el terreno político y empresario son: Antonio Erman González (principalmente en el tema de aeropuertos y facturación de servicios públicos), José Roberto Dromi (sobre las designaciones de Vaccalluzzo y de Gall Melo en Encotel, y sobre el asesoramiento al consorcio Andreani), Carlos Vladimiro Corach (quien intervino en muchos de los casos narrados aquí, tanto como secretario de Legal y Técnica, como en su carácter de ministro del Interior), Carlos Ruckauf (sobre las licitaciones de pasaportes y DNI), Jorge Maiorano (sobre similares cuestiones que el anterior), Alberto Pierri (sobre la adjudicación a su empresa de la planta de Papel de Tucumán por la mitad del valor ofertado por el "grupo", que se retirara de la licitación), Juan Valcarcel (quien tiene a su cargo el trámite del controvertido proyecto de ley de correos), Elías Jassán (sobre los contratos del Ministerio de Justicia y de ACARA y sobre la Fundación Nueva Justicia que preside), Hugo Franco (para que explique sus gestiones ante el padre Marcelo Martorell y las inversiones del Arzobispado de Córdoba en acciones de empresas postales), el padre Marcelo Martorell (por similares cuestiones que el anterior), Esteban Juan Caselli (para que explique sus declaraciones en las que reconocía ser amigo personal de Alfredo Yabrán y haber intercedido para beneficiar a la empresa Lanolec SA con la obtención de un espacio en el Aeroparque Jorge Newbery sin pago de ningún canon ni tasa), José Celestino Blanco (que participara activamente en los hechos vinculados a la empresa DHL, sobre su llegada a la gerencia general de Edcadassa y a la tenencia de acciones de Orgamer SA, de quien también es directivo), Roberto Sanmartino (quien también participó activamente en los acontecimientos sufridos por DHL, sobre sus gestiones en el tratamiento del proyecto de ley que tiene media sanción del Senado), Gassett Waidatt (sobre su participación en el tema de la facturación de las empresas de servicios públicos), Diego Estévez (sobre similares cuestiones que el anterior), Jesús Rodríguez (sobre las vinculaciones del "grupo" con políticos y legisladores, y sobre las reuniones con Juan Carlos Fernández en Tortugas Country Club), Juan Carlos Delconte (sobre acciones del "grupo" durante su gestión en la Aduana), César Jaroslavsky (sobre sus gestiones de presentación de Alfredo Yabrán y los aportes que reciben los partidos políticos de las empresas), Adelina D'Alessio de Viola (sobre la actuación del "grupo" en los contratos y las licitaciones llamadas por el Banco Hipotecario Nacional) y Antonio Di Vietri (sobre su actuación como jefe de la Policía Federal Argentina y luego presidente del directorio de Edcadassa).

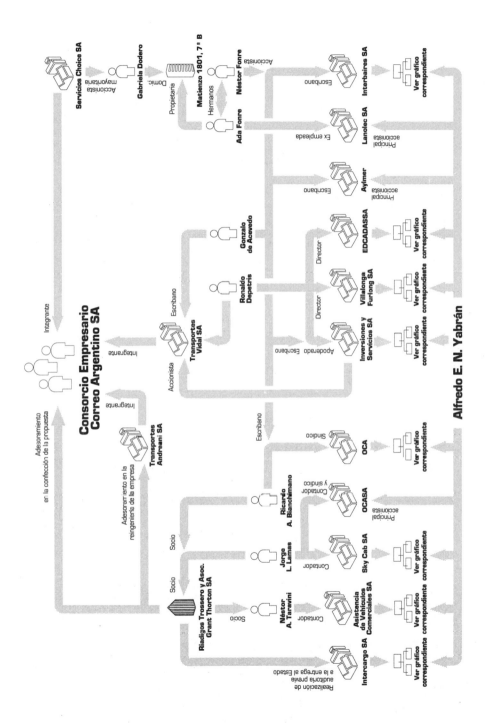

Consorcio Empresario Correo Argentino SA

Servicios Choice SA

Accionista mayoritaria

Gabriela Dodero

Domic.

Macienzo 1801, 7° B

Néstor Fonre

Accionista

Ada Fonre

Hermanos

Propietaria

Néstor Fonre — Escribano — Interbaires SA

Ada Fonre — Ex empleada — Lanolec SA — Principal accionista

Aylmer — Escribano — Principal accionista

Gonzalo de Acevedo

Ronaldo Depetris

Transportes Vidal SA

Escribano

Accionista

Director — EDCADASSA

Director — Villalonga Furlong SA

Director

Apoderado — Escribano — Inversiones y Servicios SA

Integrante

Adesoramiento en la confección de la propuesta

Adesoramiento en la reingeniería de la empresa

Transportes Andreani SA

Socio

Socio

Riadigos Trossero y Asoc. Grant Thorton SA

Socio

Néstor A. Taravini — Contador

Jorge L. Lamas — Contador

Ricardo A. Bianchimano — Contador y síndico

Síndico — OCA

OCASA — Principal accionista

Sky Cab SA

Asistencia de Vehículos Comerciales SA

Intercargo SA

Realización de auditoría previa a la entrega al Estado

Escribano

Ver gráfico correspondiente

Alfredo E. N. Yabrán

Indice onomástico

Fondo Monetario Internacional (FMI): 34, 137, 138, 139, 177, 179, 215, 224, 225
Fondo Nacional de Empleo: 236, 237
Fonre, Ada: 294, 312, 359
Fonre, Néstor: 294, 312, 359
Franco, Hugo: 103, 267, 360
Friedman, Milton: 186
Fromglia, doctora: 330
Fuad Elías, Aldo: 359
Fuerza Aérea: 14, 15, 16, 19, 22, 23, 26, 29, 96, 117, 118, 120, 121, 122, 123, 124, 126, 127, 129
Fundación Mediterránea: 7, 11, 59, 60, 103, 165
Fundación Nueva Justicia: 259, 348

G

GATT: 39, 57, 95, 264, 275
Galeano, Juan José: 44
Gall Melo: 360
Ganaderos del Oeste SA: 152, 153
Ganchera SA: 152
García, Juan Carlos: 335
García, Roberto: 334
García Foucault, María Rosa: 79, 81
García Lema, Alberto: 84, 146
García Orlando, Luis: 301, 303, 304, 308
Gasalla, Antonio: 230
Gas del Estado: 61, 74
Gasipi, Pablo: 325
Gassett Waidatt, Juan Antonio: 340, 341, 341-2, 342, 345, 360
Generoso, Carlos Orlando: 301, 303, 315, 320
Ghali, Boutros: 23
Giacchino, Ricardo A.: 103, 333, 334, 335, 336, 337
Gigena, Humberto: 130
Giménez, José Luis: 7, 271
Giordano, Osvaldo: 56
Givogri, Carlos: 59, 60, 192, 197
Goldman, Joe: 314
Gómez Dolcer, Antonio Luis: 324

Goncevatt, Jorge: 330
González, Eduardo: 335
González, Erman: 22, 27, 28, 29, 30, 50, 59 72, 73, 75, 77, 97, 119, 125, 126, 127, 128, 130, 133, 174, 175, 176, 180, 193, 194, 277, 301, 341, 343, 344, 360
González, Felipe: 123
González, Gustavo: 314
González, Roberto: 315
González Menotti, Alberto: 315
Grandoglio: 317
Grisanti, Haroldo: 105, 109, 110, 111, 163, 267, 357
Grondona, Mariano: 164
Grupo de Investigaciones Especiales: 40
Guerberoff, Emilio: 352
Gurdulich de Correa, Liliana: 345
Gutiérrez, Francisco: 120, 266
Gutiérrez, Ricardo: 75, 224
Guzmán, Cristina: 79
Guzmán, Roberto: 88, 89

H

Hadad, Daniel: 106, 163, 258, 260, 261, 278, 279
Harispe, Enrique Carlos: 327, 329, 331
Harispe, Mario Alberto: 327, 329, 330, 331
Hemmingsen, Jorge Jaime: 353
Hernández, Ramón: 20
Hidronor: 197
Hills, Carla: 95, 99
Hogan, sistema: 160, 162, 163, 169
Hornos, Roberto Enrique: 321
Hussein, Saddam: 16

I

Iberia: 123, 128
IBM: 42, 150, 160, 161, 162, 163, 164, 165, 167, 168, 169, 170, 171, 272, 279

Massacesi, Horacio: 93
Matzkin, Jorge: 276
Maya, Héctor: 89
Mayorga, Francisco: 117
Mazza, Eduardo Angel: 93, 206
Mazzucco, Faustino: 345
Melconián, Carlos: 73, 92
Mena, Mario: 346
Méndez, Roberto: 348
Menem, Carlos: 8, 9, 10, 13, 16, 17,
    18, 19, 20, 21, 22, 23, 24, 25, 30,
    31, 33, 42, 48, 58, 59, 60, 62, 67,
    69, 71, 72, 90, 100, 105, 107, 108,
    114, 117, 119, 123, 126, 128, 136,
    146, 153, 157, 164, 166, 167, 174,
    176, 191, 194, 200, 205, 233, 238,
    255, 256, 265, 271, 273, 274, 275,
    276, 280, 281, 282
Menem, Carlos Jr.: 36
Menem, Eduardo: 280
Mercosur: 74, 208
Montenegro, brigadier: 133
Monterisi: 84, 85, 86
Molinas (hijo): 334, 336, 347
Molinas, Ricardo: 331, 334, 347
Montoya, Domingo Osvaldo: 303,
    308, 315
Montoya, Héctor Francisco: 303, 308,
    315
Monzón, Carlos: 36
Morales, Alejandro: 321
Morandini, Héctor A.: 307
Moreau, Leopoldo: 165
Moreira, Aristóbulo Nicanor: 315, 319
Moreno Ocampo, Luis: 88, 153 257, 268
Mori, Osvaldo Horacio: 330
Mulford, David: 196
Municipalidad de la Ciudad de Buenos
    Aires: 111, 231
Murolo, Felipe: 174, 219
Musimundo: 40

N

Natale, Alberto: 133, 345
Naya, Roberto: 315, 317

Neuendorf, "Neuman": 317
Neustadt, Bernardo: 74, 106, 150, 166,
    277, 279, 359
Nicosia, Alberto Oscar: 78, 79, 80, 81, 82
Nobleza Piccardo: 142, 143
Noticias, revista: 114, 266, 301, 314,
    349

O

Obra Social de la Fuerza Aérea: 111
Obras Sanitarias: 74, 76, 204
Oca: 100, 103, 107, 112, 267, 291
Ocasa: 74, 96, 97, 98, 100, 101, 103,
    112, 149, 194, 257, 338, 351
Ochoa, Héctor Daniel: 351
Oderigo, Eduardo R.: 353, 354
Olima, Juan Carlos: 28
Orcoyen, Javier: 168
Orgamer SA: 101, 130, 150, 304
Ortega, Ramón: 147, 268
Ortholán, astillero: 83
Ortiz Pellegrini, Miguel: 41
Oshiro, Julia: 162
Otero, Juan Carlos: 89
Otrera, William: 181, 195, 203
Oyharbide, Norberto: 47

P

Pacto de Olivos: 107, 109, 259
Pagani, Fulvio: 103
Página/12: 353
Palmaghini, Fabiana: 325
PAMI: 77, 238, 252, 254, 255, 256,
    258, 282
Pampa: 14
Pandiella, Hernán: 352
Panelo, Guillermo: 307
Papagno, Rogelio: 335
Papel de Tucumán: 143, 144, 145, 147
Papel Prensa: 143
Parino, Gustavo: 36, 37, 39, 40, 41,
    42, 44, 45, 46, 47, 48, 49, 122, 267,
    272, 273

Paulik, Juan: 29, 133
Pellegrini, Carlos: 158, 174, 183
Pérez, Blanca Rosa: 291, 293, 312
Pérez, María Cristina: 291, 332
Pérez, Osvaldo Florentino: 298, 308
Perón, Juan Domingo: 13
Perversi, Angel: 253, 254, 255, 256
Petracchi, Enrique: 85, 86
Peyón, Enrique: 317
Pierri, Alberto: 132, 147, 276, 360
Pistoni, Luis Alberto: 358
Plan Alimentario Nacional: 232
Plan Austral: 173, 183
Plée, Raúl: 111, 162, 163, 165
Policía Aeronáutica Nacional: 126
Polo Petroquímico Bahía Blanca: 206
Powell, Collin:11
Pozzoli, Nelson: 106, 107, 293
Prellezo, Gustavo: 358
Presa, Gabriel: 324
Preston, Lewis: 224
Prieto, Roberto: 331
Primatesta, Raúl: 103, 104
Prol, Luis: 60, 79, 195
Proyecto Centenario: 160, 161, 162,
    164, 168, 170, 171, 172
Proyecto Joven: 240
Pucará: 14
Puppo, Jorge del Valle: 147, 148

Q

Quantín, Norberto: 278
Quintiero, Alejandro: 342

R

Rabufetti, Alejandro Marcelo: 304,
    308, 317
Radice: 317
Ramírez, Bruno: 325
Rastatter, Rodolfo Teodoro: 294, 307
Reagan, Ronald: 140
Red de Accesos Metropolitanos
    (RAM): 205

Regúnaga, Marcelo: 207
Rhodas Cargo Service: 100
Rhodes, Bill: 225
Riádigos, Trossero y Asociados: 293,
    294, 307, 312
Ríos, Gregorio: 358
Rocca, Gonzalo: 342
Rodríguez Bosch: 41
Rodríguez, Jesús: 360-60
Rodríguez, Jorge: 280, 281
Roggero, Humberto: 47, 264, 265, 269
Rojo, Pablo: 61, 112, 242, 324
Romero, Carlos A.: 335
Romero, Juan Carlos: 345
Romero Villar, Carlos Juvenal: 101,
    304
Rosales Saadi, Efraín: 145, 146
Rotundo, Mario: 17, 21, 22, 23
Rubbeo, Luis: 345
Ruckauf, Carlos: 360
Ruiz Cerruti, Susana: 166

S

Salice, Hugo: 352
Salto Grande: 198
Samid, José Alberto: 151, 153, 154,
    155, 262, 263
Sánchez, Carlos: 45, 153, 174, 209
Sanmartino, Roberto: 334, 336, 347,
    360
Santa Marina, Alberto Patricio: 150,
    353
Santángelo, Rodolfo: 73, 92
Sarlenga. Luis: 28, 30
Schiaretti, Juan: 208
Schlegel, Enrique Carlos: 317
Schmucler, Osvaldo Raúl: 330, 331
Scioli, Daniel: 284
Segba: 61, 74, 198, 199, 231
Segovia, José María: 151
Seita, Guillermo: 112, 323
Seita, Teresa Soalleiro de: 323
Servicio Nacional de Sanidad Animal
    (SENASA): 151, 152, 153
Seprit Postal: 100, 325

Indice

Esta edición
se terminó de imprimir en
Grafinor S.A.
Lamadrid 1576, Villa Ballester
en el mes de junio de 1997.